# A Concept Approach
## TO
# SPANISH

*Under the Editorship of Eduardo Neale-Silva*

# A Concept
# Approach to
# SPANISH

*Zenia Sacks Da Silva*

HOFSTRA UNIVERSITY

*Gabriel H. Lovett*

NEW YORK UNIVERSITY

SECOND EDITION

HARPER & ROW, PUBLISHERS

*New York, Evanston, and London*

*Library of Congress Catalog Card Number: 65-11707*

C-3

TO

A. I. D. and Pat

# XI / THE ARTICLES                                          124

*EL FRAILE SE HA HECHO TORERO*                              124

## PART A

## PART B

# XII / INTERROGATIVES, EXCLAMATIONS, INDEFINITES, NEGATIVES                                  140

*LA MURMURACIÓN*                                            140

## PART A

COMPARATIVE CHART OF INDEFINITES AND NEGATIVES             148

## PART B

# XVIII / PARTICIPLES AND INFINITIVES                                     228

### APRENDA A DIBUJAR                                                     228

## PART A

## PART B

## REFERENCE GUIDES

## VOCABULARIES

The story is told of Fray Luis de Leon who, after five years of imprisonment, returned to his classroom at the University of Salamanca, stood up before the assembled students, and began: "As I was saying. . . ."

Ours has not been exactly an imprisonment, but some five years have elapsed since last we had the opportunity to speak to you, to introduce for the first time the "concept approach," and to await your reaction. Happily, your verdict has been for the most part favorable, and so, we have taken that "most part," and reviewed it and elaborated upon it. And then we took the "least part," and reworded and reshaped it so that it too might, with fortune, fall within the realm of your approval.

As we were saying. . . . The concept approach is a means to the command of a today-filled language. It applies to conversation, reading, and structural materials, and to every aspect of classroom and laboratory teaching. Its focus is always the *idea*, the *meaning* that one person is trying to communicate to another. Its view of grammar is one which de-emphasizes, even eliminates formal terminology wherever possible, and which substitutes in its stead an understanding of what the spoken or written word would imply. (For example, the use of the subjunctive is reduced to three basic concepts, without need for reference to types of subordinate clauses, or for memorized lists of verbs, conjunctions, or expressions. **Ser** and **estar**, imperfect and preterite, **por** and **para**, passive and active voice, and other "problem points" are explained with minimum wordage, and with emphasis always on their connotations.) The concept approach seeks also to order the presentation of grammatical structure by association of related ideas. It stresses active conversation, in context, and based on subjects that are meaningful to the student. It introduces current, lively reading (in this instance, items adapted from Spanish and Spanish-American periodicals) to illustrate grammar points and as departures for oral participation. It provides varied and numerous exercises (almost three times as many as in the original edition), ranging from audio-lingual pattern, substitution, and response drills, to controlled translation, free discussion, and original composition. Its many Reference Guides include a glossary of grammatical terms and a *What's the Difference Between . . . ?* section now expanded to one hundred and fifty entries. And finally, it now offers a laboratory program that (1) uniquely involves the student in actual conversation with the speakers, (2) adds the dimension of twelve native voices from Spain and seven countries of Spanish America, (3) supplements the text with drills, reviews, and a variety of vocabulary building exercises, (4) devotes two separate tapes to the analysis and practice of authentic pronunciation, and (5) presents a students' workbook and teacher's manual that coordinate the classroom and laboratory into a single orientation.

We beg you to notice once again that *A Concept Approach to Spanish* may span all levels from early intermediate through advanced. For this reason, lessons are generally divided into Parts A and B. *Only Part A is intended for second year classes.* Part A gives a brief synopsis of fundamental usages and amplifies them through conversational application. It may be used intensively for one semester as a grammar review course, or, more advisedly, for a whole year, with additional reading or composition materials. Part A of each lesson can be divided into units, since exercises immediately follow every point of grammar and each lesson concludes with a review exercise that brings together all the important structures just studied. Part B (plus Part A of Lessons VII and VIII— the subjunctive) is designed for advanced courses in syntax and composition. It delves into the subtle nuances, the exceptions and current idiomatic turns of the language, both oral and written. It may well be the student's first experience on a level of expression that approximates that of the native speaker.

In short, these some five years past have hardly been for us a time of incarceration—but indeed they have been, of inquisition. We have enjoyed the freedom to challenge our every conclusion, to experiment with new techniques, and to develop and improve what we consider our own, ever mindful that our offering will be shaped by your personality and your needs.

May we offer special thanks to Professor Leonardo C. De Morelos of Columbia University for the generous time and heart he has given to this project, and to you, as always, for the talent, skill, and enthusiasm with which you undertake it.

Z. S. D.
G. H. L.

# A Concept Approach

## TO

## SPANISH

# THE PRESENT, IMPERFECT, AND PRETERITE TENSES

||||||||||||||||||||||||||||||||||||||||||||||||||||||||||||||||||||||||||||||||||||||||||||

Adaptado de

**PUEBLO**

Madrid, 3 de julio de 1963

## Tres Estudiantes Suspendidos

Era la semana de exámenes en el Instituto de Segunda Enseñanza de Lamego. En la sala de matemáticas, un estudiante parecía tener ciertas dificultades en realizar sus ejercicios porque llevaba vendada una oreja. El muchacho, mientras escribía, monologaba en voz baja, detalle que no chocó demasiado, pues frecuentemente los que estudian en voz alta tienen la costumbre de interrogarse a sí mismos.

De repente se presentó un señor, diciendo que quería hablar al director con urgencia. Declaró que había escuchado a través de un receptor portátil un diálogo sostenido desde una de las salas de examen con un local que distaba cerca de diez minutos del edificio. La conversación versaba sobre los temas del examen. El alumno preguntaba los puntos que le resultaban difíciles y dos personas le transmitían la explicación.

El director no podía creerlo hasta que el radioyente le trajo su aparato de radio y el director oyó el diálogo. Ya no cabía la menor duda: un alumno recibía la chuleta por medio de un transmisor de radio.

Discretamente el director entró en la sala, y como es lógico, despertó su atención el muchacho de la venda en la oreja, que continuaba monologando inocentemente. Llamado al despacho del director, el estudiante

1

dijo que tenía una herida en el oído y que por esa razón llevaba la venda. Le quitaron la venda y bajo un buen trozo de algodón, había un minúsculo receptor. Un emisor, colocado en el reloj de pulsera, funcionaba con idéntica precisión. Allí estaba la ingeniosísima obra de sus dos hermanos, técnicos de radio por vocación. Por supuesto, los tres hermanos fueron suspendidos.

Aunque el episodio ocurrió hace casi un mes, no se dio a conocer hasta el sábado pasado. Las repercusiones fueron inmediatas. Hace ya tres días que el asunto apasiona a la opinión pública. La inmensa mayoría parece creer que los tres no sólo merecen benevolencia, sino becas para ampliar y perfeccionar sus conocimientos científicos. En cambio, respecto al "soplón" que denunció la estratagema estudiantil, no se oyen más que amargas censuras.

## PREGUNTAS

1. ¿Qué semana era en el Instituto de Segunda Enseñanza de Lamego?
2. ¿Por qué parecía tener ciertas dificultades un estudiante?
3. ¿Quién se presentó de repente?
4. ¿Cómo había escuchado el diálogo?
5. ¿Cómo realizaban la chuleta el estudiante y sus hermanos?
6. ¿Qué dijo el estudiante cuando le llevaron al despacho del director?
7. ¿Qué descubrieron al quitarle la venda?
8. ¿Dónde estaba el emisor?
9. ¿Cuándo ocurrió el episodio? ¿Cuándo se dio a conocer?
10. ¿Cómo reaccionó el público a la suspensión de los tres hermanos?

## CONVERSACIÓN

1. ¿Qué le parece a Ud. el caso de los tres hermanos? ¿Cree Ud. que hizo bien o mal el director al suspenderlos?
2. ¿Qué piensa Ud. del "soplón"? ¿Qué habría hecho Ud. en su lugar?
3. ¿Cómo explica Ud. la reacción del público? ¿Está Ud. de acuerdo?
4. ¿Recuerda Ud. un caso de chuletas en su experiencia personal?
5. En su opinión, ¿debe haber exámenes finales? ¿Por qué?
6. ¿Cree Ud. que habría más o menos chuletas si tuviéramos un "sistema de honor"?

## PART A

### 1. The Present Tense

A. The simple present tense in Spanish describes an action that *is happening now* or that occurs as a general rule. It has three translations in English:

| | |
|---|---|
| **Comes demasiado.** | (1) You eat too much (generally). |
| | (2) You are eating too much (now). |
| **Sí, como mucho.** | (3) Yes, I do eat a lot. (Emphatic) |

In questions and in negative statements, English must use an auxiliary verb (is, does, etc.). Spanish maintains the simple present and indicates the question by placing the verb before the subject, the negative by putting **no** before the verb.

| | |
|---|---|
| **¿Trabaja Juan?** | Does John work? Is John working? |
| **¿No trabaja Juan?** | Doesn't John work? Isn't John working? |
| **Ud. no le conoce, ¿verdad?**[1] | You don't know him, do you? |

B. The present tense is also used in Spanish for an action that *has been going on since* a certain date or time (and is still going on).

| | |
|---|---|
| **Está en el ejército desde junio.** | He has been in the army since June (and he still is). |
| **Le espero desde la una.** | I have been waiting for him since one o'clock. |

## EJERCICIOS

A. Cambie las frases siguientes según los sujetos indicados:
1. Llevo ropa muy ligera hoy.
   (El niño, Uds., las muchachas, tú, Pablo y yo)
2. Mete las camisas en el cajón.
   (Su madre, mis hermanas, yo, mi hermano y yo, tú)
3. La criada sacude los muebles.
   (Las criadas, la niña, yo, tú y María, Uds.)
4. ¿A qué hora abren la tienda?
   (Ud., nosotros, tú, tu padre, vosotros, Uds.)
5. ¿No trabajas hoy?
   (Juan, los carpinteros, Ud., Pepe y yo)

B. Conteste en español:
1. ¿A qué hora se levanta Ud. los días de entresemana? ¿Y los domingos?
2. ¿Desde cuándo vive Ud. en la casa (o piso) que tiene ahora?
3. ¿Cuántas materias estudia Ud. este semestre? ¿Cuáles son?

---

[1] The corroborating question *don't you?*, *doesn't he?*, *haven't they?*, etc., is usually translated by **¿no?**; and *do you?*, *does he?*, *have they?*, etc., by **¿verdad?**

4. ¿Trabaja Ud. fuera de la universidad?

5. ¿Conoce Ud. a muchas personas de otros países? ¿De dónde son?

C. Traduzca al español:

1. Do you want to go? —Only if they are going too. 2. Is Mary waiting for us? 3. You know how to dance, don't you? 4. Since when háve they been living with you? 5. We don't work hard in the summer. 6. He says that he is not going to buy it. 7. The Molinas don't come here, do they? 8. I have been married since March.

**2.** The Imperfect and the Preterite Tenses

A. General view

Spanish has two simple past tenses: the imperfect and the preterite. Their usage depends on the *concept* which the speaker is trying to communicate, and they are never interchangeable without a change in the meaning of the sentence. The difference between the imperfect and the preterite can be visualized in the accompanying diagram.

The continuous moving line of the imperfect relives an action or state as it was taking place in the past. It describes a past action in its process or paints the background of an event. The abrupt, incisive stroke of the preterite cuts into the past, recording its events as completed units in time, reporting merely the fact that they took place.

THE IMPERFECT IS THE PICTORIAL PAST.
THE PRETERITE IS THE RECORDING PAST.

B. Uses of the imperfect

1. It tells what *was happening* at a certain time.

| | |
|---|---|
| **Se inclinaba sobre el precipicio, cuando...** | He was leaning over the precipice, when . . . |
| **¿Qué hacían?** | What were they doing? |
| **—Hablaban de ti y se reían.** | —They were talking about you and laughing. |

2. It recalls what *used to happen*[2] over a period of time.

| | |
|---|---|
| **Cuando vivíamos en Madrid, íbamos a menudo al Prado.** | When we lived in Madrid, we used to go (would go, or went) to the Prado often. |
| **Mi tía escuchaba la radio todo el día.** | My aunt used to listen (would listen) to the radio all day. |

3. It describes a physical, mental, or emotional state in the past.

| | |
|---|---|
| **Nuestra casa era roja.** | Our house was red. |
| **Todos le querían.** | Everybody liked him. |
| **No sabía la respuesta.** | He didn't know the answer. |

4. It tells the time in the past; it sets the stage upon which another action was played.

| | |
|---|---|
| **Eran las nueve.** | It was nine o'clock. |
| **Era la Nochebuena...** | 'Twas the night before Christmas . . . |
| **No había nadie en el cuarto.** | There was nobody in the room. |

C. Uses of the preterite

1. It records, reports, narrates. It views an event or a series of events as a single completed unit in the past, no matter how long it lasted nor how many times it was repeated.

| | |
|---|---|
| **Anoche fuimos al cine.** | Last night we went to the movies. |
| **¿A qué universidad asistió Ud.?** | What university did you attend? |
| **En 1964 nuestro equipo ganó cien partidos.** | In 1964 our team won a hundred games. |
| **Pasó toda su vida en el Japón.** | He spent his whole life in Japan. |

Notice that the imperfect and the preterite may, and often do, appear in the same sentence. Only the meaning of each clause will determine which tense is to be used.

| | |
|---|---|
| **El campeón caía cuando sonó la campanilla.** | The champion was falling when the bell rang. |

---

[2] *Used to* is often replaced by *would* in English. Be careful to distinguish between *would* meaning an habitual or recurrent action, and *would* as a conditional.

2. With certain verbs, the preterite produces an essential difference in translation, as well as in meaning.

| | |
|---|---|
| **Sabíamos que estaba de vacaciones.** | We *knew* that he was on vacation. (Mental state.) |
| **Supimos que estaba de vacaciones.** | We *found out* (*learned*) that he was on vacation. (Mental action indicating beginning of knowledge.) |
| **Quería llamarnos.** | He *wanted* to call us. (Mental state.) |
| **Quiso llamarnos.** | He *tried* to call us. (The act of putting his will into effect.) |
| **No quería pelear.** | He *didn't want* to fight. |
| **No quiso pelear.** | He *refused* to fight. |
| **¿Le conocía Ud.?** | Did you *know* him? |
| **Le conocí hace años.** | I *met* him (made his acquaintance) years ago. |
| **Podía hacerlo.** | He *was able* to do it. (He was capable of doing it.) |
| **Pudo hacerlo.** | He *succeeded* in doing it. (He was able and did.) |

## EJERCICIOS

A. Repase las formas regulares del imperfecto y del pretérito.

B. Cambie al imperfecto:

1. Tomo este camino. 2. No leen el libro. 3. Levanta la mano. 4. Miran el cuadro. 5. Lavamos el piso. 6. ¿Enseñáis español? 7. No trabajo en la tienda. 8. ¿Cambias el dibujo? 9. ¿No aprendes francés? 10. Pierden tiempo.

C. Cambie al pretérito:

1. No me gusta. 2. Nos lo manda. 3. No se lo compramos. 4. Llamaban a la puerta. 5. Escribían la carta. 6. Rompes la caja. 7. ¿Abrís la ventana? 8. El pobre comía el pan. 9. No cojo la pelota. 10. Hablo con Juan.

D. Conteste en español:

1. ¿En qué asignatura salió Ud. mejor el semestre pasado?
2. ¿Conoció Ud. a mucha gente nueva el verano pasado?
3. De niño, ¿dónde pasaba Ud. sus vacaciones de verano? ¿Viajaba mucho?
4. ¿Prefería entonces el mar o las montañas? ¿Cuál le gusta más ahora?
5. ¿A qué hora se acostaba cuando tenía diez años? ¿Y ahora?

E. Traduzca al español:

1. I came, I saw, I conquered. 2. It was midnight. The house was dark and seemed empty. We opened the door and, suddenly, we heard a scream. 3. Jim never used to send me pretty flowers. Jim never used to fill my lonely hours. Now do you understand why I didn't like him? 4. Why did your father refuse to go? —Because it was raining. 5. Did you know that our school won the championship in 1872?

## 3. Hacer in Time Expressions

A. When a situation *has been going on* for a certain period of time (*and still is*), the impersonal **hace... que** (*now it makes*) states the length of time, and the following verb is also in the present.

| | |
|---|---|
| **Hace dos años que vive en España.** | He has been living in Spain for two years. |
| **Hace seis meses que la conoce.** | He has known her for six months. |

B. When a situation *had been going on* for a certain period of time (*and still was going on, until . . .*), **hacía... que** states the length of time, and the following verb is also in the imperfect.

| | |
|---|---|
| **Hacía dos años que vivía en España.** | He had been living in Spain for two years. |
| **Hacía seis meses que la conocía cuando se casaron.** | He had known her for six months when they got married. |

C. After a verb in the preterite or imperfect, **hace** + period of time means *ago*. When **hace...** begins the sentence, it is generally followed by **que**.

| | |
|---|---|
| **Murió hace tres días.** **Hace tres días que murió.** | He died three days ago. |
| **La vi hace media hora.** **Hace media hora que la vi.** | I saw her half an hour ago. |
| **Tocaba muy bien hace cinco años.** | He used to play very well five years ago. |

EJERCICIOS

A. Cambie según los sujetos, verbos y tiempos indicados:

1. Hace dos horas que **el niño** duerme. (los niños) 2. Hace siete meses que **estoy casada.** (Pablo y yo) 3. ¿Cuánto tiempo hace que **trabajas** aquí? (tú y Pepe) 4. Hace años que los **conocemos.** (tratar) 5. **Hace** horas que están esperando. (Hacía) 6. ¿Hace mucho tiempo que **estudias** ciencias? (enseñar) 7. Hace diez años que le **sirve.** (ayudar) 8. **Hace** tres días que llueve. (Hacía) 9. **Hace** una hora que nieva. (Hacía) 10. Le

**vi** hace poco. (hablar) 11. **Vino** hace una hora. (Llamar) 12. **Volvió** hace un mes. (Sus padres) 13. **Cantaba** bien hace unos años. (tocar) 14. Hace tres semanas que **murió.** (nacer)

B. Conteste en español:
1. ¿Cuánto tiempo hace que estudia Ud. el español?
2. ¿Dónde estaba Ud. hace media hora? ¿Y hace dos horas?
3. ¿Llegó su familia hace poco a esta ciudad?
4. ¿Quién es su mejor amigo? ¿Hace mucho tiempo que le conoce?
5. ¿Cuánto tiempo hacía que se conocían sus padres antes de casarse?

## 4. Acabar de   to have just

The idiom **acabar de**, followed by an infinitive, is used only in the present and imperfect. In the present, it is translated as (*I, you, etc.*) *have just* . . ., and in the imperfect as *had just* . . .

| | |
|---|---|
| **Acaban de llegar.** | They have just arrived. |
| **Acabábamos de comer.** | We had just eaten. |

### EJERCICIO

Diga en español:
1. My wife has just arrived. 2. No, thanks. We have just eaten. 3. They have just announced it. 4. I have just read it. 5. Had you just come (tú)? 6. He had just spoken to her. 7. She has just died. 8. They had just graduated.

### EJERCICIO DE REPASO

1. While he wrote, the student was talking to himself in a low voice.
2. Suddenly, a man came in from the street and said that he wanted to speak to the principal.
3. They were taking the exam in a building that was ten minutes away from their house.
4. The principal wouldn't believe it until he saw the portable receiver.
5. The student said that he was wearing the bandage because his ear hurt.
6. In his wrist watch they found a transmitter which worked perfectly.
7. Thanks to this device, his older brothers could help him when he didn't know the answers.
8. The three brothers were suspended five days ago. I understand that their family has been living in this town since 1910.
9. Public opinion has been discussing (**comentar**) the matter for two weeks.
10. The majority seemed to think that the suspended students deserved a prize for their ingenuity.

# PART B

### 5. The Present Tense

A. The present tense is often used instead of the future to give the action a more immediate and graphic character.

| | |
|---|---|
| **Te veo mañana.** | I'll see you tomorrow. |
| **Me llama esta noche.** | He will call me tonight. |
| **Se lo doy a las seis.** | I shall give it to you at six. |

B. The present also appears frequently in place of the preterite to render the past more vivid.

**Se dio la orden de tomar el pueblo, y nuestras tropas se lanzaron al ataque. Salvan los parapetos, se apoderan de la primera línea de trincheras, y a los veinte minutos, el enemigo inicia una retirada precipitada.** — The order was given to take the town, and our troops rushed to the attack. They cleared the parapets, gained possession of the first line of trenches, and twenty minutes later, the enemy began a hasty retreat.

C. The present is used occasionally instead of both the pluperfect subjunctive and the conditional perfect in contrary-to-fact sentences, again for the sake of vividness.

**Si me ve, me mata.** — If he had seen me, he would have killed me.

### 6. The Imperfect and the Preterite Tenses

A. Further analysis of their psychology

In many instances, English does not reveal, or at best, intimates only by context whether the past action to which it refers is viewed as a completed unit in time, or whether it is being described in its process. Spanish, however, maintains the clear distinction between these viewpoints by the use of the preterite and imperfect. Consider the following:

(1) My brother was sick last week.

a. **Mi hermano estuvo enfermo la semana pasada.** (The speaker is recording the fact of his brother's illness. His brother took sick last week and then recovered.)

b. **Mi hermano estaba enfermo...**
(Here the speaker is describing his brother's condition at that time. He makes no reference to the beginning or conclusion of the illness.)

(2) Her husband was a professor.

a. **Su marido fue profesor.** (His career as a professor is viewed as a completed whole.)

b. **Su marido era profesor.** (This statement describes his activity at that time or over a period of time.)

(3) I had to study.

a. **Tuve que estudiar.** (I was compelled to and did.)

b. **Tenía que estudiar.** (At a certain time or as a general rule, I was in the position of having to study. Whether or not I actually did study is unresolved.)

(4) Last Sunday, the family gathered. First, the father spoke, and then they all discussed the events of the week.

**El domingo pasado, se reunió la familia. Primero habló el padre, y después todos comentaron los sucesos de la semana.**

In this case, the phrase *Last Sunday* indicates the narration of acts that are being reported as completed units in time. Thus: preterite. If the imperfect were used here, the necessary implication would be *The family was gathering* . . .

Every Sunday, the family gathered. First, the father spoke, and then they all discussed the events of the week.

**Todos los domingos, se reunía la familia. Primero hablaba el padre, y después todos comentaban los sucesos de la semana.**

In this paragraph, the phrase *Every Sunday* implies the description of an habitual action. Thus: imperfect.

B. Indirect discourse

When a direct statement is not given as a quotation, but is included within another statement, the construction is known grammatically as indirect discourse. (*He says that . . ., They explained that . . .*) The imperfect is used for an indirect quotation in the past, unless the subordinate clause actually implies a prior past (pluperfect) action.

| | |
|---|---|
| **Dijo que ganaba mucho dinero.** | He said that he earned a lot of money. (He said: I earn a lot of money.) |
| **Dijo que ganó mucho dinero.** | He said that he (had) earned a lot of money. (He said: I earned a lot of money.) |

C. The imperfect in result clauses

In everyday speech, the imperfect is very commonly used in the result clause of a condition contrary to fact.

| | |
|---|---|
| **Si *yo* lo tuviese, se lo daba.** | If *I* had it, I would give it to him. |
| **Si lo supieran, nos echaban de casa.** | If they knew, they would throw us out. |

## 7. Soler   to be accustomed to, to (do) generally

**Soler** + infinitive is used very often in the present and imperfect to portray a habitual action.

| | |
|---|---|
| **Suele pasar por aquí a estas horas.** | He usually comes by here at this time. |
| **Solían desayunar a las seis.** | They used to breakfast at six. |

## 8. Hacer in Time Expressions

A. **Hacía...** (**que**) followed by a verb in the pluperfect, means *previously* or *before*. Of course, **hacía...** may follow the main clause in this usage.

| | |
|---|---|
| **Hacía cinco años que había renunciado su puesto.** | He had given up his job five years before. |
| **Había renunciado su puesto hacía cinco años.** | |

B. The main verb may precede the **hace** construction in sentences that describe a situation that *has been* or *had been going on* for a period of time. In such cases, **hace** or **hacía** is generally preceded by **desde**.

| | |
|---|---|
| **No nos hablamos desde hace tres meses.** | We haven't been talking to each other for three months (since three months ago). |
| **Vivían allí desde hacía años.** | They had been living there for years (since years before). |

### 9. Llevar in Time Expressions

The present tense of **llevar** describes a *state* that *has been* in existence *for* a period of time; the imperfect, a state that *had* been ... etc. Unlike **hacer, llevar** may be conjugated in every person.

| | |
|---|---|
| **Llevamos tres meses aquí.** | We have been here for three months. |
| **Llevaban veinte años de casados.** | They had been married for twenty years. |
| **¿Cuánto tiempo llevas en este cargo?** | How long have you been at this job? |

To describe an *affirmative action* that *has been* (or *had been*) going on for a period of time, **llevar** + period of time is followed by a present participle.

| | |
|---|---|
| **Llevo tres semanas trabajando aquí.** | I have been working here for three weeks. |

With a negative, **llevar** + period of time is followed by **sin** and an infinitive.

| | |
|---|---|
| **Lleva diez días sin comer nada.** | He hasn't eaten for ten days. |
| **Llevábamos años sin recibir noticia suya.** | We hadn't had word from them for years. |

### EJERCICIOS

I. Tradúzcase al español.

Mr. Rosal had been living with us for a long time. For years (**Desde hacía años**) he would come into the living room at 7:40 sharp, open a book and read until it was time to go to bed. One day, we found out that he was a famous explorer, but it seemed that he didn't like to talk about his experiences. We begged him every night, until he finally promised to tell us of his adventures. That night he entered the room at the usual time and sat down in his armchair. He was very tall and had very white hair, and he had the bluest eyes I have ever seen. He told us that he was more than seventy-five years old. But although his face was full of wrinkles, when he smiled, he looked much younger. We formed a circle around him and sat down on the floor. He began to speak in a low voice. As he spoke, his voice rose and our interest grew, and soon we imagined ourselves in the towns and forests of the strange lands that he used to visit. He had such an interesting way of telling a story that we did our best not to miss a single word of what he was saying. When he finished, we were so enthralled that for a long time we could not return to the prosaic world that surrounded us.

II. Composición.

1. Una aventura que nos contó el Sr. Rosal
2. Una aventura personal
3. Un caso extraordinario que leí en el periódico

# THE FUTURE AND CONDITIONAL TENSES

||||||||||||||||||||||||||||||||||||||||||||||||||||||||||||||||||||||||||||||||||||||||||||||||||||||||||||||||

Adaptado de

**ESPAÑA SEMANAL**

Madrid, 4 de agosto de 1963

## Submarino Turístico Se Está Construyendo en Suiza

Hasta ahora los "submarinos de bolsillo" sólo se construían con fines de investigación científica o con fines militares. Ayer por primera vez se anunció que una empresa suiza aplicaría al turismo los conocimientos en la materia. Un mesoscafo, el primer sumergible turístico, se está construyendo ya en la pequeña ciudad de Monthey y será botado a principios del año próximo. El mesoscafo se distingue de otros sumergibles experimentales en que no puede detenerse para investigar en las profundidades y luego reanudar su movimiento, sino que debe estar continuamente en movimiento.

Aunque parezca increíble, unas dos mil personas ya han reservado pasaje en el primer submarino de paz. Se cree que habrá otras cien mil personas que acudirán a reservar plazas de aquí hasta fines de año. El sumergible no navegará por el momento más que en el lago Leman. Esto permitiría reducir al mínimo los riesgos de accidente. Como va destinado a fines turísticos, el submarino dará a los pasajeros las más amplias posibilidades de visión compatibles con la seguridad.

14

Los primeros viajes consistirán en una vuelta por el centro del lago Leman o de Ginebra donde la profundidad es mayor. El recorrido durará aproximadamente media hora y los viajeros podrán contemplar por veinte francos suizos la flora y fauna de las profundidades. El submarino estará provisto de potentes reflectores que convertirán los misterios de los abismos en un espectáculo asequible a los viajeros.

Si el submarino experimental confirma su interés para los turistas y ofrece las esperadas condiciones de seguridad, la misma empresa se aventurará a proyectos mucho más ambiciosos: la construcción de grandes submarinos no sólo para la exploración submarina sino para verdaderos viajes. Como se sabe, aun en las peores condiciones de tiempo, a determinada profundidad se puede navegar con la más absoluta estabilidad. Los submarinos de transporte podrían emplearse para recorridos relativamente cortos en los que el mar suele estar siempre agitado.

## PREGUNTAS

1. ¿Con qué fines se construían hasta ahora los "submarinos de bolsillo"?
2. ¿Qué se anunció ayer por primera vez?
3. ¿Cuándo será botado el primer sumergible turístico?
4. ¿Cuántas personas han reservado pasaje ya?
5. ¿Cuántas personas acudirán a reservar pasaje para fines de año?
6. ¿Por qué navegará el submarino sólo en el lago Leman por el momento?
7. ¿Qué podrán contemplar los viajeros?
8. ¿De qué estará provisto el submarino?
9. ¿A qué proyectos se aventurará la compañía suiza si éste resulta bien?
10. ¿Sabe Ud. para qué recorridos podrían emplearse los submarinos de transporte?

## CONVERSACIÓN

1. ¿Le interesaría a Ud. un viaje turístico en submarino? ¿Por qué? ¿Ha estado Ud. alguna vez en un submarino?
2. ¿Qué viajes ha hecho Ud. hasta ahora? ¿Cómo los realizó? ¿Prefiere Ud. viajar solo o acompañado?
3. Si Ud. pudiera hacer un viaje a cualquier parte del mundo, ¿adónde iría? ¿Por qué?
4. ¿Le gusta más viajar en avión, en tren, en barco o en coche?

## PART A

**10.** The Future Tense

A. General meaning and function

Exactly as in English, the future tense in Spanish refers to an action that *is going to* take place. It is translated in English as *will* or *shall* (*go*, *do*, etc.)

| | |
|---|---|
| **Su tren llegará a las once.** | His train will arrive at eleven. |
| **Nos veremos en la biblioteca.** | We shall meet at the library. |

B. The future of probability

In Spanish, the future is used also to convey the idea of conjecture or probability with regard to an action in the present.

| | |
|---|---|
| **Ya estará aquí.** | It probably is here already. It must be here already. |
| | (*Must* in this case indicates likelihood not necessity.) |
| **¿Quién será?** | I wonder who he is. Who can he be? |

## EJERCICIOS

A. Repase las formas regulares del futuro (p. 315).

B. Cambie según los sujetos indicados:
1. Juan firmará el recibo.
   (Tú, mis hermanos, yo, mis padres y yo)
2. Le escribiré mañana, ¿está bien?
   (Su novia, los niños, tú, vosotras)
3. Volverán pronto, ¿no?
   (Los vecinos, Ud., nosotros, Ana)
4. Iré con mi amigo esta noche.
   (Uds., Jaime, tú, vosotros, tú y yo)

C. Conteste en español:
1. ¿Qué hora será cuando termine esta clase? 2. ¿A qué hora se levantará Ud. mañana? 3. ¿A qué hora volverá a casa hoy? 4. ¿Cuántos años tendrá Ud. en 1999? 5. ¿Qué hará Ud. el verano que viene? 6. ¿Cuándo se graduará Ud. de la universidad?

D. Diga en español:
1. I shall put it on the table. 2. Where can they be? 3. Will you have time? 4. We shall not be able to go with you. 5. I wonder what time it is. 6. He says that he will write to me every day.

**11.** Other Meanings of the English *will*

In English, *will* is often used in the sense of *to will*, *to be willing*, or *please*. In such cases, *will* is rendered in Spanish by the verb **querer**, and not by the future.

| | |
|---|---|
| **¿Quiere Ud. cerrar la puerta?** | Will you (please) close the door? |
| **¿Quieren Uds. sentarse un momentito?** | Will you be seated for a moment? |
| **No quiere escucharnos.** | He won't (will not, doesn't want to) listen to us. |

## EJERCICIO

1. Will you (please) turn on the radio? 2. I think they'll come. 3. Some people won't spend money for education. 4. What God wills will be. 5. Can it be worth so much? 6. Will you repeat that? You must be mistaken.

**12.** The Conditional Tense

A. Meaning and function

1. The conditional is generally translated in English as *would* (*go, do,* etc.) and occasionally, in the first person, as *should.*

2. Primarily, the conditional is the future of a past action. As such, it has all the uses of the future tense, but with regard to the past. In the language of a mathematical ratio it can be expressed as follows:

   CONDITIONAL : PAST = FUTURE : PRESENT
   (Conditional is to Past as Future is to Present)

B. Uses

1. The conditional tells what *was going to* take place.

| | |
|---|---|
| **Dijo que vendría.** | He said that he would come. |
| **Nos aseguraron que seríamos los primeros.** | They assured us that we would be the first. |

2. It conveys the idea of conjecture or probability with respect to a past action.

| | |
|---|---|
| **Serían las tres.** | It was probably three o'clock. It was around three o'clock. It must have been three o'clock. |
| **¿Quién sería?** | I wonder who it was. Who could it be? |

3. It is also used to state the result of a contrary-to-fact clause beginning with *if.* (It tells what would happen *if* something were so.)

| | |
|---|---|
| **Si tuviera tiempo, te diría más.** | If I had time, I would tell you more. |
| **Si Paco estuviera aquí, él sabría hacerlo.** | If Frank were here, he'd know how to do it. |

At times, the *if* clause is not stated, but implied.

**¿Haría Ud. tal cosa?**      Would you do a thing like that?
(If you were in that situation.)

**¿Quién lo creería?**      Who would believe it? (If he were told so.)

4. It may be used as a polite or softened version of the future.

**Tendría mucho gusto**      I should be happy to invite them.
**en invitarlos.**

**¿Sería Ud. tan**      Would you be so kind?
**amable?**

## EJERCICIOS

A. Repase las formas regulares del condicional (p. 315).

B. Cambie los verbos en el condicional según los sujetos indicados:

1. Dijo que ganaría María.
   (tú, vosotros, María y Consuelo)
2. Me escribió que no podría hacerlo.
   (los alumnos, mi primo y yo, Uds.)
3. De todas maneras yo no sabría contestarle.
   (el otro, nosotras, tú)
4. ¿Me darías este juguete?
   (Gil, los niños, vosotras)

C. Conteste, empleando los verbos indicados; tenga cuidado de distinguir entre el condicional y el imperfecto:

1. ¿Qué haría Ud. si lloviese mañana? —(**Quedarse**) en casa.
2. ¿Qué pasaría si él estuviera aquí? —Nos (**dar**) el dinero.
3. ¿Qué les dijo Ud.? —Que (**tener**) mucho gusto en invitarlos.
4. ¿Adónde iba Ud. siempre que llovía? —(**Ir**) al cine.
5. ¿Qué hora sería cuando volviste a casa? —(**Ser**) la una.
6. ¿Qué escribieron en la carta? —Que (**venir**) pronto él y su hermana.
7. ¿Qué ocurriría si faltase a diez clases? —(**Perder**) la asignatura.
8. ¿Qué anunció? —Que las tropas (**llegar**) al día siguiente.
9. ¿Qué prometió? —Que no (**volver**) a hacerlo.
10. ¿Qué hacían Uds. por la tarde? —(**Ir**) al casino.

D. Traduzca al español:

1. Would you do me a favor? 2. He said that he would buy it. 3. They announced on the radio that it would rain. 4. I wonder why they came. 5. Wouldn't you go for (**por**) a friend? 6. It must have been 9:30 when they returned.

**13.** Other Meanings of *would* and *should*

Aside from the conditional usages discussed above, *would* and *should* have several other meanings in English. Spanish translates each of these in its most literal and accurate sense.

A. *Would*

1. When *would* means *used to*, it is translated by the imperfect.

| | |
|---|---|
| **Siempre que llovía, íbamos al cine.** | Whenever it would rain, we would go to the movies. |

2. When *would* means *willed*, it is translated by *querer*, usually in the preterite. This sense of *would* appears most frequently in the negative.

| | |
|---|---|
| **No quiso admitir que estaba equivocado.** | He would not admit that he was wrong. |
| **Se lo rogamos, pero no quisieron perdonarle.** | We begged them, but they wouldn't pardon him. |

3. When *would* means *please*, or merely conveys a softened request, it may be translated, like *will*, by the present of **querer.**

| | |
|---|---|
| **¿Quiere Ud. traerme un pañuelo?** | Would you bring me a handkerchief? |

B. *Should*

Aside from the occasional, and increasingly rare use of *should* for the first person of the conditional (I should, you, he would, etc), there are three other important meanings and translations of *should*.

1. When *should* means *ought to*, it is translated by **deber.**

| | |
|---|---|
| **Debe estudiar, pero no quiere.** | He should study, but he doesn't want to. |
| **Todo el mundo debe votar.** | Everyone should vote. |

2. When *should* follows *if*, it denotes a condition that is probably contrary to fact. It is then translated by the imperfect subjunctive.

| | |
|---|---|
| **Si lloviera, tendríamos que suspender el partido.** | If it should rain, we would have to cancel the game. |
| **Si vinieran esta noche, no sabría qué darles de comer.** | If they should come tonight, I wouldn't know what to feed them. |

3. When *should* indicates probability, it is translated either by **deber** (**de**) or by the future of probability.

| | |
|---|---|
| **¿Qué hora es? —Serán las ocho.** | What time is it? —It should be eight o'clock. |
| **Ya estará aquí.** | He should be (he probably is) |
| **Ya debe (de) estar aquí.** | here already. |

## EJERCICIO

Conteste en español:

1. ¿Qué debe hacer un estudiante para sacar buenas notas?
2. ¿Qué deben hacer los automovilistas para evitar accidentes?
3. ¿Qué compraría Ud. si alguien le diera cien dólares? ¿Y mil dólares?
4. ¿Qué haría Ud. si no pudiera asistir a la universidad?
5. ¿Debe abrirse a las mujeres la presidencia de los Estados Unidos?

## EJERCICIO DE REPASO

1. The new pocket submarine will be launched early next year.
2. This submarine will be able to stop in order to explore the undersea depths.
3. There must be a hundred thousand people who will want to reserve space between now and the end of the year.
4. The Swiss company announced yesterday that the craft would sail only on Lake Geneva.
5. The submarine would be built with the greatest possible precautions for the safety of the passengers.
6. The first trip would consist of a tour through the middle of the lake.
7. I wonder how long the trip will take. —You should ask the company. They must know (**lo**).
8. They will be able to look at the flora and fauna through some special portholes.
9. The submarine will also have powerful searchlights which will allow the passengers to see some marvelous things.
10. The sea must have been very rough because they all became seasick. But in a submarine one can always navigate with absolute stability.

## PART B

**14.** Expressions of Obligation

A. **Tener que**    to have to

This is a term of compulsion. Since it is used in every person, it applies directly to the person involved.

| | |
|---|---|
| **Tengo que estudiar.** | I have to (must) study. |
| **Uds. tendrán que verle.** | You will have to see him. |
| **Tuvieron que ir.** | They had to go (and did). |

B. **Hay que**   one must

1. This impersonal expression is also a strong indication of obligation, but to the extent that it does not pertain to the individual directly, it is often somewhat weaker in effect than **tener que.**

   | | |
   |---|---|
   | **Hay que trabajar.** | One must work. |
   | | It is necessary to work. |

   **Es necesario** is a synonym for **hay que.**

2. Sometimes the implication of **hay que** is actually personal but even then it is closer to **deber** than to **tener que** in concept.

   | | |
   |---|---|
   | **No hay que olvidar que todavía son aliados nuestros.** | We (one) mustn't forget that they are still our allies. |

C. **Deber**   to be obligated to (ought to, should)

**Deber** generally conveys a concept of moral obligation. (Recall that the noun **el deber** means *duty*.) However, within the usage of **deber,** there is a perceptible gradation of the degree of obligation implied.

1. Obligation in the present

   a. The present indicative of **deber** conveys a fairly strong attitude of obligation.

   | | |
   |---|---|
   | **Ud. debe aprender a bailar.** | You ought to (should) learn to dance. |

   b. The **-ra** form of the imperfect subjunctive or the conditional lends a milder tone to the expression of obligation.

   | | |
   |---|---|
   | **Ud. debiera aprender a bailar.** | You really should learn to dance. (It would be nice if you did.) |
   | **Ud. debería aprender a bailar.** | |

2. Obligation in the past

   a. The imperfect of **deber** expresses obligation that was contemporary or future to another past action.

| | |
|---|---|
| **Sabía que debía hacerlo.** | I knew that I ought to do it. |
| **Dijo que debíamos invitarlos.** | He said that we should (ought to) invite them. |

b. The preterite of **deber** expresses obligation at a prior moment.

| | |
|---|---|
| **Ud. debió ofrecérselo.** | You ought to have (should have) offered it to him (at that time). |
| **Debieron aceptarlo.** | They ought to have (should have) accepted it (at that moment). |

c. The imperfect of **deber,** followed by **haber** and a past participle places more emphasis upon the prior nature of the action to which it refers.

| | |
|---|---|
| **Sabía que no debía haberlo dicho.** | I knew that I ought not to have said it (before). |
| **Dijo que debíamos haberlos invitado.** | He said that we should have (already) invited them. |

d. The **-ra** form of the imperfect subjunctive of **deber,** followed by **haber,** again imparts a softer tone to obligation in the past.

| | |
|---|---|
| **Debiéramos haberlos invitado.** | We should have invited them. |

D. **Haber de**   to be (supposed or expected) to

1. **Haber de** usually implies little more than futurity, with the mildest added sense of obligation.

| | |
|---|---|
| **Ha de cantar en el Palacio.** | He is to sing at the Palace. |
| **Habíamos de cenar con ellos.** | We were (supposed) to have dinner with them. |
| **¿Cómo había de saberlo ella?** | How should she have known (was she to know)? |

2. On occasion, it acquires the more forceful connotations of **deber** or **tener que.**

| | |
|---|---|
| **¿Por qué no he de decirlo ahora mismo?** | Why shouldn't I say it right now? |
| **Uds. han de aprenderlo todo de memoria.** | You are to (should, must) learn it all by heart. |

3. In literary usage, the preterite of **haber de** conveys merely the fact of a completed action, without obligation or necessity.

| | |
|---|---|
| **Hubieron de verle al día siguiente.** | They saw him on the following day. |

## 15. Other Uses of **deber**

### A. Probability

**Deber,** sometimes followed by **de,** is used as an exact equivalent of the future (or conditional) of probability.

| | |
|---|---|
| **Debe (de) tener por lo menos cincuenta años.** **Tendrá por lo menos cincuenta años.** | He must be (probably is) fifty years old. |
| **Debían (de) ser las once cuando volvieron.** **Serían las once cuando volvieron.** | It must have been (probably was) eleven o'clock when they returned. |
| **Debe (de) habérnoslo mandado.** **Nos lo habrá mandado.** | He probably has (must have) sent it to us. |
| **Debía (de) haberla visto antes.**[1] **La habría visto antes.** | He probably had seen her before. |

### B. Expectation or supposition

In this sense, **deber,** generally used in the present and imperfect indicative, corresponds to **haber de.**

| | |
|---|---|
| **El vapor debe (ha de) entrar en muelle a las nueve.** | The ship is supposed to dock at nine o'clock. |
| **Me dijeron que debían (habían de) marcharse al día siguiente.** | They told me that they were to leave on the next day. |

### C. Necessity

Occasionally, **deber** is used with approximately the meaning of **tener que.** However, **deber** always retains its implication of obligation or duty, rather than the compulsion or necessity implied by **tener que.**

| | |
|---|---|
| **Antes de poder ingresar en la Universidad, debo aprobar un examen especial.** | Before being able to enter the University, I must (am obliged to) pass a special examination. |

[1] This construction is less frequent than the conditional perfect.

## EJERCICIOS

I. Tradúzcase al español.

JOE: Listen, Frank. There is going to be (**Va a haber**) a party tomorrow at the club and I want you to take my sister-in-law. She was supposed to go with a fellow that she met last week, but he had to go to Washington on (**por**) business.

FRANK: I'm sorry, Joe. I would have liked very much to go, but I have something very important to (**que**) do.

JOE: Nonsense! You know, Frank, you work too hard. You don't know how to live. I think you should get married.

FRANK: The same old story (**Lo de siempre**)! How many times do I have to tell you that I am still too young (**muy joven para**) to marry, and that a man should not marry before he is thirty years old.

JOE: Too young! Man, you are twenty-eight years old! That business of (**eso de**) waiting so long before marrying seems rather ridiculous to me. You should have taken the step a long time ago. You would have been happier.

FRANK: Don't worry. I am perfectly happy. I am sure I would be very unhappy if I had married early. A man should have enough experience in life before facing such a complicated matter.

JOE: You are speaking of marriage as if it were a serious problem. . . .

FRANK: And it is! Look what happened to your friend Dick. He married when he was twenty-one, and after his experiences of the past two years, he must be the most unhappy fellow in the world. By the way, you too married when you were twenty-one. Tell me the truth. Are you very happy?

JOE: You shouldn't ask even your best friends indiscreet questions. Besides, why should you be luckier than I?

II. Composición.

1. Por qué quiero casarme
2. Por qué no pienso casarme
3. Lo que haría si fuera millonario
4. Lo que haré cuando me gradúe
5. El deber más importante del hombre

# COMPOUND TENSES — **HABER** AND **TENER** — DIRECT COMMANDS

||||||||||||||||||||||||||||||||||||||||||||||||||||||||||||||||||||||||||||||||||||||||||||||||||||||||||||||

Adaptado de

**PUEBLO**

Madrid, 15 de agosto de 1963

## Horóscopo

[¿Se ha preguntado Ud. alguna vez: "¿Qué me traerá la suerte? ¿Habré triunfado o fracasado en la vida?" El hombre siempre ha tenido mucho interés en conocer el futuro. En tiempos antiguos, había más astrólogos que médicos. En efecto, todavía hay muchas personas que creen en la astrología. Estudiemos por un momento el horóscopo siguiente y veamos lo que nos tiene reservado el destino.]

**21 de marzo a 20 de abril.** *Amor:* Recibirá cartas agradables. *Trabajo:* Obtendrá una ventaja profesional. *Salud:* Sufrirá trastornos nerviosos. ... Trate de poner en práctica todos sus proyectos profesionales, que hasta ahora no ha podido realizar.

**21 de abril a 21 de mayo.** *Amor:* Revele sus sentimientos verdaderos. *Trabajo:* Termine los asuntos que trae entre manos. *Salud:* Aumentará su capacidad de resistencia. ... Se ganará el afecto de una persona con quien llegará fácilmente a entablar relaciones amorosas.

**22 de mayo a 21 de junio.** *Amor:* Magníficas perspectivas sentimentales. *Trabajo:* Firmará un acuerdo interesante. *Salud:* Domine sus impulsos nerviosos. ... Algunos disgustos con sus familiares o

25

personas de su círculo le obligarán a buscar un cambio de ambiente y a distraerse más a menudo.

**22 de junio a 22 de julio.** *Amor:* Habrá una agradable velada en su hogar. *Trabajo:* Olvide sus proyectos viejos. *Salud:* Sufrirá molestias intestinales. ... Su vida íntima podrá ser muy agradable, pero discipline sus nervios y domine todos sus impulsos. No establezca nuevas amistades.

**23 de julio a 22 de agosto.** *Amor:* Declare sinceramente sus sentimientos. *Trabajo:* Se le presentarán buenas oportunidades. *Salud:* No se exponga demasiado al sol. ... Le amenazará una grave depresión sentimental, de la que Ud. será únicamente responsable. La ruptura amorosa no se solucionará en mucho tiempo.

**23 de agosto a 23 de septiembre.** *Amor:* Limite sus ambiciones afectivas. *Trabajo:* Fíjese una meta específica. *Salud:* Vigile su dieta. ... Ciertas satisfacciones de carácter sentimental le compensarán de otras contrariedades materiales. Aproveche sus oportunidades.

**24 de septiembre a 23 de octubre.** *Amor:* Cuide sus relaciones amorosas. *Trabajo:* No repita los viejos errores. *Salud:* Preste atención a los dientes. ... Tenga cuidado con sus palabras, ya que pueden ser mal interpretadas por otros. Pero acepte las cosas como se presenten.

**24 de octubre a 22 de noviembre.** *Amor:* Toda prudencia es poca. *Trabajo:* Cumpla con sus obligaciones. *Salud:* Magnífica vitalidad. ... Tendrá con la persona amada una disputa de graves consecuencias. No intenten después reconciliarse.

**23 de noviembre a 21 de diciembre.** *Amor:* Numerosos contratiempos. *Trabajo:* Muchos proyectos nuevos. Póngalos en práctica. *Salud:* Recuperación lenta. ... Conocerá a una persona que en poco tiempo llegará a representar un capítulo muy importante en su vida. Muéstrese siempre amable.

**22 de diciembre a 20 de enero.** *Amor:* Resolverá un problema afectivo. *Trabajo:* Limite sus gastos. *Salud:* Desaparecerá la depresión nerviosa. ... La nobleza o generosidad de alguien que antes no había mantenido con Ud. estrechas relaciones hará cambiar en parte el curso de sus sentimientos actuales.

**21 de enero a 18 de febrero.** *Amor:* Compórtese con prudencia. *Trabajo:* Dedíquele todo su tiempo. *Salud:* Sus reflejos serán buenos. ... Aplace para mejor ocasión todas sus entrevistas profesionales y afectivas.

**19 de febrero a 20 de marzo.** *Amor:* Actúe con tacto. *Trabajo:* Cuídese de no recibir sorpresas. *Salud:* No se canse demasiado. ... Recibirá una invitación que le llenará de turbación. Domine sus sentimientos y todo se desarrollará perfectamente.

## PREGUNTAS

1. ¿Qué preguntas nos hacemos todos de vez en cuando?
2. ¿Qué había en tiempos antiguos?
3. Según el horóscopo, ¿qué debe hacer una persona nacida el 1° de abril?
4. ¿Qué recomienda para una persona nacida el 5 de mayo?
5. ¿Qué le pasará a la persona nacida a principios de junio?
6. ¿Qué dice el horóscopo sobre las personas nacidas hacia fines de julio?
7. ¿Qué perspectivas sentimentales tiene la persona nacida entre el 24 de octubre y el 22 de noviembre?
8. ¿Cuál de las predicciones le parece más favorable?
9. ¿Cuál le parece menos favorable?
10. ¿Qué dice el horóscopo de Ud.?

## CONVERSACIÓN

1. ¿Cree Ud. en la astrología? ¿Por qué?
2. ¿Conoce Ud. personalmente a alguien que crea en los horóscopos? ¿Quién es? ¿Han resultado verdaderas o falsas la mayor parte de sus predicciones?
3. En su opinión, ¿quién domina: el hombre o el destino?
4. ¿Ha consultado Ud. alguna vez a un adivino? ¿Qué le gustaría saber del futuro? ¿Qué cosas no le gustaría saber?

# PART A

## 16. The Compound Tenses of the Indicative

The compound (or perfect [1]) tenses in Spanish correspond closely in formation and meaning to the compound tenses in English. They all consist of the auxiliary verb **haber** followed by a past participle. Note that the past participle does not change its ending.

A. The present perfect is formed by the present indicative of **haber,** plus the past participle of the main verb. It is translated in English as *has (been), have (gone),* etc.

[1] *Perfect* (from the Latin *perfectum*) means *completed.* The function of the auxiliary verb **haber** is to state when.

| ¿Ha salido ya? | Has he gone out yet? |
| Lo he oído muchas veces. | I have heard it many times. |

B. The pluperfect consists of the imperfect of **haber** and a past participle and corresponds to the English prior past—*had* (*been*), *had* (*gone*), etc.

| La habían descubierto en una cueva. | They had discovered it in a cave. |
| Ya habíamos gastado todo el dinero. | We had already spent all the money. |

C. The preterite perfect (the preterite of **haber** plus a past participle) also indicates a prior past and is translated in English like the pluperfect. However, it is used only rarely, primarily after conjunctions of time.

| Así que hubieron terminado la comida... | As soon as they had finished the meal . . . |

D. The future perfect (the future of **haber** plus a past participle) has the usual meaning *will* (*shall*) *have* (*arrived, told*, etc.).

| ¿Se habrán ido para el quince? | Will they have left by the fifteenth? |

It also expresses probability with respect to a recently past action.

| Ya la habrá echado al correo. | He has probably mailed it already. |

E. The conditional perfect (the conditional of **haber** plus a past participle) means *would have* (*arrived, told*, etc.).

| Yo lo habría guardado. | *I* would have kept it. |

It may also indicate probability or conjecture with respect to a pluperfect (past perfect) action.

| La habrían perdido antes. | They had probably lost it earlier. |

## EJERCICIOS

A. Repase las formas de los tiempos compuestos (pp. 316-317).

B. Cambie al pluscuamperfecto (pluperfect):

1. Me he levantado. 2. No se ha lavado las manos. 3. Ya hemos almorzado. 4. ¿Te has cepillado los dientes? 5. ¿Han salido ya los niños? 6. ¿Habéis llamado al almacén? 7. Lo ha hecho Ud. muy bien. 8. Los han roto. 9. No la he escrito todavía. 10. ¿Han venido todos?

C. Cambie para expresar probabilidad:

1. Han llegado ya. 2. Nos ha visto. 3. No lo han dicho. 4. Había mentido. 5. No habéis entendido. 6. Ha estado trabajando. 7. Los habían comprado nuevos. 8. ¿Has perdido tu cuaderno? 9. Me he equivocado. 10. Nos habíamos dormido.

D. Diga en español:

1. Has Anita written the letters? 2. We have bought new furniture. 3. Have you been able to find their address? 4. John would have done it easily. 5. He probably has told the truth. 6. They must have left already. 7. Had you finished the homework, boys?

## 17. Other Uses of haber

**Haber** may be used as a principal verb in the following three expressions. (Notice that in none of these does **haber** ever mean *to have*.)

A. The impersonal **hay**   there is, there are

| | |
|---|---|
| **Hay veinte estudiantes en nuestra clase.** | There are twenty students in our class. |
| **Pero hay sólo uno bueno.** | But there is only one good one. |

In all other tenses, the normal third person singular form of **haber** is used.

| | |
|---|---|
| **Había mucha gente (muchas personas) en la calle.** | There were many people in the street. |
| **Hubo un accidente.** | There was an accident. |

B. The impersonal **hay que**   one must, it is necessary

In this construction, too, the third person singular form of **haber** is used in all tenses other than the present.

| | |
|---|---|
| **Hay que tener fe.** | One must have faith. |
| **Habrá que investigarlo.** | It will be necessary to investigate it. |

C. **Haber de**   to be (supposed) to, to be expected to

This is the only case in which **haber,** as an independent verb, may be conjugated in every person.

| | |
|---|---|
| **El avión ha de aterrizar a las seis.** | The plane is to land at six. |
| **Nuestros amigos habían de estar en él.** | Our friends were to be on it. |

EJERCICIOS

A. Conteste en español:

1. ¿Cuántos días hay en un año? ¿Cuántos meses hay? 2. ¿Cuántos estudiantes hay en su clase de español? ¿Cuántos había el semestre pasado? ¿Hay más muchachos o muchachas ahora? 3. ¿A qué hora ha de volver Ud. a casa hoy? 4. ¿Qué días feriados habrá este semestre? 5. ¿Hay que tener dinero para vivir feliz? ¿Por qué?

B. Traduzca al español:

1. There is a tavern in our town. 2. And there I have often sat me down. 3. One night we were to have a party there. 4. Our friend Charlie had come back from the army. 5. As you know, one must spend a lot of money on such occasions. 6. Fare thee well, for I must leave thee.

**18.** Uses of **tener**

A. **Tener,** unlike **haber,** is never an auxiliary verb. Its basic meaning is *to have* (and *to hold, to possess*).

| | |
|---|---|
| **Tengo veinte y un primos.** | I have twenty-one cousins. |
| **No ha tenido tiempo.** | He hasn't had time. |

B. Important idioms using **tener**

| | |
|---|---|
| **tener calor**  to be (feel) warm | **tener frío**  to be (feel) cold |
| **tener hambre**  to be hungry | **tener sed**  to be thirsty |
| **tener miedo**  to be afraid | **tener sueño**  to be sleepy |
| **tener razón**  to be right | **no tener razón**  to be wrong |
| **tener cuidado**  to be careful | **tener gana(s) de**  to feel like, to be in the mood to |

**tener que** + infinitive  to have to
**tener... años de edad**  to be ... years old

With these idioms, *very* is translated by the adjective **mucho.**

EJERCICIO

Conteste en español:

1. ¿Cuántos años tiene Ud.? ¿Cuántos tienen sus padres?
2. ¿Qué tiene Ud. ganas de hacer este fin de semana?
3. ¿A qué hora empieza Ud. a tener hambre por la tarde?
4. ¿Qué bebida le refresca más cuando tiene sed?
5. ¿Qué tiene Ud. que hacer esta noche? ¿Qué tuvo que hacer anoche? ¿Qué tendrá que hacer mañana?
6. ¿Le molesta más tener frío o calor?
7. ¿Tiene Ud. miedo de los perros? ¿Tiene miedo de otros animales?
8. ¿Cuándo tendremos que terminar esta lección?

CHART OF DIRECT COMMAND FORMATION

|  | Affirmative | Negative |
|---|---|---|
| **tú** | 3rd person singular present indicative (except **ten, ven, pon, haz, sal, sé, di, ve**) | PRESENT SUBJUNCTIVE |
| **vosotros** | infinitive: final **r** > **d** | PRESENT SUBJUNCTIVE |
| **Ud.** **Uds.** | PRESENT SUBJUNCTIVE | PRESENT SUBJUNCTIVE |
| **nosotros** | PRESENT SUBJUNCTIVE or **Vamos a** + infinitive | PRESENT SUBJUNCTIVE |

**19.** The Familiar Commands

The affirmative command forms of **tú** and **vosotros** are called the imperative.

A. The affirmative command form of **tú** is the same as the third person singular of the present indicative, except for the following eight verbs:

| | | | |
|---|---|---|---|
| **tener, ten** | have | **hacer, haz** | do, make |
| **poner, pon** | put | **ser, sé** | be |
| **venir, ven** | come | **decir, di** | say, tell |
| **salir, sal** | go out | **ir, ve** | go |

| | |
|---|---|
| **Cómprame un abrigo de visón, amorcito.** | Buy me a mink coat, darling. |
| **¡Ten paciencia!** | Be patient! |

B. The affirmative command of **vosotros** is formed by changing the final **r** of the infinitive to **d**.

**amar** > **amad**          **poner** > **poned**          **decir** > **decid**

1. If the reflexive pronoun **-os** is attached, the **-d** disappears. Note that verbs ending in **-ir** then require a written accent on the last **i**.

| | |
|---|---|
| **¡Amaos!** | Love each other! |
| **¡Vestíos!** | Get dressed! |
| **Poneos los guantes, niños.** | Put on your gloves, children. |

2. **Irse** is the only verb in the language that does not drop the final **-d** in the **vosotros** affirmative command.

| | |
|---|---|
| **Idos en seguida.** | Go away at once. |

C. The negative familiar commands take the corresponding form of the present subjunctive.

| | |
|---|---|
| **No lo hagas, Diego.** | Don't do it, Jim. |
| **No le escuchéis, amigos.** | Don't listen to him, friends. |

EJERCICIO

Cambie al imperativo:

1. Comes mucho. Hablas bien. Trabajas fuerte. ¿Abres la puerta? Haces mejor. Vienes temprano. ¿Sales ahora? Tienes paciencia.
2. No compras nada. No lo rompes. No le escribes nunca. No le llamas a menudo. No la pones ahí. No me dices nada. No lo haces así. No les escuchas.
3. Habláis con el jefe. Tomáis mucho. Bebéis de lo mejor. ¿Abrís todas las cajas? ¿Ponéis la radio? ¿Venís en seguida?
4. No lo creéis. ¿No la vendéis? ¿No las compráis? No cocináis tanto. No barréis hoy. No lo escribís ahora.

## 20. The Polite Commands—**Ud.** and **Uds.**

All polite commands, both affirmative and negative, use the corresponding form of the present subjunctive.

| | |
|---|---|
| **El mejor régimen: coma bien, pero no trague nada.** | The best diet: Eat well, but don't swallow anything. |
| **No toquen nuestra bandera.** | Don't touch our flag. |

## 21. The First Person Plural Command Forms

*Let us* or *Let's* is actually a direct command that involves *you* and *me*. Spanish expresses this concept in two ways.

A. The first person plural of the present subjunctive

| | |
|---|---|
| **Comamos ahora.** | Let's eat now. |
| **Mostrémosle quién manda aquí.** | Let's show him who's boss here. |
| **No vayamos con ellos.** | Let's not go with them. |

1. **Vamos** is used for *let's go.*

| | |
|---|---|
| **Vamos al parque.** | Let's go to the park. |

2. When the reflexive pronoun **nos** is attached to the affirmative command, the **-s** of the verb ending disappears, and the

normally stressed syllable requires a written accent. The **-s** also disappears before **se.**

| | |
|---|---|
| **Démonos prisa.** | Let's hurry. |
| **Digámoselo.** | Let's tell it to him. |

### B. Vamos a + infinitive (only in affirmative commands)

| | |
|---|---|
| **Vamos a cantar.** | Let's sing. |
| **Vamos a visitar a mi tío.** | Let's visit my uncle. |

**22.** The Position of Object Pronouns with Direct Commands

### A. Affirmative commands

Object and reflexive pronouns must be attached to the end of a direct affirmative command.

| | |
|---|---|
| **Póntelos, niño.** | Put them on, child. |
| **Digámosle la verdad.** | Let's tell him the truth. |

### B. Negative commands

Object and reflexive pronouns must be placed in their normal position before a negative command.

| | |
|---|---|
| **No lo devolvamos todavía.** | Let's not return it yet. |
| **No los pongas (pongáis, ponga, pongan) allí.** | Don't put them there. |

## EJERCICIO

A. Repita, y después haga negativas las frases siguientes:
1. Hábleme. Abralas. Ciérrelo. Cómprelos. Dénosla. Dígaselo.
2. Pónganlo ahí. Déjenle en paz. Pónganse los guantes. Pregúntenselo. Háganme un favor. Vístanse ahora. Sírvanse. Guárdenmela.
3. Sentémonos aquí. Traigámoselo. Vamos con ellos. Vamos a llamarla. Leámoslo. Vamos a acostarnos. Vamos a salir. Mandémoselos. Vamos a pedírselo.

B. Haga afirmativas las siguientes:
1. No lo haga. No se lo digan. No le escuchen. No la olvide. No nos llame. No se lo quiten. No se siente.
2. No vengas hoy. No lo rompas. No te sientes. No me lo digas. No te pongas de pie. No se lo quites.

## EJERCICIO DE REPASO

1. There are many people who have devoted their lives to the study of astrology.
2. Let's see whether we can take advantage of it.

3. I would have told them: Enjoy yourselves more and you will have fewer problems.
4. Do not phone them, but write to them every week.
5. Watch your diet, but don't lose too much.
6. Your words will be wrongly interpreted and you will have lost a great opportunity. —For Heaven's sake!
7. Fulfill your obligations and do not repeat the old mistakes.
8. He had always acted prudently until he met her. —Well, that's life.
9. Do not postpone this matter or there will be serious problems.
10. He probably still hasn't received the invitation they sent him.

## PART B

**23.** Compound Tenses

A. Present perfect and pluperfect after **hacer**

In expressions of time, **hacer... que** may be followed by the present perfect or pluperfect if the sentence is negative.

| | |
|---|---|
| **Hace mucho tiempo que no le he escrito.** | I haven't written to him for a long time. |
| **Hacía mucho tiempo que no le había escrito.** | I hadn't written to him for a long time. |

*But:*

| | |
|---|---|
| **Hace mucho tiempo que le escribo.** | I have been writing to him for a long time. |

B. Preterite perfect

The preterite perfect is used only after conjunctions of time.

| | |
|---|---|
| **Así que hubo terminado su trabajo, se dirigió a los huéspedes.** | As soon as he had finished his work, he turned to the guests. |

However, this construction is usually avoided in one of three ways:

1. Simple preterite

   **Así que terminó su trabajo...**

2. Past participle (sometimes preceded by **habiendo**)

   **Terminado su trabajo... (Habiendo terminado...)**

3. Infinitive (in the case of those conjunctions which also have prepositional forms)

   **Después de haber terminado su trabajo...**
   **Después de terminar su trabajo...**

C. Increased use of the present perfect

In Madrid today, the present perfect is very often heard in place of a preterite.

| | |
|---|---|
| **Hoy me he levantado tarde.** | Today I got up late. |
| **He cogido el Metro en la Gran Vía.** | I took the subway on the Gran Vía. |

**24. Haber** as an Independent Verb

A. **Hay**   there is, there are

1. This construction may be used in all the compound tenses. **Haber** then serves as both the auxiliary and the main verb.

| | |
|---|---|
| **Ha habido una equivocación.** | There has been a mistake. |
| **¿Habrá habido jamás un estudiante como éste?** | Can there ever have been a student like this? |

2. The infinitive **haber,** used after another verb, still retains the impersonal sense of *there is, there are (there . . . be)*

| | |
|---|---|
| **Va a haber una fiesta.** | There is going to be a celebration. |
| **Tiene que haber un enchufe en cada cuarto.** | There has to be an outlet in each room. |
| **Debe (de) haber uranio aquí cerca.** | There probably is (must be) uranium near here. |
| **Puede haber soldados enemigos en el bosque.** | There may be enemy soldiers in the woods. |

Note that the main verb is always singular, since the whole expression is impersonal.

3. **Hay** is used very frequently to express distance.

| | |
|---|---|
| **¿Cuánto hay de aquí a Caracas?** | How far is it from here to Caracas? |
| **Hay veinte millas de allí a Santiago.** | Santiago is twenty miles from there. |

4. **Hay** is often separated from **que** by one or several words. **Que** then gives the following infinitive a passive implication that corresponds to the English *to be seen, done,* etc.

| | |
|---|---|
| **Aquí hay muchos grandes edificios que ver.** | There are many large buildings to see (to be seen) here. |
| **Siempre había mucho que hacer.** | There was always a great deal to do (to be done). |

This construction does not convey the idea of necessity that is implicit in **hay que.**

| | |
|---|---|
| **Hay muchas cosas que estudiar.** | There are many things to study. |
| **Hay que estudiar muchas cosas.** | One must study many things. |

### B. **He aquí**   here is, this is, here are, these are

**He aquí** is used mainly in literary Spanish. It appears frequently in newspaper captions explaining news pictures, and in radio announcements.

| | |
|---|---|
| **He aquí los premios que se concedieron ayer.** | These are the prizes that were given out yesterday. |
| **He aquí la dirección de nuestra tienda en su vecindad.** | Here is the address of our store in your neighborhood. |

### 25. Tener

#### A. **Tener... que**

When **tener** is separated from **que** by one or more words, it loses its connotation of compulsion. Here again, the passive implication of **que** is apparent.

| | |
|---|---|
| **Tengo algo que contarte.** | I have something to tell you. |
| **Tendrá algunos libros raros que vender.** | He probably has some rare books to sell. |

*But:*

| | |
|---|---|
| **Tengo que contarte algo.** | I have to (must) tell you something. |

#### B. **Tener** + past participle

**Tener,** followed by a past participle, describes the resultant state of a completed action. It is close in meaning to **estar** + past participle, but adds the identity of the possessor.

| | |
|---|---|
| **Tengo preparada la lista.** | I have the list (already) prepared. |
| **¿Ya tienes escritas las cartas?** | Do you have the letters written already? |

Note especially that this construction does not form a compound tense. **Tener** is a main verb, not an auxiliary, and the past participle functions merely as an adjective.

C. **Tener,** followed by the personal **a,** means *to have (someone) in a certain place.*

| | |
|---|---|
| **Tengo a mi mujer en la Florida.** | I have my wife in Florida. (My wife is in . . .) |

D. The preterite of **tener** may mean *received.*

| | |
|---|---|
| **Ayer tuve (una) carta de mi novio.** | Yesterday I received a letter from my boyfriend. |
| **Hace dos días tuvimos noticias suyas.** | Two days ago we received word from them. |

**26.** Direct Commands

A. Impersonal commands

In Spanish, the direct command form, used with the reflexive **se,** may express an action that the speaker wills to be done. This construction is found most frequently in written instructions, in textbooks, and in biblical references.

| | |
|---|---|
| **Hágase la voluntad de Dios.** | God's will be done. |
| **Véase el capítulo cuarto.** | See the fourth chapter. |
| **Tradúzcanse al español las oraciones siguientes.** | Translate the following sentences into Spanish. |
| **Escríbase una composición sobre el tema siguiente.** | Write a composition on the following subject. |

B. The infinitive as a command

The infinitive is occasionally used with the force of a command, especially in written orders, signposts, etc.

| | |
|---|---|
| **No Fumar.** | No smoking. Do not smoke. |
| **No Estacionar de Aquí a la Esquina.** | No parking from here to the corner. |
| **Traducir al español las frases siguientes...** | Translate into Spanish the following sentences . . . |

C. The softened command in everyday usage

In daily speech, a softened version of the command, using the present indicative is often preferred to the outright command form. For instance, when addressing a waiter in a restaurant, one may say:

| | |
|---|---|
| **Me trae Ud. un vaso de agua, por favor.** | Please bring me a glass of water. |

## EJERCICIOS

I. Traducir al español.

Here is a story that I remember from my childhood. One day, when I was eight years old, my friends and I were playing (**a**) settlers and Indians. I was supposed to help my friend Riqui make a bow. We had everything ready, but we had to find something sharp to cut a branch in two. Suddenly I thought of my grandfather's sword, which was hanging (**estaba colgada**) on the wall in the dining room. I got it and took it with me to my friend's house.

That same evening, my grandfather called me to his room. As soon as I had closed the door, he said: "Paco, what have you done with my sword?"

"But grandfather," I answered, "nothing."

"Don't lie to me, boy. I know that you took it. So tell me the truth. Where is it?"

I realized that it was useless to keep on lying.

"Well, grandfather," I said, "Riqui needed a bow to defend his family against the Indians, so . . ."

"All right, all right, continue." My grandfather was losing patience.

"Well, I thought that I could borrow your sword to cut a branch . . ."

My grandfather's face was becoming redder and redder (**cada vez más colorada**).

"And so you have taken my beautiful sword? All right, where do you have it hidden now?"

"Unfortunately, grandfather, it was very old . . . and it broke . . ."

I thought that my grandfather was going to spank me right there and then (**en el acto**) but suddenly, a smile covered his face.

"Listen, man," he said. "Why waste time talking? We have to hurry, or the Indians will have won the battle before Riqui gets (*present subjunctive*) his bow. Would you like to help me make him a real bow?"

I would have cried with joy, but soldiers don't cry. Besides, we were so busy. The Indians were coming . . .

II. Composición.

   1. Recuerdos de familia

   2. La persona que ha tenido más influencia en mi vida

   3. La persona que admiro más

| Person | Subject | Object of Preposition | | Reflexive Object of Preposition | |
|---|---|---|---|---|---|
| *Singular* | | | | | |
| 1 | yo — I | (para) mí[a] | (for) me | (para) mí[a] | (for) myself |
| 2 | tú — you | (para) ti[a] | (for) you | (para) ti[a] | (for) yourself |
| 3 | él — he | él | him | sí[a] | himself, herself, yourself, itself |
|  | ella — she | ella | her | | |
|  | usted (Ud.) — you | usted (Ud.) | you | | |
| *Plural* | | | | | |
| 1 | nosotros — we | nosotros | us | nosotros | ourselves |
| 2 | vosotros — you | vosotros | you | vosotros | yourselves |
| 3 | ellos — they | ellos | them | sí | themselves, yourselves |
|  | ellas — they (f.) | ellas | them | | |
|  | ustedes (Uds.) — you | ustedes (Uds.) | you | | |

[a] After the preposition con, mí, ti, and sí become -migo, -tigo, -sigo.

| Person | Direct Object of Verb | Indirect Object of Verb | | Reflexive | |
|---|---|---|---|---|---|
| *Singular* | | | | | |
| 1 | me — me | me | to me | me | (to) myself |
| 2 | te — you | te | to you | te | (to) yourself |
| 3 | le, lo — him, it | le | to him, to her, to it | se | (to) himself, herself, yourself, itself |
|  | la — her, it | | | | |
|  | le, lo, la — you (Ud.) | | | | |
| *Plural* | | | | | |
| 1 | nos — us | nos | to us | nos | (to) ourselves |
| 2 | os — you | os | to you | os | (to) yourselves |
| 3 | los, les — them | les | to them, to you | se | (to) themselves, yourselves |
|  | las — them (f.) | | | | |
|  | los, les, las — you (Uds.) | | | | |

# PERSONAL PRONOUNS

▌▌▌▌▌▌▌▌▌▌▌▌▌▌▌▌▌▌▌▌▌▌▌▌▌▌▌▌▌▌▌▌▌▌▌▌▌▌▌▌▌▌▌▌▌▌▌▌▌▌▌▌▌▌▌▌▌▌▌▌▌▌▌▌▌▌▌▌▌

Adaptado de

**DOMINGO**

Madrid, 18 de agosto de 1963

## Cirugía Estética

No sabemos si las leyes de la cirugía estética han cambiado o no. Pero lo que sí podemos asegurar es que ha cambiado la ley referente a las actividades de la cirugía estética.

Hace años, en 1928, una dama de París, propietaria de una casa de modas, fue a visitar a un cirujano.

—Doctor, soy muy desgraciada.

—¿Qué le sucede?

La dama le mostró las piernas, que eran enormemente gruesas, y le dijo que esta mala conformación era la causa de su desgracia.

—No es fácil arreglar esto. A los médicos no nos gusta rebajar piernas.

—Doctor, estoy decidida a todo, incluso a suicidarme si Ud. no me opera. No me queda más remedio.

—Está bien. Si Ud. insiste, la operaré.

Unos días más tarde, la dama fue a la clínica del doctor y poco después pasaba al quirófano. Todas las operaciones pueden fracasar, y aquélla fue una de ellas. Fue necesario amputar una pierna a la paciente, y ésta, una vez que abandonó el hospital, llamó a un abogado y presentó una demanda contra el cirujano reclamándole daños y perjuicios,

40

valorándolos en medio millón de francos. La causa despertó vivo interés y la sentencia fue objeto de calurosos y apasionados comentarios.

El juez condenó al médico al pago de 200,000 francos, declarando que el cirujano había cometido una falta por el solo hecho de haber realizado una operación sobre un miembro sano. Consagraba con su sentencia una vieja tesis, según la cual la cirugía debe tener por objeto salvar la vida humana o restablecer la salud. Desde aquella época la ley ha evolucionado y, naturalmente, la cirugía estética también. Hoy la cirugía estética, con sus tres aspectos de reparadora, correctora y estética pura, es una rama muy extendida de la medicina.

## PREGUNTAS

1. ¿Cuándo ocurrió el caso que se refiere en este artículo? ¿Dónde fue?
2. ¿Por qué fue la dama al cirujano?
3. ¿Qué dijo el médico al principio cuando la señora le explicó su problema?
4. ¿Cómo le convenció la señora a operarla?
5. ¿Cómo resultó la operación?
6. ¿A quién llamó entonces la señora?
7. ¿Cuánto dinero le reclamó al cirujano?
8. ¿Cuál fue la decisión del juez?
9. ¿Sobre qué tesis basaba su decisión?
10. ¿Cómo es la cirugía estética hoy?

## CONVERSACIÓN

1. ¿Qué piensa Ud. del caso de la señora parisiense y el cirujano? ¿Qué habría hecho Ud. si fuera el médico? ¿Cómo lo habría decidido Ud. si fuera el juez?
2. ¿Conoce Ud. a alguien que haya tenido una operación de cirugía estética? ¿Quién fue? ¿Cómo resultó?
3. ¿Cree Ud. que el hombre tiene el derecho de cambiar radicalmente la cara que Dios le ha dado? ¿En qué circunstancias no la tiene?
4. ¿Le gustaría a Ud. cambiar su fisonomía en algún respecto? ¿Piensa Ud. hacerlo algún día?

# PART A

## 27. Subject Pronouns

### A. Forms and meaning

| Person | Singular | | Plural | |
|---|---|---|---|---|
| 1 | **yo** | I | **nosotros(as)** | we |
| 2 | **tú**[1] | you | **vosotros(as)**[1] | you |
| 3 | **él** | he | **ellos** | they |
| | **ella** | she | **ellas** | they (*f.*) |
| | **usted (Ud.)**[2] | you | **ustedes (Uds.)**[2] | you |

### B. Omission of the subject pronoun

These pronouns are usually omitted when the verb is expressed, and their needless insertion or repetition is entirely incorrect.

| | |
|---|---|
| **Salimos para el campo dentro de una semana.** | We are leaving for the country within a week. |
| **Si quieres, iré contigo.** | If you wish, I'll go with you. |

**Ud.** and **Uds.** may be used or omitted at the discretion of the speaker, but even with these it is best to avoid excessive repetition.

### C. Uses of the subject pronoun

1. It is used for emphasis or for clarification.

*Emphasis:*

| | |
|---|---|
| **Tú puedes quedarte.** | *You* can stay. |
| **Yo me voy.** | *I'm* going. |

Remember: When you would raise your voice to stress the subject pronoun in English, insert the pronoun in Spanish.

*Clarification:*

| | |
|---|---|
| **Siempre que él decía que sí, ella decía que no.** | Whenever he said yes, she said no. |
| **¿No me dijo Ud. que ella no venía?** | Didn't you tell me that she wasn't coming? |

---

[1] The familiar **tú** and **vosotros** forms are used only when the speaker is addressing a child, a relative, or anyone with whom he is on intimate terms. In Latin America, **vosotros** is generally not used. **Uds.** covers both the polite and familiar plural.

[2] The polite forms, **Ud.** and **Uds.** (also abbreviated **V.**, **Vd.**, and **Vds.**) are used in any relationship of respect or lack of familiarity. In dealing with strangers, it is advisable to maintain the polite form, unless specifically requested to use the familiar.

2. It is used after the verb **ser,** or may stand alone.

| | |
|---|---|
| **¿Es Ud. el gerente?** | Are you the manager? |
| **—Sí, soy yo.** | —Yes, I am (it's me). |
| **¿Quién ganó? —El.** | Who won? —He (did). |

## EJERCICIO

1. I know that you'll win, Russell. 2. Who came in? —We did. 3. I don't doubt that you're tired. 4. Now do you see? He was right and you (*pl.*) were wrong. 5. Do they know that we have already sent it? 6. *She* isn't here, but *he* can give you the information.

**28.** The Position of Object Pronouns

A. With relation to the verb

1. Object pronouns must be attached to the end of a direct affirmative command.

| | |
|---|---|
| **Tómelo.**[3] | Take it. |
| **Dámelos.** | Give them to me. |

They usually are attached to the end of an infinitive or present participle.

| | |
|---|---|
| **Al leerlo, se puso pálido.** | Upon reading it, he turned pale. |
| **Va a verlos mañana.**[4] | He is going to see them tomorrow. |
| **Estamos preparándolo**[5] **ahora mismo.** | We are preparing it right now. |

2. In all other cases, object pronouns are placed immediately before the entire verb form (e.g., before **haber** in a compound tense).

| | |
|---|---|
| **¿Me perdonarás?** | Will you forgive me? |
| **Ya lo han visto.** | They have already seen it. |

[3] Note that the addition of an extra syllable onto a command form of more than one syllable makes a written accent on the stem vowel necessary.

[4] Object pronouns may stand before conjugated forms of **ir, querer, poder,** and **saber** when these verbs precede an infinitive.

[5] With a progressive tense, the object pronoun may stand before **estar: Lo estamos preparando.**

B. With relation to each other

The rule for the placement of two object pronouns with respect to each other has no exceptions:

## INDIRECT BEFORE DIRECT, REFLEXIVE FIRST OF ALL

| | |
|---|---|
| **Devuélvamelo.** | Give it back to me. |
| **El niño se lo comió todo.** | The child ate it all up. |
| **Se nos murió el gato.** | Our cat died on us. |

**29.** Direct Object Pronouns

A. Forms and meaning of direct object pronouns

| Person | | Singular | | Plural |
|---|---|---|---|---|
| I | **me** | me | **nos** | us |
| 2 | **te** | you | **os** | you |
| 3 | **lo** | him, it (*m.*)[6] | **los** | them, you |
| | **la** | her, it, you (*f.*) | **las** | them, you (*f.*) |
| | **le** | him, you (*m.*) | **(les)**[7] | (them, you) |

Note that **lo** may refer to a masculine person or thing, but that the direct object **le** refers only to a person.

| | |
|---|---|
| **Mi madre la conoce, pero yo no.** | My mother knows her, but I don't. |
| **Te vimos allí la semana pasada.** | We saw you there last week. |
| **Le (lo) han escogido para encabezarla.** | They have chosen him to head it. |

B. Special use of **lo**

**Lo** supplies the missing object for verbs that usually require an object in Spanish. Such verbs include **saber, decir, preguntar,** and **pedir.**

| | |
|---|---|
| **Amor mío, eres adorable, encantadora, hermosísima.** **—Sí, lo sé.** | Darling, you are lovely, charming, beautiful. —Yes, I know. |
| **Pregúnteselo.** | Ask him. |
| **No se lo diga a ellos.** | Don't tell them. |

[6] **Lo**, rather than **le**, is much more frequent in Spanish America for *him*.

[7] **Les**, which is used very frequently in Spain for **los** as a direct object pronoun, refers only to persons.

EJERCICIOS

A. Substituya los objetos directos por el pronombre apropiado:

1. Di **un libro** a Luis. 2. Vendieron **la casa** hace tres días. 3. Ofrecimos **unos juguetes** a los niños. 4. Escribiré **una carta** a Elisa. 5. Me pidió prestada **la pluma.** 6. No había visto **el nuevo coche.** 7. Habrían robado **la caja.** 8. Regaló **las flores** a su novia.

B. Conteste afirmativamente, substituyendo el objeto por un pronombre:

1. ¿Has escrito **las cartas?** 2. ¿Recibió Ud. **los libros?** 3. ¿Han encontrado **las zapatillas?** 4. ¿Conoce Ud. **a mis amigos?** 5. ¿Firmarán Uds. **los contratos?** 6. ¿Habéis visto **la casa?**

C. Conteste negativamente:

1. ¿Ha arreglado Ud. **el motor?** 2. ¿Veía Ud. mucho **a Ana?** 3. ¿Habrán encontrado los niños **al perro?** 4. ¿Habría creído Ud. **eso?** 5. ¿Quieres contarme **una historia?**

**30.** Indirect Object Pronouns

A. Forms and meaning of indirect object pronouns

The indirect object pronouns are the same as the direct object pronouns, except in the third person:

| | | | |
|---|---|---|---|
| **me** | to me | **nos** | to us |
| **te** | to you | **os** | to you |
| **LE** | to him, to her, to you. | **LES** | to them, to you. |

| | |
|---|---|
| **Escribámosle en seguida.** | Let's write to him immediately. |
| **No. Ya nos telefoneó esta mañana.** | No, he already phoned us this morning. |
| **Haga el favor de mandármelo.** | Please send it to me. |

B. Special use of **se**

When the indirect and direct object pronouns are both in the third person, the indirect becomes **se.** Thus:

| *Indirect* | | *Direct* | | |
|---|---|---|---|---|
| **le** | + | **lo** | = | **SE lo** |
| **les** | | **la** | | **la** |
| | | **los** | | **los** |
| | | **las** | | **las** |

| | |
|---|---|
| **Le dimos el disco.** | We gave the record to him. |
| **Se lo dimos.** | We gave it to him. |
| **¿Les mostrarás tu nueva casa?** | Will you show them your new house? |
| **¿Se la mostrarás?** | Will you show it to them? |

C. The indirect object with **pedir** and **preguntar**

**Pedir** (to ask for, to request) and **preguntar** (to ask a question, to inquire) logically take the indirect object, since the speaker makes a request or addresses a question *to* somebody.

| | |
|---|---|
| **Se lo pediré a Juan.**[8] | I will ask John for it. |
| **No le preguntes eso.** | Don't ask her that (question). |

EJERCICIOS

A. Substituya las palabras indicadas por los pronombres apropiados:

1. Ya he mandado **el libro a Luis.** 2. Di **las plumas a Juan.** 3. Vendieron **dos pares de zapatos a mis amigos.** 4. Hemos escrito **la carta a Diego.** 5. Pediremos **dinero al Sr. Moreno.** 6. No quieren enviar **las cosas a Rosario.** 7. ¿Piensa Ud. comprar **el regalo a López?** 8. ¿Contará Ud. **la historia a sus nietos?** 9. ¿Piensa Ud. pedir prestado **el disco a Luisa?** 10. No quiero enseñar **el cuadro a tus hermanos.**

B. Conteste afirmativamente siguiendo el modelo:

¿Se lo di a Ud.?    **Sí, me lo dio.**

1. ¿Me lo pidió Ud.? 2. ¿Nos lo dijeron Uds.? 3. ¿Se lo hemos explicado ya a Uds.? 4. ¿Me lo preguntó Ud.? 5. ¿Nos lo comprarás? 6. ¿No se lo he dado a Uds.? 7. ¿Nos la han enviado tus padres? 8. ¿Se lo traigo a Ud.? 9. ¿Nos lo dirán Uds.? 10. ¿Os lo habíamos recomendado?

C. Traduzca al español:

1. If I find it, I'll give it to you. 2. Don't ask John for anything. 3. Will you read them to us? 4. They have just sold it (*f.*) to them. 5. Don't look at me like that (**así**). 6. I don't know the answer; ask someone else. 7. Who put it there? Take it away immediately.

**31.** The **gustar** Construction

## GUSTAR MEANS TO BE PLEASING. IT DOES NOT MEAN TO LIKE

The English *to like* is translated by a special construction using the verb **gustar**. The English subject (*I, you, they* like, etc.) becomes the indirect object in Spanish—*the one(s) to whom something is pleasing*.

[8] Notice that with **pedir**, **preguntar**, and **gustar**, the indirect object pronoun must be used, even though the noun to which it refers is stated.

| | |
|---|---|
| **Me gusta estudiar.** | I like to study. (Studying is pleasing to me.) |
| **¿De veras? Pues, a mí me gustan las mujeres.** | Really? Well, I like women. (To me, women are pleasing.) |
| **¿Les gustó a sus padres el viaje?** | Did your parents like the trip? (Was the trip pleasing to them?) |
| **Nos gustaría conocerle.** | We would like to know him. |

The English *to have . . . left* (*remaining*) and *to lack* or *need* use a similar construction with the verbs **quedar** and **faltar.**

| | |
|---|---|
| **¡Pobre señor Vanderféler!** | Poor Mr. Vanderfeller! |
| **Le quedan sólo diez millones de dólares.** | He has only ten million dollars left. (Only ten million dollars are remaining to him.) |
| **Nos falta dinero para terminarlo.** | We lack money to finish it. (Money is lacking to us.) |

## EJERCICIOS

A. Cambie según las personas, verbos, o sujetos indicados:
   1. Me gusta mi profesor de español.
      (Nos, te, a Juan, les, os)
   2. No nos gustó el caballo.
      (los caballos, la película, esos fulanos)
   3. Le gustará su apoyo.
      (faltará, faltaría, quedará, quedaría)
   4. ¿Les gusta bailar?
      (a María, a ti, a ti y a Pepe, a Ud., a esos jóvenes)

B. Conteste en español:
   1. ¿Qué estación del año le gusta más? ¿Por qué? 2. ¿Le gustan más los coches americanos o los europeos? 3. ¿Cómo le gusta pasar los fines de semana? 4. ¿Le gustaría no tener que trabajar nunca? ¿Por qué? ¿Qué haría? 5. ¿Qué colores le gustan más? ¿Cuáles le gustan menos? 6. ¿Qué película reciente le gustó más? ¿Por qué? 7. ¿Cuántos créditos le faltan para terminar su bachillerato? 8. ¿Cuánto dinero le queda para el resto de la semana? 9. ¿Cuántos amigos le quedan de su niñez? 10. ¿Cuánto tiempo falta para las seis?

**32.** Pronoun Objects of a Preposition

   A. Forms and meaning
      1. These pronouns have the same form as the subject pronouns, except in the first and second person singular.

| Person | Singular | | Plural | |
|---|---|---|---|---|
| 1 | (**para**) **mí** | (for) me | (**para**) **nosotros(as)** | us |
| 2 | **ti** | you | **vosotros(as)** | you |
| 3 | **él** | him | **ellos** | them |
| | **ella** | her | **ellas** | them (*f.*) |
| | **Ud.** | you | **Uds.** | you |

### 2. **Conmigo** and **contigo**

After the preposition **con** (with), the first and second person singular forms become **conmigo, contigo**. All the other forms remain unaltered: **con él, con ella, con Uds.**, etc.

### B. After verbs of motion

Verbs of motion are followed by the preposition **a** plus a prepositional object pronoun (not an indirect object pronoun).

| | |
|---|---|
| **Corrió a ella.** | He ran to her. |
| **Ven a mí, Paquito.** | Come to me, Frankie. |

### C. For emphasis or clarification

Spanish makes use of the prepositional phrases **a mí, a ti, a él,** etc., IN ADDITION TO the direct or indirect object pronoun for purposes of emphasis or clarification. Clarification is often necessary when the indirect object is in the third person (**le, les**), and particularly when it becomes **se,** unless the person referred to is perfectly obvious.

| | |
|---|---|
| **Le vi a él, no a ella.** | I saw *him*, not *her*. |
| **Me lo dio a mí; no se lo dio a Ud.** | He gave it to *me*; he did not give it to *you*. |

### EJERCICIO

Substitúyanse las palabras indicadas por el pronombre apropiado:
1. Se lo preguntaré **a mis hermanas**. 2. Este aparato no es para **los técnicos nuevos**. 3. El dinero es para **mí y para Alonso**. 4. No me habló de **sus dificultades**. 5. No iré con **los otros**. 6. No se marcharía sin **ti y sin Carlos**. 7. Hazlo por **tu madre y por mí**. 8. Déselo **al viejo**. 9. No se lo diga **a esos murmuradores**. 10. Se reía **de Elsa**.

### EJERCICIO DE REPASO

1. Come with me. I have an interesting case to (**que**) tell you.
2. Some years ago the owner of a fashion house came to see me about a case of plastic surgery.

3. I did not like her idea and I told her that it didn't interest me.
4. She went to another surgeon and told him: "I'll commit suicide if you don't operate on me." Well, he accepted her.
5. She was in the operating room for six hours, and finally, the surgeon succeeded in (**logró**) saving her.
6. The patient sued the doctor for damages, but the jury refused to convict him.
7. The judge, however, made him pay her 200,000 francs.
8. According to him, the doctor had made a serious mistake in (**al**) acceding to the wishes of the patient.
9. Plastic surgery has changed greatly since then and such cases don't happen often today.
10. To tell the truth, we like to operate only if we are sure (**de**) that it is absolutely necessary.

## REPASO DE VERBOS

Estudie los tiempos del indicativo de los verbos siguientes: pensar, cerrar, contar, mover, perder (pp. 318–319).

Háganse mandatos:

pensar (Ud., tú); entender (Uds., vosotros); almorzar (Ud., tú); no perder (tú, vosotros); recordar (Ud., Uds.); mover (tú, Ud.); no merendar (Uds., vosotros)

# PART B

## 33. The Neuter Pronoun ello

**Ello,** which refers to a whole idea, situation, or statement, is used as subject of the verb or as object of a preposition.

A. As subject, **ello** appears frequently in the expression **ello es que...** the fact is that . . .

**Ello es que nunca mató a nadie.**     The fact is that he never killed anyone.

B. **Ello** is used more often as object of a preposition.

**En ello me va la vida.**     My life is at stake in it (in this).
**De ello depende todo el asunto.**     The whole affair depends on it.

**34.** Special Situations with the Subject *you*

A. When *you* refers to two persons with whom the speaker has a different relationship, the verb form is determined by the degree of intimacy with the one addressed first.

| | |
|---|---|
| **Ya veo que tú y este señor no estáis de acuerdo.** | I see that you and this gentleman don't agree. |
| **Por lo visto Ud. y mi hijo se han hecho amigos.** | Apparently you and my son have become friends. |

B. The Argentinian **vos**

In Argentina, particularly in and around Buenos Aires, **tú** is popularly replaced by **vos,** and the verb form is a combination of the normal Spanish **tú** and **vosotros** forms.

| | |
|---|---|
| **¿Lo tenés vos?** | Do you have it? |
| **Sentate.** | Sit down. |

As in the rest of Latin America, **vosotros** is regularly replaced by **Uds.**

**35.** Subject Pronouns after Certain Prepositions

After **entre** (between, among), **incluso** (including), and **según** (according to) the subject pronouns are required.

| | |
|---|---|
| **Decidámoslo entre tú y yo.** | Let's decide it between you and me. |
| **Iremos todos, incluso tú.** | We'll all go, including you. |

With the reflexive, however, **sí** or **ellos** may be used after **entre.**

| | |
|---|---|
| **Lo arreglaron entre sí.** | They settled it among themselves. |
| **Lo arreglaron entre ellos.** | |

**36.** The Indirect Object to Express Possession

The indirect object pronoun is used to express possession with actions involving parts of the body, articles of clothing, or personal effects.

| | |
|---|---|
| **La madre les lavó las manos.** | The mother washed their hands. |
| **Le puso el sombrero y le despidió.** | She put his hat on him and sent him off. |
| **Me han robado la cartera.** | They have stolen my wallet. |

Notice that the definite article is used instead of the possessive adjectives.

**37.** Further Uses of the Indirect Object Pronoun

A. To express separation

| | |
|---|---|
| **Les quitará la finca.** | He will take the property away from them. |
| **Nos robó todo lo que teníamos.** | He stole everything we had. |
| **No le compre nada a Pérez.** | Don't buy anything from Perez. |

B. To indicate the person in whose interest or with respect to whom an action takes place

| | |
|---|---|
| **¿Me arreglará Ud. la televisión?** | Will you fix my television set (for me)? |
| **Te he comprado una bata.** | I have bought you a robe. |
| **Se nos murió el caballo.** | The horse died on us. |
| **Se me fue la criada.** | My maid left me (went away from me). |

C. With impersonal expressions

The indirect object pronoun may be used with many impersonal expressions, and corresponds to the English *for me, for him,* etc. The infinitive then replaces a dependent clause and no subjunctive is necessary.

| | |
|---|---|
| **Me es imposible verte hoy.** | It is impossible for me to see you today. |
| **No le basta gastar su propio dinero.** | It isn't enough for him to spend his own money. |
| **Les fue necesario abandonar el coche.** | It was necessary for them to abandon the car. |

D. With **agradecer** and **pagar**

**Agradecer** (to thank someone for) and **pagar** (to pay for) both employ the indirect object to state the person to whom the thanks are given, or to whom the sum is paid. Remember that *for* is included within the verb.

| | |
|---|---|
| **Se lo agradezco.** | I thank you for it. |
| **¿Cuándo me lo pagarás?** | When will you pay me for it? |

**38.** Replacement of the Indirect Object Pronoun by a Phrase

If the direct object pronoun in Spanish is in the first or second person (**me, te, nos, os**) a prepositional phrase is used instead of the indirect object pronoun.

| | |
|---|---|
| **Me presentaron a él.** | They introduced me to him. |
| **Te mandará a ella.** | He will send you to her. |

*But:*

| | |
|---|---|
| **Me lo presentaron.** | They introduced him to me. |
| **Se la presentaron.** | They introduced her to him (to her, to you, to them). |
| **Te la mandará.** | He will send her to you. |

**39.** Redundant (Repetitive) Object Pronouns

A. When **todo**—everything—or **todos(as)**—all (of them)—is direct object of a verb, the direct object pronoun (**lo, la, los, las**) is also used.

| | |
|---|---|
| **Lo sabe todo.** | He knows everything. |
| **Ya los conocía a todos.** | I already knew them all. |

B. For anticipation

When the indirect object noun is a person, the indirect object pronoun is often used in addition to the noun. This anticipating pronoun is especially frequent with **decir, pedir, preguntar,** and **gustar,** or when the direct object is a pronoun not referring to a person.[9]

| | |
|---|---|
| **Se lo diremos a Raúl.** | We'll tell Ralph. |
| **No se lo muestre a mi padre.** | Don't show it to my father. |

C. When a noun or a prepositional object pronoun precedes the verb, the redundant direct or indirect object pronoun is generally used also.

| | |
|---|---|
| **Este reloj lo compré en Venecia.** | This clock I bought in Venice. |
| **A él no le digo nunca nada.** | To him I never say anything. |

**40.** Special Uses of the Direct Object Pronouns

A. With **ser** or **estar, lo** is used to refer back to an adjective, a noun, or a whole idea. Note that **ser** can never stand alone.

---

[9] When the direct object refers to a person, the redundant indirect object pronoun is not used: **No lo entregarán a la policía.** They will not hand him over to the police.

| | |
|---|---|
| **Esta lección parece fácil. —Lo es.** | This lesson seems easy. —It is. |
| **¿Están cansados? —Sí que lo están.** | Are they tired? —Indeed they are. |
| **¿Son amigos suyos? —No, no lo son.** | Are they friends of yours? —No, they are not. |

B. The direct object pronouns **lo, la, los, las** correspond at times to the English *any* in negative sentences. With the impersonal **hay** (there is, there are) they are usually the equivalent of the English *some*.

| | |
|---|---|
| **¿Hay agua aquí? —No la hay.** | Is there water here? —There isn't any. |
| **Enemigos, no los tenía.** | As for enemies, he didn't have any. |
| **¿Hay osos allí? —Sí, los hay.** | Are there bears there? —Yes, there are. |
| **Los hay que creen en las hadas.** | There are some who believe in fairies. |

C. In highly idiomatic constructions, **la** and **las** are perhaps convenient substitutes for the word **cosa(s)**.

| | |
|---|---|
| **No sé cómo se las arregla.** | I don't know how he manages (things). |
| **Se las echa de Don Juan.** | He pretends to be a Don Juan. |
| **¡Ud. no me la pega a mí!** | You aren't fooling me! (You are not sticking it on to me.) |
| **¡Me las pagarás!** | I shall get even with you. (You will pay me for the things that you have done.) |

D. **La** and **las** may also be found in place of the indirect object pronouns **le** and **les** with the meaning *to her, to them* (*f.*). The usage, however, is not generally accepted.

**41.** Placement of Object Pronouns

A. When a conjugated verb form is followed by an infinitive and each has a direct (not reflexive) object pronoun, the two pronouns are normally placed before the main verb.

| | |
|---|---|
| **Se lo oí decir.** | I heard him say it. |
| **Te lo hará saber.** | He will have you know it (let you know). |

Note that the pronoun referring to a person is converted into an indirect object pronoun, since one verb cannot have two direct objects.

B. In literary usage, the object pronoun is often attached to a conjugated verb form that begins a sentence or an independent clause.

| | |
|---|---|
| **Hallábanse entonces en Granada.** | They were in Granada at that time. |
| **Érase que se era...** | Once upon a time . . . |

## EJERCICIOS

I. Traducir al español.

A. A few weeks ago, Joe phoned me long distance. He asked me whether I could buy certain rare books for him. The next day, I went to many bookstores, but I was unable to find them anywhere. The fact was that they were almost impossible to (**de**) obtain. I called to tell him that I would try to send them to him as soon as possible. Then I wrote to all the book dealers in town. It seemed that those books were very important to him. Finally I found them, paid for them, and mailed them to him. A few days later, I received his answer. He thanked me for everything, but said that he no longer needed them. He had already read them in the library. Now what do you think of that?

B. When the Captain introduced me to him, I had the impression that I had seen him somewhere, but I could not remember where. This impression changed into (**se volvió**) certainty when he used several times in his conversation the expression: **Se cae de su peso.** Now I was sure that I had heard him say it on some occasion. I couldn't help thinking about it all evening. Finally, I decided to ask him. At first, he didn't recognize me, but after looking at me for a long time, he exclaimed: "Of course! It was on the boat, five years ago. Don't you remember what happened that night?"

II. Composición.

Lo que pasó aquella noche en el barco

# Personal Pronouns (CONTINUED): THE REFLEXIVES

||||||||||||||||||||||||||||||||||||||||||||||||||||||||||||||||||||||||||||||||||||||||||||||||||||||||||

Adaptado de

**DOMINGO**

Madrid, 18 de agosto de 1963

## Noticias Cortas

**Buenos Aires.** Se ha comprobado que las jóvenes deben esperar cada vez más tiempo para casarse. He aquí, por ejemplo, la estadística sacada de una sección del Registro Civil de un barrio donde casi todas las clases sociales están representadas. Esta estadística demuestra que la mayor parte de las mujeres casadas en el curso del año pasado tenían de treinta a cuarenta años.

¿Acaso la jovencita de nuestros días tendrá menos atractivos a los ojos de los hombres que antes? En realidad, la mujer que ha dejado atrás sus pequeñas fantasías de niña tiene mucho encanto. Ella se da cuenta exactamente de la significación del matrimonio y los hombres opinan que será mejor compañera que la jovencita, la cual no piensa más que en divertirse.

**Patti.** Un viejecito enérgico de setenta y ocho años raptó ayer a una señorita de setenta y tres años, alegando que los parientes de su amada se oponían al casamiento. Los enamorados se conocían desde hacía cincuenta años, y su siempre proyectado matrimonio, contra el cual era unánime la oposición de los familiares de ella, se cristalizó finalmente por medio del sistema clásico: escalerilla, fuga, y casamiento.

**Nueva York.**    Los altos precios que se fijan a las obras de arte, sobre todo pinturas, suelen parecer excesivos hasta a los millonarios. Cierto coleccionista se creyó estafado cuando pagó la suma de cuatrocientos mil dólares por un retrato del Rey Felipe IV de España. El banquero que compró el cuadro supo por un amigo que el propio Monarca sólo había pagado por su retrato 7,600 reales. Pero entonces el millonario hizo números, y descubrió que esa cantidad, al seis por ciento de interés compuesto, si hubiera estado depositada en un banco en 1645, representaría ahora mayor suma que el precio fijado a la pintura. El coleccionista confesó entonces: "Me doy cuenta de que me he comprado una verdadera ganga pictórica."

**Roma.**    Junto a la sala de guardia de la villa del Emperador Adriano, cerca de Roma, colocaron un letrero que decía: "Arqueólogos en servicio. Mantenerse a distancia." No obstante, la policía resolvió acercarse para ver qué arqueólogos eran aquéllos. Sobre el húmedo pavimento romano, fue descubierta una huerta ilícita de hongos. La policía está en busca de los "nuevos arqueólogos".

## PREGUNTAS

1. ¿Qué se ha comprobado recientemente en Buenos Aires?
2. Según la estadística, ¿a qué edad se casan la mayor parte de las mujeres allí?
3. ¿De qué se da cuenta la mujer más madura?
4. ¿En qué piensa la jovencita, según el periodista?
5. ¿Por qué raptó el viejo a su novia?
6. ¿Desde cuándo se conocían?
7. ¿Por qué se creyó estafado el millonario coleccionista?
8. ¿De qué se dio cuenta al hacer números?
9. ¿Qué se leía en el letrero que colocaron en la villa de Adriano?
10. ¿Qué hacían en realidad los "arqueólogos"?

## CONVERSACIÓN

1. ¿Qué edad considera Ud. mejor para casarse una mujer? ¿Y para casarse un hombre? ¿Es importante esperar hasta que los novios tengan cierta seguridad económica?
2. ¿Qué piensa Ud. del caso de los viejos enamorados? ¿Cree Ud. que los jóvenes deben hacer mucho caso de los consejos de sus familiares respecto a su casamiento? Si no les gusta a los padres el novio de su hija (o la novia de su hijo), ¿tienen el derecho de decírselo?
3. ¿Le interesa a Ud. el arte? ¿Qué periodo le gusta más? ¿Quiénes son sus artistas predilectos? ¿Tiene Ud. en casa una obra de arte original? ¿Sabe Ud. pintar o dibujar?

## PART A

**42.** Forms of the Reflexive Pronouns

A. Object of a verb

| | | | |
|---|---|---|---|
| **me** | (to) myself | **nos** | (to) ourselves |
| **te** | (to) yourself | **os** | (to) yourselves |
| **SE** | (to) himself, herself, | | |

yourself (**Ud.**), itself, themselves, yourselves (**Uds.**)

Notice that the reflexive pronoun may serve as either the direct or the indirect object of the verb.

B. Object of a preposition

| | | | |
|---|---|---|---|
| (**por**) **mí** | (for) myself | (**por**) **nosotros, as** | (for) ourselves |
| (**por**) **ti** | (for) yourself | (**por**) **vosotros, as** | (for) yourselves |
| (**por**) **SÍ** | (for) himself, herself, | | |

yourself (**Ud.**), itself, themselves, yourselves (**Uds.**)

After the preposition **con,** the reflexive **mí, ti,** and **sí** become **–migo, –tigo, –sigo.**

| | |
|---|---|
| **Lo hizo para sí (misma).** | She made it for herself. |
| **Se lo llevó consigo.** | He took it away with him. |

**43.** General Function

A. A reflexive pronoun is used when the object of a verb (or preposition) refers to the subject of the sentence.

| | |
|---|---|
| **¿Te diviertes?** | Are you enjoying yourself? |
| **Se compró un coche.** | He bought himself a car. |
| **Piensa sólo en sí misma.** | She thinks only of herself. |

B. Any verb can be used with the reflexive if the subject does the action to itself.

| | |
|---|---|
| **Me dije: Sé firme.** | I told myself: Be firm. |
| **Siempre te cortas.** | You always cut yourself. |
| **No se quemen.** | Don't burn yourselves. |

EJERCICIO

Cambie según los sujetos indicados:

1. Fernando se cortó la mano.
   (yo, los niños, Pepe y yo)
2. Cúidese un poco más.
   (Uds., nosotros, tú, vosotros)
3. Van a divertirse mucho.
   (Elena, mi primo y yo, los
   alumnos, tú, tú y Miguel)
4. No te hagas daño.
   (Ud., Uds., vosotros, nosotros)

5. Lo hace para sí.
   (yo, Pepe, Jorge y yo, tú, ellos)
6. Nos hallábamos en peligro.
   (nuestras tropas, el espía, yo)
7. Siempre habla de sí mismo.
   (tú, vosotros, ese muchacho,
   esas mujeres)

## 44. Other Uses of the Reflexives

A. Many intransitive verbs in English (verbs that cannot take a direct object) are expressed in Spanish by making a transitive verb reflexive.

| | |
|---|---|
| **alegrar**  to make happy | **alegrarse**  to be glad |
| **sentar**  to seat | **sentarse**  to sit down |
| **acostar**  to put to bed | **acostarse**  to go to bed |
| **despertar**  to awaken (somebody) | **despertarse**  to wake up (oneself) |
| **levantar**  to raise | **levantarse**  to rise, get up |

| | |
|---|---|
| **Ahora me acuesto.** | Now I lay me down to sleep. |
| **Se sentaron en el sofá.** | They sat down on the sofa. |
| **¡Levántense todos!** | Get up, everybody! |

B. It translates *to get* or *become* + adjective

| | |
|---|---|
| **vestir**  to dress (somebody) | **vestirse**  to get dressed, dress (oneself) |
| **lavar**  to wash (something or someone) | **lavarse**  to get washed, wash (oneself) |
| **casar**  to marry (off), join in marriage | **casarse**  to get married, marry |
| **enfadar**  to anger | **enfadarse**  to get angry |
| **sorprender**  to surprise | **sorprenderse**  to be(come) surprised |

| | |
|---|---|
| **Lávate la cara, chico** | Wash your face, boy |
| **No se enfaden, por favor.** | Don't get angry, please |

C. Some verbs change their meaning when the reflexive is added.

| | |
|---|---|
| **ir**  to go | **irse**  to go away |
| **llevar**  to take, bring | **llevarse**  to take away, carry off |
| **dormir**  to sleep | **dormirse**  to fall asleep |
| **probar**  to try; to taste | **probarse**  to try on |
| **reír**  to laugh | **reírse (de)**  to laugh (at) |
| **hacer**  to make; to do | **hacerse**  to become |
| **quitar**  to take off or away (from someone) | **quitarse**  to take off (one's own clothing, etc.) |
| **poner**  to put; to put on (someone) | **ponerse**  to put on (oneself); to become (+ adjective) |

| | |
|---|---|
| **Duérmete, mi nene.** | Go to sleep, my baby. |
| **¿Puedo quitármelo ahora?** | May I take if off now? |
| **No quiere probárselo.** | He doesn't want to try it on. |
| **¡Vete!** | Go away! (Get thee hence—reflexive in Old English) |

D. A few verbs and many idiomatic expressions are normally reflexive in Spanish. These are some of the most common:

| | |
|---|---|
| **atreverse (a)**  to dare | **arrepentirse (de)**  to repent |
| **quejarse (de)**  to complain | **burlarse (de)**  to make fun of |
| **acordarse (de)**  to remember (about) | **olvidarse (de)**  to forget (about) |
| **darse cuenta (de)**  to realize | **fijarse (en)**  to notice |

## EJERCICIOS

A. Conteste en español:

1. ¿A qué hora se durmió Ud. anoche? 2. ¿A qué hora se levantó esta mañana? 3. ¿Se vistió en seguida? 4. ¿Qué se llevó consigo al salir de casa? 5. ¿Se enfada Ud. frecuentemente? ¿Qué le enfada más? 6. ¿Qué piensa Ud. hacerse algún día? 7. ¿Se olvidó de algo importante recientemente? ¿Qué fue? 8. ¿Cuándo espera Ud. graduarse de esta escuela? 9. ¿Conoce Ud. a alguien que se queje siempre? ¿Se queja Ud. mucho? 10. ¿Se ha reído mucho de algo últimamente? ¿De qué?

B. Traduzca al español:

1. Wake up. It's eight o'clock. And wake up your brother too. 2. I have just bought myself a new hat. Do you like it? 3. We're very happy to be here with you today. 4. Go away. I don't want to talk to you. You always

make fun of me. 5. First they put the children to bed. Then they ate and went to bed. 6. He wouldn't dare to stand up now, would he? 7. Johnny, darling, do you remember the little cafe where we used to meet? —No. Besides, my name isn't Johnny. I'm Ralph.

**45.** The Reciprocal Reflexive

The reflexive is used to indicate that two or more persons are doing the action to each other.

| | |
|---|---|
| **Se quieren mucho.** | They love each other. |
| **Nos escribíamos a menudo.** | We used to write to each other often. |
| **Ayudaos, amigos.** | Help each other, friends. |

**Uno a otro (una a otra,**[1] **unos a otros, unas a otras**[1]**)** may be added if clarification is needed.

| | |
|---|---|
| **Se miman demasiado uno a otro.** | They pamper each other too much. |
| **Se hacen mucho daño unos a otros.** | They hurt each other very much. |

Without the additional phrase, the implication might be: they pamper (or hurt) *themselves*.

EJERCICIOS

A. Conteste afirmativamente:

1. ¿Se quieren Uds. mucho? 2. ¿Os escribís a menudo? 3. ¿Debemos ayudarnos uno a otro? (Sí, vosotros...) 4. ¿Se verán Uds. mañana? 5. ¿Podemos hablarnos ahora? (Sí, Uds....) 6. ¿Hace mucho tiempo que se conocen los novios?

B. Conteste negativamente:

1. ¿Se vieron Uds. anoche? 2. ¿Os conocisteis en aquella fiesta? 3. ¿Se miran con rencor? 4. ¿Nos encontraremos en el cine? 5. ¿Se escribirán todos los días? 6. ¿Se han casado Uds. ya?

**46.** The Impersonal Reflexive

**Se** + the third person singular of a verb often corresponds to the English impersonal *one* (or the colloquial *you*).

[1] The feminine is used only when both or all parties are women.

| | |
|---|---|
| **Se come bien allí.** | One eats well there. (You get good food there.) |
| **¿Por dónde se va al centro?** | How does one (how do you) get downtown? |
| **Se sale por esta puerta.** | One leaves (you leave) through this door. |
| **Leyendo, se aprende mucho.** | By reading, one learns a great deal. |

EJERCICIO

Diga en español:

1. One doesn't say such a thing. 2. How does one get out of here? 3. That isn't known yet. 4. How can one study in this house? 5. One shouldn't work too hard. 6. The food is good here (One eats . . .). 7. By listening, one learns to speak.

**47.** The Reflexive to Express the Passive Voice

The reflexive is frequently used in Spanish to translate the passive voice in English, when the doer of the action is not mentioned (cf. **140**B).

| | |
|---|---|
| **Aquí se habla español.** | Spanish is spoken here. |
| **Se abren las puertas a las ocho y cuarto.** | The doors are opened at 8:15. |

**48.** The Meaning and Uses of **mismo**

A. The adjective **mismo,** when used before a noun, normally means (*the*) *same* and, on occasion, corresponds to the emphatic adjective *very.*

| | |
|---|---|
| **Tuvimos el mismo profesor, pero no las mismas notas.** | We had the same teacher, but not the same grades. |
| **La misma idea me choca.** | The very idea upsets me. |

B. **Mismo,** used after a noun, a subject pronoun, or a prepositional phrase, is often translated as *myself, yourself, itself,* etc. However, **mismo** is NOT a reflexive. It is merely an adjective that serves to intensify or emphasize a reflexive phrase or whatever other word it modifies.

| | |
|---|---|
| **Voy a hablar con el patrón mismo.** | I'm going to talk to the boss himself. |
| **Ella misma se lo dijo, ¿no?** | She herself told you, didn't she? |
| **Habla por ti mismo, Juan.** | Speak for yourself, John. |

C. **Mismo** may also be an adverb, and as such, retains its intensifying meaning *very*, *right* (*away*), etc.

| | |
|---|---|
| **Hoy mismo.** | This very day. |
| **Ahora mismo.** | Right now. |
| **Aquí mismo.** | Right here. |

D. **Lo mismo que**   the same as

| | |
|---|---|
| **El dijo lo mismo que yo.** | He said the same (thing) as I (did). |

## EJERCICIO

Exprese más enfáticamente, usando **mismo**:

1. Yo lo quiero hacer. 2. Vamos a hablar con el patrón. 3. Se habla siempre. 4. Iremos mañana. 5. Lo haré ahora. 6. Lo encontró aquí. 7. Piensa sólo en sí. 8. ¿Lo dijo ella? 9. ¿Las aceptaron los jefes? 10. Te contesto hoy.

## EJERCICIO DE REPASO

1. Before marrying her, I told her I didn't like studious women.
2. Almost all classes of society were represented on the list of the hall of records (**en el Registro Civil**).
3. I wonder whether she realizes the importance of this event.
4. Men do not like girls who think only about having a good time.
5. He warned them that he would abduct her if they opposed the marriage.
6. How long had they known each other when they got married? Fifty years!
7. He believed himself cheated after paying a million dollars for the painting and he got angry.
8. Afterwards he realized that he had gotten himself a bargain.
9. On the sign that they placed near the villa, one could read: "Keep away."
10. When they heard the shots, they approached the house and broke down the door.

## REPASO DE VERBOS

Estudie los verbos **sentir, pedir, morir, dormir, vestir** (pp. 319–320).

1. Cambie al pretérito:
   Lo siento. Se duerme. Me lo pide. Nos siguen. Los niños duermen. Su tía muere. Me visto. Elda lo repite. Se lo advertimos. ¿No te sirves? ¿Seguís así?
2. Cambie al imperativo:
   Ud. duerme mucho. ¿Te vistes ahora? Lo seguimos. Se lo advierte. ¿Lo repiten? Me la piden. No seguís. No lo consentís. No os vestís tan pronto.

## PART B

**49.** Subtle Changes of Meaning Through the Reflexive

A. The reflexive may serve to intensify an action. English usually conveys this idea by adding an adverb, which often is absolutely meaningless.

| | |
|---|---|
| **Se lo comió todo.** | He ate it all up. |
| **Entró tambaleándose.** | He entered reeling about (or around). |
| **Se ha muerto su abuelo.** | His grandfather has passed away. |
| **Me caí al entrar.** | I fell down as I came in. |

B. Other times, the reflexive gives a more subjective or intimate feeling with respect to the person who is performing the action. It places a little more emphasis on him, shows a little more of his will in doing the action.

| | |
|---|---|
| **Sé lo que me hago.** | I know what I'm doing. |
| **Me quedo, venga lo que venga.** | I'm staying, come what may. |
| **Se reía siempre que le hablaban de eso.** | He laughed whenever they spoke to him about that. |
| **Me temo que será él.** | I suspect it will be he. |

C. Very frequently, a reflexive passive construction is used instead of an active verb to imply that the action is accidental or unexpected.

| | |
|---|---|
| **¡Dios mío! Se me olvidaron los billetes.** | Oh, my! I forgot the tickets. (They slipped my mind.) |
| **Se le ha perdido la carta.** | He has lost the letter. (It has disappeared on him.) |
| **Se nos ocurre una idea.** | We have an idea. (An idea occurs to us.) |
| **Dejó caer la caja y se le rompieron todas las tazas.** | He dropped the box and broke all the cups. (They got broken on him.) |

**50.** Impersonal Constructions

A. The reflexive **se** is often used as the equivalent of the English *one, you, they* (cf. **46**).

| | |
|---|---|
| **Se dice que va a llover.** | They say (one says) that it is going to rain. |
| **No se fumaba en público en aquellos tiempos.** | One didn't smoke in public in those times. |

B. However, if this type of impersonal construction is formed with a verb which is already reflexive, the impersonal **uno** or the third person plural is required.

| | |
|---|---|
| **Cuando uno se acuesta tarde, se levanta tarde.** | When one goes (you go) to bed late, one gets up (you get up) late. |
| **En el ejército se levantan muy temprano.** | In the army one gets up (you, they get up) very early. |

C. After **hay que** or an impersonal expression with **ser,** the normal reflexive remains.

| | |
|---|---|
| **Hay que sentarse muy cerca para oír bien en ese teatro.** | One (you) must sit very close in order to hear well in that theater. |
| **Es necesario (importante, imposible) prepararse para el porvenir.** | It is necessary (important, impossible) to prepare one's self for the future. |

D. The impersonal **uno**

**Uno** has a more intimate or personal connotation than **se.** Very often, it is used when the speaker is actually referring to himself or to the person addressed.

| | |
|---|---|
| **A veces, uno quiere hacer bien, y hace mal.** | At times, a person (one, you, I) means to do good, and does harm. |
| **Una no puede decidirse tan aprisa.** | One (a girl, I, she, etc.) can't decide in such a hurry. |
| **Lo que uno no sabe, no le hace daño.** | What one doesn't know doesn't hurt him. |

**Lo que no se sabe** would mean *What isn't known.*

**51.** *Each other* after Prepositions

When the reciprocal *each other* follows a preposition other than *to,* the reflexive pronoun is not used. Instead, the verb is followed by **(el) uno** + preposition + **(el) otro,** etc.

| | |
|---|---|
| **Siempre hablan mal el uno del otro.** | They always speak ill of each other. |
| **Los vi luchando (los) unos contra (los) otros.** | I saw them fighting one against the other. |
| **Esas hermanas se sacrificarían una por otra.** | Those sisters would sacrifice themselves for one another. |

**52.** Pronoun Objects of Reflexive Verbs of Motion

Like all verbs of motion, reflexive verbs of motion usually require **a,** followed by the prepositional object pronoun.

| | |
|---|---|
| **Está acercándose a ella ahora.** | It is approaching her now. |
| **Me dirigí a él.** | I turned to him. |

However, when the reflexive pronoun is in the third person—**se**— it is sometimes possible to use the unstressed indirect object pronoun forms **me, te, le, nos,** etc., instead of the prepositional object. This is especially frequent with the verb **acercarse** to approach.

| | |
|---|---|
| **Se nos acercó.** | He approached us. |
| **Se acercó a nosotros.** | |

*But:*

| | |
|---|---|
| **Me acerqué a él.** | I approached him. |

**53.** Reflexive vs. Nonreflexive Pronouns

A. With **llevarse**

In Spain, the reflexive prepositional pronoun is generally used with the idiom **llevarse con** to carry off, to take away with one.

| | |
|---|---|
| **Me lo llevé conmigo.** | I took it away with me. |
| **Se lo llevó consigo.** | He took it away with him. |

In Spanish America, the nonreflexive prepositional pronoun is more frequent with this construction. Of course, the difference is notable only in the third person.

| | |
|---|---|
| **Se lo llevó con él.** | He took it away with him. |

B. With **traer**

**Traer,** followed by **conmigo, contigo,** etc., acquires the meaning *to have with* (*one*).

| | |
|---|---|
| **¿Trae consigo el dinero?** | Does he have the money with him? |

In Spanish America, the nonreflexive pronoun is again more common.

| | |
|---|---|
| **¿Trae con él el dinero?** | Does he have the money with him? |

EJERCICIOS

I. Tradúzcase al español.

Tell me, have you ever gone to bed and found that you couldn't fall asleep, that the thoughts kept (**iban**) crossing each other in your mind and that they simply couldn't stop? Well, that happened to me a few nights ago, and I still remember it all to (**hasta**) the last detail.

It was late and I had had a very good time that evening at a friend's house. When I got home, I undressed immediately, bathed and prepared for bed. I felt like having (**tomar**) a cup of coffee, but I didn't dare because I needed the sleep. The bed was comfortable. There wasn't any noise. I was tired and I knew that I had to get up early the (**al**) next day. And yet, I couldn't close my eyes. I began to think of many things—big things, little things, important things, nonsense. I thought about the letter that I had forgotten to mail, about the eyeglasses I broke. I thought about you and about myself and about all the people I know. And I asked myself: "What would I do if I found (*imperfect subjunctive*) myself in their place? What would my neighbor do if he found himself in mine? What (**Cuáles**) are the infinite possibilities of human behavior? Is man born pure, or does he purify himself by contact with civilization? What...? And then a little anecdote occurred to me. I'm going to tell it to you, and I shall give it two endings. You can decide which you like better.

A bee had fallen into a glass of water. Its wings were soaked and it was trying desperately to get to the edge of the glass. In front of it, very near, was salvation, but its efforts seemed useless. The water that filled the glass was like a sea that had no end. A little boy approached. He looked for a moment with rapt attention, and realized that the bee was dying. Suddenly he took a straw and put it in the glass. The bee seized the straw and with its last strength (**fuerzas**) reached the edge and was saved.

*1st ending:*   —See, little bee —said the boy—. One must never give up. There is hope even for the weakest.

*2nd ending:*   —Come here, little bee —said the boy, as (**mientras**) he took it in his hands, threw it to the floor, and crushed it with his foot.

## II. Composición.

Escriba Ud. una composición discutiendo las preguntas siguientes: ¿Cuál de las dos conclusiones prefiere Ud.? ¿Cuál considera Ud. más fiel a la realidad? ¿Cree Ud. que el hombre nace puro y que es educado a la crueldad, o que la educación es el proceso de limitar sus instintos egoístas o crueles?

# DEMONSTRATIVES AND POSSESSIVES

‖‖‖‖‖‖‖‖‖‖‖‖‖‖‖‖‖‖‖‖‖‖‖‖‖‖‖‖‖‖‖‖‖‖‖‖‖‖‖‖‖‖‖‖‖‖‖‖‖‖‖‖‖‖‖‖‖‖‖‖‖‖‖‖‖‖

Adaptado de

**EL ESPECTADOR**

Bogotá, 27 de julio de 1963

## 40 Horas Permaneció Libre el Jaguar

La noticia de que un tigre había escapado produjo una verdadera histeria colectiva durante cuarenta horas en la vecindad del criadero de perros finos "La Perla". Las gentes empezaron a armarse, a cerrar con mucho cuidado sus puertas, a vivir en estado de alerta. Empezaron a circular las más increíbles versiones. Alguien dijo, "Se escapó un león de un circo y anda por estas carreteras." La tensión aumentó, y pronto se convirtió en cosa de vida o muerte. La policía mandó varias unidades. "Jacqueline" entre tanto se escondió. Cuando tuvo hambre la noche del jueves, burló el cerco de perros y cazadores e hizo su última treta: se comió la carne que le habían colocado en la jaula. No cayó en la trampa. Ese fue su máximo error. Si hubiera quedado allí, no la habrían matado ayer por la tarde.

Un oficial localizó al animal en un juncal. Le hizo un disparo pero no le dio. A las cinco de la tarde los hermanos Gamboa, cazadores profesionales, entraron al juncal. Hubo unos minutos de angustia expectativa. Silencio absoluto. De pronto sonó un ruido seco, luego otro, luego un tercero. Fueron tres disparos. "Jacqueline" no hizo resistencia. Cayó muerta.

El dueño del jaguar no pudo ocultar su pesar por la muerte trágica de uno de sus protegidos favoritos. "Le confieso", dijo, "que tanto yo

**67**

como mi esposa y nuestros hijos sentimos mucho su muerte. Pero mejor así. Si se la hubiera capturado viva, el porvenir que le esperaba era un verdadero infierno por toda la vida en aquel cautiverio que era la jaula. Ante eso, era mejor la muerte."

"Don Juan, ¿fue necesario matar a Jacqueline?"

"No. Era posible capturarla viva, pero esto se habría demorado. Había una tremenda psicosis y había que poner fin a esa situación."

"Entonces, ¿usted estaba dispuesto a darle muerte?"

"Es verdad. Yo estaba dispuesto a aceptar esa posibilidad, pero sólo como último recurso."

"¿Pero no cree Ud. que el animal cayó en franca lid, esto es, en una cacería?"

"Aquello no fue una cacería. Fue un asesinato. Además, no me gusta la cacería, porque considero que tenía su razón sólo en aquellas épocas cuando ayudaba a proveer carne. Hoy en día eso es injustificable."

En la cara del dueño hay fatiga, cierto sentimimento de dolor, se podría decir que de culpa, mientras se aleja pensativo.


PREGUNTAS

1. ¿Cuánto tiempo estuvo libre el jaguar?
2. ¿Qué empezaron a hacer las gentes de la vecindad?
3. ¿Qué rumores empezaron a circular?
4. ¿Qué hizo la policía?
5. ¿Cuál fue la última treta que hizo el animal?
6. ¿Dónde localizaron a Jacqueline?
7. ¿Cómo la mataron?
8. ¿Por qué dijo su dueño que era mejor así?
9. ¿Por qué fue necesario poner fin a esa situación?
10. ¿Qué opina Don Juan sobre la cacería?


CONVERSACIÓN

1. ¿Le gusta a Ud. la cacería? ¿Por qué? ¿Qué animales ha cazado Ud.? ¿Cree Ud. que se puede justificar la cacería si no se necesita para proveer carne?
2. ¿Ha tenido Ud. alguna vez un protegido? ¿Qué fue? ¿Cómo lo obtuvo? ¿Lo tiene todavía? ¿Le ha enseñado a hacer una treta especial? ¿Cree Ud. que es justificable gastar dinero en los protegidos cuando hay mucha gente pobre en todas partes del mundo?
3. ¿Cree Ud. que la ley debe permitir al individuo tener en su casa cualquier animal que le guste? ¿Qué animales permitiría Ud.? ¿Cuáles prohibiría?

## PART A

**54.** The Meaning and Function of Demonstratives

The demonstratives (*this*, *these*, *that*, *those*) are so called because they point out (they demonstrate) which one(s) of a group the speaker wishes to indicate. Since a demonstrative is either an adjective or a pronoun, its form in Spanish must agree with the noun it modifies or to which it refers.

**55.** Demonstrative Adjectives

A. Forms and meaning

| | *Singular* | | | *Plural* | |
|---|---|---|---|---|---|
| M. | F. | | M. | F. | |
| este | esta | this (near me) | estos | estas | these |
| ese | esa | that (near you) | esos | esas | those |
| **aquel** | **aquella** | that (over there) | **aquellos** | **aquellas** | those |

To keep in mind the difference between **este** (this) and **ese** (that), remember: In Spanish, *this* and *these* both have *t's*.

B. Uses of demonstrative adjectives

1. **Este** points out something or someone that is near the speaker in space, time, or thought.

   **Este impermeable es maravilloso.**   This raincoat is marvelous.

   **Estos niños parecen tener hambre.**   These boys seem to be hungry.

2. **Ese** points out something that is near the person addressed, or that is not too far removed from the speaker in space, time, or thought.

   **Haga Ud. el favor de darme ese cuaderno.**   Please hand me that notebook.

   **¡Esa idea tuya es estupenda!**   That idea of yours is wonderful!

3. **Aquel** points out something that is far removed from the speaker in space, time, or thought.

   **Aquellos edificios al otro lado de la plaza...**   Those buildings across the square ...

   **En aquella época, no tenían electricidad.**   In that era, they didn't have electricity.

4. Demonstrative adjectives are generally repeated before each noun they modify, especially if the nouns are of different genders.

| | |
|---|---|
| **Este hombre y esta mujer fueron los primeros en llegar.** | This man and woman were the first to arrive. |

EJERCICIOS

A. Cambie según los sujetos indicados:

1. Este sombrero es nuevo.
   (casa, lápices, plumas, profesor, alfombra)
2. Ese perro es más grande.
   (mesa, vasos, lámparas, salón, bombillas)
3. Aquel cerro está muy lejos.
   (árboles, escuelas, jardines, edificio)

B. Diga en español:

1. These brushes; those dresses; those mountains in the distance.
2. This spring we shall not go to that hotel.
3. That restaurant that you mentioned turned out excellent.
4. Give me this pitcher and those glasses. No, not those over there.

**56.** Demonstrative Pronouns

A. Formation and function

Demonstrative pronouns are formed by placing a written accent on the stressed vowel of the demonstrative adjective. Thus: **éste, ése, aquél,** etc.

They may be used as subject or object of a verb, or may stand alone. They will never appear immediately before a noun.

| | |
|---|---|
| **Aquéllos sí fueron buenos tiempos.** | Those were the good old days. |
| **¿Cuáles prefiere Ud.? —Éste, ése y aquéllos.** | Which ones do you prefer? —This one, that one, and those (over there). |

B. The latter and the former: **éste** and **aquél**

**Éste** (the one most recently mentioned) is used to indicate *the latter*, and **aquél,** *the former*. In Spanish, when both are mentioned, *the latter* always comes first.

| | |
|---|---|
| **¿Conoce Ud. las revistas *Epoca* y *Hoy*? Pues ésta es semanal y aquélla es mensual.** | Do you know the magazines *Epoch* and *Today*? Well, the former is monthly and the latter is weekly. |
| **Allí están los doctores Campo y Montes. Este es bioquímico y aquél es cirujano.** | There are Drs. Campo and Montes. The former is a surgeon and the latter is a biochemist. |

C. The neuter demonstratives: **esto, eso, aquello**

These forms are invariable, since they refer to a whole idea rather than to a specific noun. Note that they never have a written accent.

| | |
|---|---|
| **Esto es lo que quiero.** | This (in general) is what I want. |
| **¡Eso es!** | That's it! |

## EJERCICIOS

A. Complete las frases siguientes, empleando los demostrativos apropiados:

1. _____ libros aquí no me parecen muy interesantes. 2. Acabo de comprar _____ camisas ahí. 3. _____ montañas que se ven a lo lejos están cubiertas de nieve. 4. _____ flor que lleva Ud. en el ojal le da un aire muy festivo. 5. Me gusta mucho _____ sombrero tuyo. 6. De todas las casas, _____ en la colina me parece la mejor. 7. Acaban de llegar Carlos y Alfredo. _____ es un alumno sobresaliente, y _____ es muy vago. 8. ¿Conoce Ud. a Marcela y Leonor? _____ es la viuda del magistrado y _____ es la alcaldesa.

B. Traduzca al español:

1. This typewriter doesn't work. May I (**Puedo**) use that one? 2. You shouldn't wear that orange tie with this shirt. 3. Now this is what we're going to do. 4. That's not fair. He chose this card and you gave him that one. 5. I'm going with Steven Balón and Louis Romero. You know them. The former is my old roommate and the latter is my brother-in-law. 6. That's it, Gary. Wonderful! Please play (**tocar**) those pieces again.

## 57. Pseudo-Demonstratives

English frequently uses *that* and *those* not to point out something, but merely as a substitute for a noun. Since this is not a true demonstrative, Spanish uses the definite article instead of the demonstrative pronoun.

| | |
|---|---|
| **La Facultad de Educación y la de Humanidades...** | The School of Education and that of Liberal Arts . . . |
| **Nuestra casa y las del otro lado de la calle son de ladrillos.** | Our house and those (the ones) across the street are of brick.[1] |
| **Los que vinieron se divirtieron mucho.** | Those (the ones) who came had a very good time. |
| **Lo de Gómez...** | That matter of (concerning) Gomez . . . |

[1] If the speaker were pointing out *those* houses **aquéllas al otro lado** would be entirely correct in this sentence.

EJERCICIO

Substituya las palabras indicadas por el artículo apropiado:

1. Quiero comparar este abrigo con **el abrigo** de mi hermano. 2. El Ministerio de Hacienda y **los Ministerios** de Defensa y de Educación... 3. Los diputados conservadores se han unido ahora con **los diputados** liberales. 4. El Museo de Bellas Artes y **el Museo** de Historia Natural estarán por aquí. 5. Nuestra clase y **las clases** del Sr. Otero... 6. Nuestra casa y **la casa** de mis padres son de madera. 7. Este coche y **el coche** de Juan son azules. 8. Estos sonetos y **los sonetos** de Quevedo se parecen mucho.

## 58. Possessive Adjectives

A.  Their function

1.  Possession is expressed in Spanish by **de.**

| | |
|---|---|
| **La hija del presidente...** | The President's daughter . . . |
| **Esta bolsa es de Clara.** | This purse is Claire's. |

2.  Possessive adjectives (and pronouns) replace possessive nouns.

| | |
|---|---|
| **Su hija...** | His daughter . . . |
| **Esta bolsa es (la) suya.** | This purse is hers. |

B.  Unstressed forms (which always precede the noun)

| | | | |
|---|---|---|---|
| **mi(s)** | my | **nuestro (a, os, as)** | our |
| **tu(s)** | your | **vuestro (a, os, as)** | your |
| **su(s)** | his, her, your (**de Ud.** or **de Uds.**), their | | |

Like all adjectives, a possessive must agree with the noun it modifies. Notice that only the first and second person plural forms have feminine endings.

| | | | |
|---|---|---|---|
| **mis padres** | my parents | **su tienda** | their store |
| **nuestra tía** | our aunt | | |

C.  Stressed forms (which always follow the noun)

| | | | |
|---|---|---|---|
| **mío (a, os, as)** | (of) mine | **nuestro (a, os, as)** | (of) ours |
| **tuyo (a, os, as)** | (of) yours | **vuestro (a, os, as)** | (of) yours |
| **suyo (a, os, as)** | (of) his, (of) hers, | | |
| | (of) yours (**de Ud.** or **Uds.**), (of) theirs | | |

These forms will either follow the noun or stand alone after the verb **ser.** They are frequently used also in exclamations. For clarification or emphasis, **suyo** may be replaced by **de él, de ella, de Ud., de ellos,** etc.

| | |
|---|---|
| **Es un pariente nuestro.** | He is a relative of ours. |
| **La idea fue suya** (or **de él**), **la ejecución mía.** | The idea was his, its execution, mine. |
| **El problema es suyo** (or **de ellos**). | The problem is theirs. |
| **¡Hijo mío!** | My son! |

## EJERCICIOS

A. Conteste afirmativamente las preguntas siguientes, empleando el posesivo apropiado:

1. ¿Es de los Ramírez la casa? 2. ¿Es mío este plato? 3. ¿Son de Ud. esas fincas? 4. ¿Son nuestras estas camas? (*2a persona plural*) 5. ¿Serán mías aquellas tazas? (*2a persona singular*) 6. ¿Es tuyo ese botijo? 7. El bolso no es de María, ¿verdad? 8. La cartera no es tuya, ¿eh? 9. ¿Son de su hermana esos abrigos de pieles? 10. ¿Son de Uds. aquellas maletas?

B. Diga en español:

1. The farm is ours, but the house is Mr. Pardo's. 2. My friends, this is a great opportunity. 3. Our securities have gone down this month. 4. His prices are always very high. 5. Their company has just received an important contract. 6. This is mine, but I'll share it with you. 7. Her father took ill last night.

**59.** Replacement of the Possessive Adjective by the Definite Article

A. If clarification is needed in the third person, **su** may be replaced by **el... de, la... de,** etc.

| | |
|---|---|
| **Han llegado todas las maletas de Uds., pero no las de ellos.** | All your suitcases have arrived, but not theirs. |
| **¿Quiere Ud. darme la dirección de ella?** | Will you give me her address? |

B. With parts of the body, articles of clothing, and personal effects, the definite article generally replaces the possessive adjective. The possessor is indicated by an indirect object pronoun (if the subject does the action to someone else) or by a reflexive (if the subject does the action to himself).

| | |
|---|---|
| **Les puse la chaqueta.**[2] | I put their jackets on them. |

[2] Notice that since each person is putting on *one* jacket, Spanish uses the singular noun. Witness: **Quítense el sombrero.** *Take off your hats.* **Cuando terminen, levanten la mano.** *When you finish, raise your hands (one hand).* But: **cuando terminen, levanten las manos.** *When you finish, raise your hands (both hands).*

| | |
|---|---|
| **Se puso la chaqueta.** | He put on his (own) jacket. |
| **Lávate las manos y la cara antes de comer.** | Wash your hands and face before eating. |
| **Me quitó el aliento.** | It took my breath away. |

Of course, if the possessor is not otherwise revealed, the possessive adjective is used.

| | |
|---|---|
| **Se puso mi chaqueta.** | He put on my jacket. |
| **Quise abrir tu paraguas, pero estaba roto.** | I tried to open your umbrella, but it was broken. |

## EJERCICIO

Substituya los sustantivos siguientes por pronombres (**Mi casa:** la mía). En el caso de una frase en tercera persona, indique las dos construcciones posibles (**Las casas de Raúl:** las suyas, las de él):

1. Nuestro tío. 2. El abuelo de Paquita. 3. Mis manzanas. 4. Tus maletas. 5. Los ojos de mi novia. 6. Los peines de esas muchachas. 7. El contrato del Sr. Palos. 8. Mi padre. 9. Las sillas de los niños. 10. Vuestro cenicero.

## 60. Possessive Pronouns

### A. Formation

Possessive pronouns consist of the definite article plus the stressed form of the possessive adjective: **el mío, los tuyos, la suya,** etc.

### B. Use

They may serve as subject or object of a verb, may follow **ser,** or may stand alone.

| | |
|---|---|
| **¿En qué coche vamos?** **—El tuyo es el mejor.** | In which car shall we go? —Yours is the best. |
| **No tengo pluma. ¿Puedo pedirle prestada la suya** (or **la de Ud.**)? | I don't have a pen. May I borrow yours? |
| **¿Cuáles son los nuestros?** | Which are ours? |

## EJERCICIO

1. Don't give me *your* pen; give me *his*. 2. I have to wash my hair tonight. 3. Her parents live in the city, but his live in the country. 4. My car and hers are blue. 5. Close your eyes and put out your hands. 6. Let's take off our ties. 7. They have put on their white shirts.

## EJERCICIO DE REPASO

1. They say that a lion has escaped from the circus and is walking along this road. —Good. I like animals.
2. Several persons called a friend of mine, inquiring about the lion hunt.
3. That incident soon turned into a matter of life or death and our relatives began to arm.
4. Two animals fell into his trap. None fell into mine.
5. One of these hunters fired three times at the tiger but he missed.
6. A newspaperman asked him if he thought that the animal's death was necessary.
7. The owner declared: "That wasn't a hunt; that was murder."
8. My children, my wife and I are very sorry about the loss of our pet.
9. We don't like hunting. In those days it was necessary, but not now.
10. The jaguar was his and he loved it. Therefore he was unwilling to kill it, except as a last resort.


## REPASO DE VERBOS

Estudie los verbos de cambios ortográficos (pp. 320–324).

1. Escriba en el presente del indicativo:
   **yo:** vencer, coger, dirigir, distinguir, enviar, continuar, seguir
2. Escriba en el pretérito:
   **yo:** sacar, pagar, empezar, buscar, gozar, averiguar
   **Paco:** reír, leer, creer, construir, destruir
   **todos:** reír, leer, creer, construir, destruir


# PART B

**61.** Further Uses of the Demonstratives

A. In business letters

1. **Ésta** and **ésa** are frequently used in commercial Spanish to mean *this city* (the one in which the letter is written) and *your city* (the one to which the letter is sent). **Esta plaza** and **esa plaza** are also used in that sense.

| | |
|---|---|
| **Estoy seguro de que los artículos tendrán muy buena acogida en ésta (en esta plaza).** | I am sure that the goods will have an excellent sale in this city. |
| **Espero que Uds. puedan colocar mis telas en ésa (en esa plaza).** | I hope that you will be able to market my fabrics in your city. |

2. **Ésta** may refer also to the letter being written.

| | |
|---|---|
| **Le mando ésta para participarle que...** | I am sending you this letter to inform you that . . . |

### B. The derogatory demonstrative

Placed after the noun, the demonstrative adjective **ese** expresses contempt. At times, the pronoun **ése** also acquires this connotation.

| | |
|---|---|
| **El tío ese empieza a molestarme.** | That (unpleasant, nasty) guy is beginning to annoy me. |
| **La mujerona esa tendrá que habérselas conmigo.** | That (miserable) mass of woman will have to reckon with me. |
| **Ése viene a matarte, según dice.** | That fellow is coming to kill you, so he says. |

### C. The neuter demonstratives followed by **de**

**Esto de, eso de,** and **aquello de** have varied translations in English. Most frequently, they correspond to the English *this* or *that matter of, business of, idea of, question of,* and at times they are preferably not translated at all.

| | |
|---|---|
| **Esto de acostarse temprano es sólo para los viejos.** | This business of going to sleep early is only for old people. |
| **Eso de aprender idiomas no es tan fácil como me imaginaba.** | (That matter of) learning languages is not as easy as I imagined. |

### D. **Aquel** as part of a compound relative, *the one . . . whom*

When *whom* is object of a preposition, **aquel(los)** translates the subject pronoun *the one(s)*.

| | |
|---|---|
| **Aquellos de quienes habla Ud. son amigos míos.** | The ones (those) of whom you are speaking are friends of mine. |

**62.** Possessives

### A. Stressed adjective vs. pronoun

After the verb **ser,** both the stressed adjective (**mío,** etc.) and the pronoun (**el mío**) are correct. However, there is a difference in meaning between the two constructions. The adjective merely indicates possession, whereas the pronoun stresses the selection of one or more objects from among a group.

| | |
|---|---|
| **Todas esas casas son mías.** | All those houses are mine. |
| **¿Cuál de esas casas es la de Ud.? —Ésta es la mía.** | Which of those houses is yours? — This one is mine (the one that I live in). |
| **Esa pluma es tuya, ¿no?** | That pen is yours, isn't it? (You are its owner.) |
| **¿Esa pluma es la tuya, no?** | That pen is yours, isn't it? (The one that belongs to you.) |

B. Special use of the masculine plural pronouns

**Los míos, los tuyos,** etc., are used to refer to relatives, intimate friends, subordinates, etc.

| | |
|---|---|
| **Recuerdos a los tuyos.** | Regards to your family. |
| **Los nuestros ocuparon el pueblo.** | Our men (troops) occupied the town. |

C. The neuter forms

With the neuter article **lo,** the possessive pronoun acquires an abstract sense: **lo mío** what is mine, etc.

| | |
|---|---|
| **No codiciamos lo suyo.** | We don't covet what is his. |
| **No tienes ningún derecho a lo mío.** | You have no right to what is mine. |
| **Quédate con lo tuyo.** | Keep what you have. |

D. The possessive adjective with parts of the body and personal effects

When there is no doubt as to the identity of the possessor, the definite article is used with parts of the body, articles of clothing, etc. (see **59**B). But in cases in which the possessor could not be identified by the use of the definite article, the possessive adjective is required. This occurs especially when the part of the body or personal effect is the subject of the verb.

| | |
|---|---|
| **Sus pies se negaron a caminar.** | His feet refused to walk. |
| **Mis ojos ya no veían.** | My eyes could see no more. |
| **Te daré mi corbata para que te la pruebes.** | I shall give you my necktie, so that you may try it on. |

EJERCICIOS

I. Traducir al español.

My little boy, like all children, was very possessive. Everything he saw had to be his. When we took him to a store, his eyes would open wide with joy, and he would say to us: I need this truck and that one and that one over there, and these little cars and that big ball, and that red airplane and those with the silver wings. He needed them all desperately, it seems, but when he had them home, he would forget about them. Still, he would not let his little brother even touch his possessions. "This will not do (**servir**)." we decided. "We'll have to show him that that kind of conduct deserves no rewards."

That afternoon, we went to the new department store in our town. As usual, the little toy collector put his hands on everything, and asked us for everything he saw, but we closed our ears to his pleas. Finally, he realized what was happening. He looked at us, his big blue eyes filled with tears, and said: "I know that I have been very selfish. Won't you buy something at least for my little brother? I don't want anything for myself."

"Well," we thought, "this is a real change." And we bought the baby a large number of new toys. "Now you see, darling," we warned him, "you must learn to share things with others." "That's right," he replied.

Satisfied, we returned home. As soon as we entered the house he showed his brother all the presents we had just bought.

"See, baby," he said. "All these are yours. But remember, what's yours is ours. I have learned to share things."

II. Composición.

1. La educación de un niño
2. Lo que haría yo si fuera madre (padre) de familia
3. La educación de un adolescente
4. ¿Hasta dónde llega la disciplina familiar?

# THE
# SUBJUNCTIVE

||||||||||||||||||||||||||||||||||||||||||||||||||||||||||||||||||||||||||||||||||||||||||||||||||||||||||||||||||||

Adaptado de

**AMÉRICAS**

Unión Panamericana, diciembre de 1962

## La OEA en Acción

En la reunión celebrada en Washington el 2 y 3 de octubre de 1962, los Ministros de Relaciones Exteriores de las Repúblicas Americanas y sus representantes especiales discutieron el problema de Cuba. En el comunicado emitido al concluir las conversaciones, calificaron unánimemente a la intervención chino-soviética en Cuba "como ensayo de convertir a dicha isla en base armada para la penetración del comunismo en América y de acción subversiva contra las instituciones democráticas del continente". Reiterando su adhesión a los principios de autodeterminación y no intervención, recomendaron que los miembros de la OEA dieran una respuesta colectiva a la amenaza presente y que consideraran futuras limitaciones al comercio con Cuba, especialmente el de artículos de importancia estratégica. Los Ministros se han manifestado de acuerdo también en la necesidad de que los países intensifiquen las medidas para "impedir que agentes y grupos del comunismo internacional desarrollen actividades de carácter subversivo". Finalmente, los Ministros expresaron "el tradicional afecto de todos los pueblos de América hacia el hermano pueblo de Cuba y su profundo sentimiento por las víctimas del régimen actual". Y añadieron: "Esperemos que el pueblo cubano pueda reintegrarse plenamente algún día a la familia americana con un gobierno compatible con los principios y própositos del sistema americano."

**79**

Antes de la reunión, el Dr. José A. Mora, Secretario General de la OEA, declaró en una conferencia de prensa que él consideraba la reunión extraoficial como "un método flexible y útil para intercambiar ideas". Afirmó que: "En defensa del principio de la no intervención debe condenarse la acción intervencionista de potencias extranjeras en nuestro hemisferio. Es necesario que la comunidad americana avance en el camino de contribuir a la preservación de las libertades amenazadas y que se esfuerce por ayudar a que los pueblos que padecen bajo los sistemas totalitarios puedan expresar libremente su voluntad. Ahora más que nunca urge que los países americanos fortalezcan el sistema de la democracia representativa y redoblen sus esfuerzos por alcanzar el progreso de los pueblos."

## PREGUNTAS

1. ¿Qué reunión se celebró en Washington el 2 y 3 de octubre de 1962?
2. ¿Qué problema discutieron?
3. ¿Cómo calificaron a la intervención chino-soviética en Cuba?
4. ¿A qué principios reiteraron su adhesión?
5. ¿Qué recomendaron que hicieran los miembros de la OEA?
6. ¿Sobre qué artículos considerarían imponer limitaciones comerciales?
7. ¿Qué otras medidas serían necesarias?
8. ¿Qué actitud expresaron los ministros respecto al pueblo de Cuba?
9. ¿Qué esperanza añadieron?
10. ¿Qué urge ahora más que nunca?

## CONVERSACIÓN

1. ¿Recuerda Ud. la crisis nuclear sobre Cuba? ¿Cuántos años tenía Ud. entonces? ¿Cómo reaccionó su familia? ¿Está Ud. de acuerdo con la actuación de los Estados Unidos respecto a Cuba durante aquella crisis?
2. ¿Qué problema internacional considera Ud. más urgente o peligroso ahora? ¿Qué problemas domésticos son de más importancia?
3. ¿Cree Ud. que es posible evitar para siempre las guerras? ¿Por qué?
4. ¿Qué sabe Ud. de la OEA? ¿Qué países la integran? ¿Cree Ud. que tenemos el derecho de impedir que se establezca un gobierno comunista en Hispanoamérica? ¿Cuál debe ser nuestra posición respecto a cualquier gobierno totalitario en Hispanoamérica?

**63.** General View of the Subjunctive

A. The subjunctive in English

The subjunctive is more widely used in English than many people realize. Often it escapes notice because its forms differ from the indicative only in the third person singular and in certain irregular verbs. In other cases, it makes use of the auxiliaries *may*, *might*, or *should*. These are its most common uses:

1. It appears regularly after certain verbs of suggesting, requesting, and ordering.

   It is urgent that she *leave* at once.
   The President insisted that we *be* there on time.
   They should demand that he *sign* it.

2. It follows many expressions of emotion, particularly of hope.

   I wish I *were* in Dixie.
   *May* the coming year bring peace to all. (I hope that . . .)
   God *be* praised. (I pray that . . .)

3. It expresses unreality:

   Doubt, uncertainty
   It is incredible that he *should* volunteer for that mission.
   It is possible that he *may* çome.

   Indefiniteness
   Come what *may*.
   Wherever you *may* go. (No definite place.)

   Purpose
   I tell you this so that you *may* be prepared.

   And conditions that are contrary to fact.
   If I *were* you (but I am not), I would read this carefully.

THESE ARE PRECISELY THE CONCEPTS OF THE SUBJUNCTIVE IN SPANISH AS WELL.

B. The subjunctive in Spanish

In Spanish, the indicative is the mood of black and white, of bald fact, of assertion, of certainty. The subjunctive is tinged with the hues of subjectivity, the nebulousness of unreality. It appears in the subordinate clause whenever the subordinate statement bears the implication of command or reflects the color of an emotion, whenever its positive existence is clouded by uncertainty, indefiniteness, or an assumption contrary to fact. Its usage can be reduced to three essential concepts, to which it adheres consistently and logically. These concepts, and not any particular verb, phrase, conjunction, or type of clause, will produce a subjunctive in Spanish.

**64.** The First Concept of the Subjunctive: Indirect or Implied Command

A. When one person, speaking directly to another, gives him an order, that is a direct command.

| | |
|---|---|
| **Ten cuidado, Pepe.** | Be careful, Joe. |
| **Siéntese, por favor.** | Sit down, please. |

B. When the order is not given directly, but is incorporated into a request or an expression of one person's will that someone else do something, that is an indirect or implied command. The force of that command, no matter how weak or how strong, will produce the subjunctive in the subordinate clause.

| | |
|---|---|
| **Te ruego que tengas cuidado, Pepe.** | I beg you to be careful, Joe. ("Joe, I beg you—be careful!") |
| **Les dijo que se sentaran.** | He told them to sit down. ("Sit down," he told them.) |
| **Quiero que todo el mundo vea esto.** | I want everyone to see this. ("See this, everyone!") |
| **Insistimos en que vaya.** | We insist upon his going (or that he go). (We insist: "Go!") |
| **¿Les escribió Ud. que viniesen?** | Did you write them to come? (Did you write to them "Come!"?) |
| **Pídale que vuelva.** | Ask him to come back. (Say to him: "Please come back".) |
| **El capitán mandó que lo soltasen.** | The captain ordered[1] them to release him. |
| **No permitas que te engañen.** | Don't allow[1] them to fool you. |

Sometimes the main clause is omitted, but the indirect command is still apparent. In such cases, the English *let* is not a request for permission, but an expression of the speaker's will.

| | |
|---|---|
| **¡Que cante Juanito!** | (Let) Johnny sing![2] (I want Johnny to sing.) |
| **Que bailen todos ahora.** | (Let) everyone dance now. (I want everyone to dance now.) |

[1] Verbs of ordering or forcing, permitting, or forbidding may also take the infinitive.
**Les mandó soltar a los prisioneros.**
**No les permitas engañarte.**
After **hacer, dejar, permitir,** and **mandar,** the infinitive is more common.

[2] There is an important difference in Spanish between **Que cante Juanito** and **Deje Ud. que cante Juanito** (or **Déjele cantar**), although they are both translated in English as: *Let Johnny sing.* The first sentence involves only the speaker and is merely the expression of his will that Johnny sing. The second involves another person, of whom the speaker is requesting permission for Johnny to sing.

C. Note that it is not the verb itself, but the implication of command that calls for a subjunctive in the subordinate clause. If there is no change of subject, there can be no implication of command and, therefore, no subjunctive.

| | |
|---|---|
| **Quiero irme.** | I want to go away. |
| **Quiero que te vayas.** | I want you to go away. |

## EJERCICIOS

A. Estudie el subjuntivo de los verbos que hemos repasado hasta ahora.

B. Cambie las frases siguientes según las indicaciones:

1. **Quiero que** lo haga Jorge.
   (Insistiré en que, Aconsejan que, ¿Pides que...?, Dirán que)
2. **Insisten en que** ella venga también.
   (Prefiero que, ¿Decís que...?, Sugerimos que, No quiero que)
3. **Les** dirá que **se vayan.**
   (Me, Te, a Juan, a Ud., Nos, Os)
4. ¿**Nos** aconsejan que lo **compremos?**
   (Te, Os, Me, a mi padre, a sus vecinos)
5. Mándemelo en seguida.
   (Quiero que, Le ruego que, Insisto en que, Les pido que, Te pido que)
6. ¿**No le escribiste** que viniera lo antes posible?
   (¿No le pediste, ¿No me pediste, ¿No les dijiste, ¿No nos dijiste ...?)

C. Diga en español:

1. Let's write him that we are coming. 2. Let's write him to come. 3. They want to see the play. 4. They want us to see the play. 5. He prefers to tell it now. 6. He prefers that you tell it now. 7. Tell him to hurry. 8. Tell him that I'll hurry. 9. I insist on going with you. 10. But I don't want you to go with me. 11. Allow me to help you. 12. Our lawyer recommends that we don't sign it. 13. Ask him (**pedir**) to give us the money. 14. Ask him (**preguntar**) whether he is coming.

## 65. The Second Concept of the Subjunctive: Emotion

A. When the main clause expresses pleasure, regret, surprise, pity, fear, anger, hope, or any other emotion concerning the action of the subordinate clause, the impact of that emotion will bring forth a subjunctive in the subordinate clause.

| | |
|---|---|
| **Teme que le reconozcan.** | He is afraid that they will recognize him. |
| **Me alegro de que haya ganado Ud.** | I am happy that you have won. |
| **Espero que estés contento ahora.** | I hope you are satisfied now. |
| **Sentimos que no pudieran venir.** | We were sorry they couldn't come. |
| **Es lástima que esté enferma.** | It's too bad that she is ill. |
| **Ojalá que estuviera con él.** | If only (how I wish) I were with him. |

B. If there is no change of subject, the infinitive should normally be used.

| | |
|---|---|
| **Siente estar tan lejos.** | He is sorry that he (himself) is so far away. |

*But:*

| | |
|---|---|
| **Siente que ella esté tan lejos.** | He is sorry that she is so far away. |

EJERCICIOS

A. Cambie las frases siguientes según las indicaciones:
1. **Siento** que Miguel esté ausente.
   (Temo, Me sorprende, No me gusta, Sentía, Lamentaba, Esperaba, Es lástima, Ojalá, Me molesta, Me molestaba)
2. Se alegran **de que te hayas** quedado.
   (de que Juan, de que Uds., de que Raúl y yo, de que tú y Ana)
3. Esperamos que **llame** pronto.
   (decidir, salir, empezar, decírnoslo, traerlas)

B. Conteste las preguntas siguientes ateniéndose al modelo:

      ¿Quiere Ud. verlo?     **No, quiero que lo vea Juan.**

1. ¿Espera Ud. acabarlo?     No, _____ mi hijo.
2. ¿Siente Ud. tener que marcharse? No, _____ ellos.
3. ¿Le sorprende sacar esa nota?     No, _____ María.
4. ¿Insiste Ud. en dársela?     No, _____ tú.
5. ¿Teme Ud. perder el puesto?     No, _____ el pobre.

Ahora conteste según este modelo:

      ¿Sentía Ud. perderlo?     **No, sentía que lo perdiera Pablo.**

6. ¿No querían Uds. vendérsela?     No, _____ su vecino.
7. ¿Le gustaría asistir?     No, _____ mi esposa.
8. ¿Deseaba Ud. comérselo?     No, _____ tú.
9. ¿Esperabas ir con él?     No, _____ vosotros.
10. ¿Le molestaba oírlo?     No, _____ Uds.

**66.** The Sequence of Tenses

| Main Clause | Subordinate (Subjunctive) Clause |
|---|---|
| Present<br>Future⎫<br>Present perfect⎭ | Same tense as in English |
| Past⎫<br>Conditional⎭ | Imperfect subjunctive or<br>Pluperfect subjunctive |

A. If the main clause is in the present, future, or present perfect, the subordinate clause subjunctive is in the same tense as the English. Remember, of course, that the present subjunctive refers also to future action.

| **Es lástima que no vengan.** | It's a pity that they aren't coming (or won't come). |
| **Es lástima que no hayan venido.** | It's a pity that they haven't come. |
| **Es lástima que no vinieran.**³ | It's a pity that they didn't come. |

B. If the main clause is in the past or conditional, use only a past subjunctive: imperfect subjunctive for a simple tense; pluperfect subjunctive for a compound tense.

| **Sentían que él no estuviese allí.** | They regretted that he was not there. |
| **Sentían que él no hubiese estado allí.** | They regretted that he had not been there. |

EJERCICIOS

A. Cambie para indicar que la acción está recién concluida:

Espero que venga.        **Espero que haya venido.**

1. Temo que muera. 2. Se alegra de que vuelvan. 3. Ojalá que no sea Carmen. 4. Sentimos que estés tan cansado. 5. Me molesta que no quiera verme. 6. Nos gusta que toquen el piano. 7. ¿Le sorprende que diga eso? 8. Espero que lo termine.

B. Cambie las frases siguientes al pasado:

Quiero que lo haga.        **Quería que lo hiciera.**

1. Quiero verte en seguida. 2. Quiero que lo veas en seguida. 3. Ojalá que no haya más dificultades. 4. Temen que lo perdamos. 5. Me alegro

³ When the main clause is in the present, the imperfect subjunctive is used primarily for a past action that is prior to another or that is considered definitely over. **Es lástima que no llamaran antes de que Luis se fuera.** *It's a shame they didn't call before Louis left.* **Es posible que muriera cerca de 1930.** *It is possible he died around* 1930. Otherwise, the present perfect subjunctive is more frequent after a present tense.

de que ganes. 6. No me gusta que se vaya tan temprano. 7. Sienten tener que dejarlo. 8. Sentimos que tengan que dejarlo. 9. Os ruego que volváis pronto. 10. No le dejará comprarlo. 11. No permiten que la vea todos los días. 12. Le digo que me pague en seguida.

## EJERCICIO DE REPASO

1. The representatives of three nations have written the secretary of the United Nations to include this matter in the agenda.
2. They will ask all the countries to reiterate their adherence to the principles of self-determination and non-intervention.
3. The members insist that the other governments give a collective answer to the threat.
4. I hope that they will also consider future limitations to trade with that country.
5. They agreed to prevent these groups from carrying out subversive activities in our country.
6. We regret that our nation has not been able to rejoin completely the family of democratic countries.
7. Let them go to the meeting, discuss this problem, and exchange ideas with the others.
8. They feared that the new technique of aggression would be successful in other parts of Latin America.
9. You must tell them to continue contributing to the preservation of our liberties.
10. We wanted them to help the other peoples to express their will freely.

# THE SUBJUNCTIVE
## (CONTINUED)

||||||||||||||||||||||||||||||||||||||||||||||||||||||||||||||||||||||||||||||||||||||||||||||||||||||||||||

Adaptado de un artículo por "Adlih"

**NOVEDADES**

México, D.F., 8 de septiembre de 1963

# La Relatividad

Pensarán Uds. que vamos a convertirnos en Einstein, pero no, no es esa clase de relatividad sobre la que nosotros vamos a hablar. Es sencillamente que a través de nuestra vida las cosas que en un momento parecen tener una importancia vital, más tarde se convierten en... sólo una cosa más. En realidad, todo es relativo. Por ejemplo, cuando éramos pequeños y veíamos a muchachos mayores que nosotros, ¡cómo deseábamos estar como ellos! Pero ahora cuando vemos a personas de edad más avanzada y nos parecen muy viejas, ya nos damos cuenta de que no nos parecerán tan ancianas cuando nosotros lleguemos a tener esa misma edad.

Igualmente les pasará a todos los jóvenes con su profesión. Cuando inicien su carrera, querrán que todo el mundo sepa que van a ser médicos, o abogados, o arquitectos. Veinte años después no querrán ni hablar de ella. Y cuando tengan la primera novia, pensarán que en el mundo no hay otra mujer, no digamos que la supere, no, ni siquiera que se le compare. Odiarán a todas aquellas personas que les aconsejen bien, aunque sean sus padres, a quienes convertirán casi en sus enemigos. Conozco a unos jóvenes que se consideran verdaderos don Juanes, y no hay quien los haga caer en una trampa. Y aun ahora, les recomiendo

87

prudencia y cautela, no se vayan a pasar de listos y después se arrepientan por todo el resto de su vida.

En fin, amigos míos, deseo que todas sus experiencias, buenas o malas, les sirvan para el futuro, para cuando tengan que enseñar todo lo que Uds. aprendieron a las generaciones venideras. Y que cuando sus hijos deseen fervientemente algo y luchen por alcanzarlo, ojalá que Uds. puedan comprenderlos y estimularlos con sus consejos y ejemplos, bajando a su edad y a su mentalidad.

¿Ven Uds. la relatividad en la vida? Todo es relativo a la edad, a la experiencia, a los deseos, a los negocios, a la posición, y después, todo deja de tener importancia. Pero lo que yo les sugiero es que en todo tiempo gocen y vivan sus momentos de triunfo y de derrota, y hagan que sean lo más fructíferos posible. Cuando sean viejos, éstos serán sus mejores recuerdos cada vez que evoquen el pasado.

## PREGUNTAS

1. Cuando éramos pequeños, ¿qué pensábamos cuando veíamos a muchachos mayores?
2. ¿De qué nos damos cuenta ahora cuando vemos a personas de edad más avanzada?
3. ¿Qué querrán los jóvenes cuando inicien sus carreras?
4. ¿Qué pensarán cuando tengan la primera novia?
5. ¿Cómo considerarán a sus padres?
6. ¿Qué recomienda el autor del artículo a los jóvenes don Juanes?
7. ¿Para cuándo deben servirnos todas nuestras experiencias?
8. ¿Qué debemos hacer cuando nuestros hijos deseen algo fervientemente?
9. ¿Por qué podemos decir que todo es relativo?
10. ¿Qué sugiere el autor que hagamos en todo tiempo?

## CONVERSACIÓN

1. ¿Cuáles son los primeros recuerdos de su niñez? ¿Quiénes fueron sus primeros amigos? ¿Los ve todavía? ¿Recuerda Ud. algo que una vez le pareciera importantísimo y que ahora no le interesa nada?
2. ¿Está Ud. de acuerdo con el autor de este artículo sobre la actitud de los jóvenes respecto al amor? ¿Y respecto a sus padres? ¿Ha pensado Ud. alguna vez que sus padres no le entendían, o que eran sus enemigos?
3. Cuando Ud. era niño, ¿a quién admiraba más? ¿A quién admira más ahora?
4. ¿Cuáles eran sus pasatiempos favoritos hace cinco años? ¿Y ahora? ¿Cree Ud. que cambiarán mucho sus gustos en el futuro?

**67.** The Third Concept of the Subjunctive: Unreality

The subjunctive wears the cloak of unreality. It reflects the doubtful, uncertain, indefinite, the unfulfilled, the impositive. It appears in the subordinate clause whenever the idea upon which that clause depends places it within the realm of the unreal. In this paragraph and in **68–70,** we shall analyze the varied situations in which the concept of unreality produces the subjunctive.

A. The shadow of a doubt

When the idea of the main clause places the subordinate clause action in the shadow of doubt, the uncertain reality of that action is expressed by the subjunctive.

| | |
|---|---|
| **Dudo que nos haya visto.** | I doubt that he has seen us. |
| **No están seguros de que sea ella.** | They aren't sure that it is she. |

If doubt is not cast on the subordinate clause action, there is no subjunctive.

| | |
|---|---|
| **Estoy seguro de que es él.** | I am sure that it is he. |

B. Denial

When the idea of the main clause denies the existence of the subordinate clause action, the unreality of that action is also expressed by the subjunctive.

| | |
|---|---|
| **Negó que lo hicieran.** | He denied that they did it. |
| **No es verdad que lo dijera.** | It isn't true that he said it. |

*But:*

| | |
|---|---|
| **No negó que lo hicieron.** | He didn't deny that they did it. |

C. Subjunctive and indicative with **creer**

The verb **creer** (to think, to believe) illustrates how the speaker's expression of doubt, and not the verb itself, determines whether the subjunctive or the indicative will be used.

     1. **Creer,** used in an affirmative statement, is regularly followed by the indicative, because the speaker, in saying, "I believe," does not normally want to imply, "I doubt." [1]

[1] When the speaker wishes to express serious doubt, the subjunctive is possible. **Creo que venga.** I think he may possibly come.

| Creo que vendrá. | I think that he will come. |
| Creían que habíamos fracasado. | They thought that we had failed. |

2. In questions or negative statements, **creer** will produce a subjunctive if the speaker wishes to cast doubt on the subordinate clause action, and the indicative if he makes no implication of doubt.

| ¿Cree Ud. que se atreva? | Do you think he will dare? (I doubt it.) |
| ¿Cree Ud. que se atreverá? | Do you think he will dare? (I think so, or I have no opinion.) |
| No creo que le castiguen. | I don't think (I doubt) that they will punish him. |
| No creo que le castigarán. | I don't believe that they will punish him. (I fully believe that they will *not* punish him.) |
| ¿No cree Ud. que ella es bonita? | Don't you think she's pretty? (I do.) |

D. The subjunctive after conjunctions indicating uncertainty or unreality:

1. Some conjunctions, by their very meaning, always concede that the subordinate clause action is not a certainty. Such conjunctions include **a menos que** (unless), **en caso de que** (in case), **con tal que** (provided that). These are always followed by the subjunctive.

| En caso de que venga, dígale que he salido. | In case he comes, tell him that I have gone out. |
| A menos que ella insista, no se lo mostraremos. | Unless she insists, we will not show it to her. |

2. Other conjunctions such as **aunque** (although, even though, even if), **dado que** (granted that), **a pesar de que** (in spite of the fact that) will be followed by the subjunctive if the speaker implies an uncertain assumption, and by the indicative if he implies a certainty or a belief. In many cases, English will indicate uncertainty by using the auxiliary *may*.[2]

[2] In a main clause, *may* has two possible meanings: permission and uncertainty. Spanish uses the indicative of **poder** for both.
  ¿**Puedo salir?**  May I go out?    **Puede ser él.**  It may be he.

| | |
|---|---|
| **Aunque sea listo, no lo sabe todo.** | Although he may be smart, he doesn't know everything. |
| **Aunque es listo, no lo sabe todo.** | Although he is smart, he doesn't know everything. |
| **Dado que tenga Ud. razón, ¿qué vamos a hacer?** | Granted that you may be right (but I have my doubts), what shall we do? |
| **Dado que tiene Ud. razón...** | Granted that you are right (and I think you are)... |

3. The conjunction **sin que** (without) is always followed by the subjunctive because, by its very meaning, it negates the reality of the subordinate clause action.

| | |
|---|---|
| **Salieron sin que los viéramos.** | They left without our seeing them. |

Obviously, since the subordinate clause action did not take place, it is unreal or nonexistent.

Note that if there is no change of subject, the preposition **sin,** followed by the infinitive, must be used.

| | |
|---|---|
| **Se lo llevó sin pedirnos permiso.** | He took it without asking us for permission. |

## EJERCICIOS

A. Cambie:
  1. **Niega** que su hijo lo haya hecho.
     (Negó, Duda, No cree, No creía, No niegan, No dudaban)
  2. **Dudábamos** que él viniera al día siguiente.
     (Creíamos, No creíamos, ¿Era posible...?, ¿Cree Ud....?)
  3. **En caso de que** llame, no le diga nada.
     (A menos que, Aunque, Dado que, A pesar de que)
  4. No **os** dará nada a menos que se lo **pidáis.**
     (te, le, les, nos)
  5. **Salió** sin que yo me enterara.
     (No podrá salir, Nunca sale, Volvió, Siempre vuelve)

B. Conteste en español:

1. ¿Cree Ud. que lloverá mucho este mes? 2. En caso de que llueva el sábado, ¿qué hará Ud.? ¿Y si hace calor? 3. ¿No cree Ud. que sus profesores son unos verdaderos genios? 4. ¿Debo creer que Ud. siempre dice la verdad? 5. ¿Puede uno sacar buenas notas a menos que estudie? 6. ¿Cree Ud. que la mayor parte de los estudiantes de esta clase sepan

más que Ud.? 7. ¿Es posible que nuestro equipo de fútbol gane todos los partidos este año? 8. Aunque no lo hable bien todavía, ¿le gusta hablar español?

C. Traduzca al español:

1. I'm not sure that you have told us everything. 2. Do you think he'll return to his family some day? 3. Ricardo wouldn't do anything without our knowing about it. 4. Of course, we don't doubt that you are capable of filling the position. 5. The thief denied that they were with him. 6. In case a woman answers, tell her that you were calling another number. 7. Even though he may get here in (**con**) time, I doubt that he'll go with us. 8. You know, I just got a wonderful grade, and without studying! Now don't you think I'm brilliant?

**68.** Unreality (*continued*): Indefiniteness

Indefiniteness is an integral part of the concept of unreality. These are the circumstances in which it generally appears.

A. Indefinite antecedent

1. When the subordinate clause refers back to someone or something that is uncertain, indefinite, hypothetical, or nonexistent, the subjunctive must be used.

| | |
|---|---|
| **¿Hay alguien que comprenda esto?** | Is there anyone who understands this? (There may not be such a person.) |
| **Busca un marido que sea guapo, inteligente y rico.** | She is looking for a (hypothetical) husband who is handsome, intelligent, and rich. |
| **No hay nadie que tenga todas esas cualidades.** | There is nobody who has all those qualities. (The person is nonexistent.) |
| **Lo que tú digas de aquí en adelante no me interesa nada.** | What you may say from now on doesn't interest me at all. (It has not been said yet, therefore indefinite.) |
| **Haré lo que pueda.** | I shall do what I can. (Future, thus indefinite.) |
| **El estudiante que saque la mejor nota recibirá una medalla.** | The student who (whichever student) gets the best grade will receive a medal. |

2. But, if the subordinate clause refers back to someone or something that is specific, definite, or existent, the indicative is used.

| | |
|---|---|
| **Hay muchas personas que comprenden esto.** | There are (there do exist) many people who understand this. |
| **Tiene un marido que es guapo, inteligente y rico.** | She has a husband who is handsome, intelligent, and rich. |
| **Lo que tú dices no me interesa nada.** | What you are saying doesn't interest me at all. |
| **Hice lo que pude.** | I did what I could. |

3. If the subordinate clause describes an action that occurs as a general rule, the indicative must again be used. Obviously, there is nothing indefinite about such a circumstance or object of reference.

| | |
|---|---|
| **Hago lo que puedo.** | I do what I can. |
| **Cada año el estudiante que saca la mejor nota recibe una medalla.** | Each year, the student who gets the best grade receives a medal. |

## EJERCICIOS

A. Cambie las frases siguientes según las indicaciones:
1. No hay nadie que lo **sepa** todavía.
   (tener, decir, creer, seguir, negar)
2. Buscaba una mujer que **supiera guisar.**
   (ser rica, cantar bien, poder ayudarle, haber vivido en Lima)
3. **Hará** lo que pueda.
   (Siempre hace, Hizo, Dijo que haría)
4. **Hay** un almacén donde lo venden barato.
   (Conozco, ¿Hay... ?, ¿Habrá... ?, Había)

B. Conteste en español:
1. ¿Hay una materia que le interese más que las otras? ¿Cuál es? 2. ¿Tiene Ud. un amigo que haya vivido en el extranjero? 3. ¿Se casaría Ud. con una persona que no tuviera mucha educación? 4. ¿Hay un almacén por aquí donde vendan máquinas de escribir? 5. ¿Ha visto Ud. alguna vez una obra de arte que considere perfecta?

C. Traduzca al español:
1. Can you find me a book that has all the answers to his questions? 2. Look, Pete. I have just found a book that has what you wanted. 3. Do you know a store where I can buy rare stamps? 4. Give me ten men who are stout-hearted men. 5. There is nobody, but nobody who sells more cheap(ly) than we. And in case there is somebody, he will be bankrupt soon. I even doubt that *we* are solvent! 6. Would you like to talk to someone who has already taken that trip?

B. Indefinite or incompleted future action

1. The subjunctive is used after conjunctions of time if the action has not yet been completed at the time of the main clause action. Conjunctions of time include **cuando** (when), **así que, tan pronto como, en cuanto** (as soon as), **hasta que** (until), **después de que** (after), etc. Clearly, an action that still has not (or had not) transpired must as yet be nonexistent, and therefore, indefinite or uncertain of conclusion.

| | |
|---|---|
| **Juanito saldrá para Europa así que reciba el dinero.** | Johnny will leave for Europe as soon as he receives the money. |
| **Esperemos hasta que vengan.** | Let's wait until they come. |
| **Su madre prometió ayudarle hasta que consiguiera un empleo.** | His mother promised to help him until he got a job. (At that time, he had not yet gotten a job.) |

2. If there is no suggestion of an uncompleted future action, the conjunction of time will be followed by the indicative.

| | |
|---|---|
| **Esperamos hasta que vinieron.** | We waited until they came. |
| **Así que vio al policía echó a correr.** | As soon as he saw the policeman, he began to run. |
| **Siempre que lo veo, me enamoro de nuevo.** | Whenever I see him, I fall in love again. |

3. **Antes de que** (before) by its very meaning always indicates that the subordinate clause action had not yet happened at the time of the main clause. Therefore, **antes de que** will always be followed by the subjunctive.

| | |
|---|---|
| **Vámonos antes de que nos vean.** | Let's leave before they see us. |
| **Se acercó al rey antes de que pudieran detenerle.** | He approached the king before they could stop him. |

EJERCICIOS

A. Substituya el infinitivo por la forma apropiada:

1. Cuando (**sentirse**) mejor ella, nos hará una visita. 2. Me dijo que esperaría hasta que yo (**volver**). 3. Antes de que (**empezar**) la función, tomaremos una copa. 4. En cuanto (**venir**) ellos, les pediré el dinero. 5. Así que (**verme**) Juan, salío de la habitación. 6. En cuanto (**llamar**) los demás, les diré que te (**ayudar**).

B. Conteste en español:

1. ¿Qué piensa Ud. hacer cuando se gradúe de la universidad? 2. ¿Qué tiene Ud. que hacer cuando vuelva a casa hoy? 3. ¿Qué hace Ud. primero cuando se levanta por la mañana? 4. ¿Piensa Ud. irse de vacaciones así que termine el semestre? 5. ¿Qué hará Ud. antes de que empiecen los exámenes finales? 6. ¿Qué ropa usamos cuando llueve? ¿Y cuando nieva?

## EJERCICIO DE REPASO

1. The people who seem old to you now will not seem so old to you when you reach their age.
2. He didn't think there was a woman who could surpass her.
3. Even if his parents give him good advice, the young lover (**enamorado**) will hate them.
4. Before he finishes, you'll realize that he was right.
5. I hope they won't outsmart themselves and be sorry for the rest of their lives.
6. I didn't want him to do it because I doubted that the experience would help him.
7. They will never achieve it unless you understand them and stimulate them with your advice.
8. He was laughing at them all without anybody's being aware of it (**enterarse**).
9. If only their experiences serve them for the future, when they have to teach the younger generations!
10. She'll keep evoking the past until she learns how to live in the present.

## REPASO DE VERBOS

Estudie los verbos **ir** y **venir** y después diga en español:

I'm coming.  He came.  She went.  I hope they come.  Go! (**Uds.**) They won't come.  He told us to go.  Aren't you coming? (**tú, vosotros**)

# THE SUBJUNCTIVE
## (CONTINUED)

||||||||||||||||||||||||||||||||||||||||||||||||||||||||||||||||||||||||||||||||||||||||||||||||||||||||||||||

Adaptado de

**EL TIEMPO**

Bogotá, 6 de septiembre de 1963

## ¿Por Qué Está Usted Soltero?

[Tomamos de la revista *Mujer* la siguiente encuesta "apta para solteros únicamente". He aquí algunas de las respuestas.]

Un hombre de negocios nos contestó: "Estoy soltero porque he tenido muchas decepciones amorosas y siempre dudo de las mujeres por esa razón. Es muy posible que el matrimonio sea esencial en la vida, porque uno se va sintiendo solo; pero es difícil dar el paso, y más para los que pasamos de los treinta años. Lógicamente, si fuera el matrimonio el estado ideal, habría más personas que lo dijesen".

Un ingeniero nos respondió lacónicamente: "Señorita, si la hubiera visto a Ud. antes, lo habría pensado".

Una representante por el departamento de Antioquia dijo: "Si hubiese encontrado el hombre a quien le faltase la costilla de la cual estoy hecha, me habría casado. En mi concepto, el estado ideal es el opuesto al que uno esté viviendo actualmente. Así, si yo estuviese casada, sería la soltería, y estando soltera es el matrimonio".

Otra señorita nos respondió así: "No me casé por dos razones: la primera porque ambicioné hacerlo con un hombre superior y a ninguno de ellos le interesó hacerme su esposa; la segunda porque no tuve tiempo. Tal vez si no hubiera tenido que cuidar de mis hermanos menores después de la muerte de mi padre, ya me habría casado. En mi opinión, el estado ideal es el de viuda rica. Una tendrá la alegría de los hijos y el recuerdo de un marido que si fue bueno, se bendecirá. Si fue malo, tendrá la satisfacción de haberlo perdido. En efecto, la soltería tiene la grandísima ventaja de que nadie depende de uno, ni uno de nadie".

Una doctora, magistrada del Tribunal Superior, dijo: "Para una mujer que escoge una carrera liberal como es el derecho, es difícil conseguir el hombre que llene todos los requisitos que una quisiera. Porque si hay un hombre que haya desempeñado puestos importantes, no le gusta que su prometida sea tan ilustrada e importante como él. Parece que los hombres piensan que no es fácil que una intelectual sea una buena esposa. Sin embargo, para que un matrimonio sea feliz, conviene que la mujer haya alcanzado cierto nivel de educación. En síntesis, yo creo que he sido muy exigente y no he conseguido el hombre que reúna todas las condiciones intelectuales, económicas y morales que deseo".

## PREGUNTAS

1. ¿Qué razón ofrece el hombre de negocios por no haberse casado?
2. ¿Por qué no cree que el matrimonio sea el estado ideal?
3. ¿Qué contestó el ingeniero?
4. ¿En qué circunstancias se habría casado la representante de Antioquia?
5. ¿Por qué razones no se casó la otra señorita?
6. Según el concepto de ella, ¿cuál es el estado ideal? ¿Por qué?
7. ¿Qué ventaja encuentra ella en la soltería?
8. ¿Qué es difícil para la mujer que escoge una carrera liberal?
9. ¿Qué no le gusta al hombre que haya desempeñado puestos importantes?
10. ¿Qué piensan los hombres sobre las mujeres intelectuales?

## CONVERSACIÓN

1. ¿Piensa Ud. casarse algún día? ¿Ha pensado Ud. alguna vez en la posibilidad de quedarse soltero (o soltera)? ¿Le da miedo? ¿Por qué? En su opinión, ¿cuál es el estado ideal?
2. De todas las personas entrevistadas arriba, ¿quién le gusta más? ¿Quién le gusta menos? ¿Quién le parece más interesante? ¿Y menos interesante?
3. ¿Es verdad que a los hombres no les gusten las mujeres intelectuales? ¿Se casaría Ud. con una mujer (u hombre) que tuviera menos educación que Ud.? ¿Se casaría con una mujer (u hombre) que tuviera mucha más educación que Ud.? ¿Puede durar el amor si la pareja no tiene muchos intereses comunes?

## PART A

**69.** Unreality (*continued*): Condition Contrary to Fact

A condition contrary to fact is a most obvious case of unreality.

A. Exactly as in English, when a clause introduced by *if* makes a supposition that is contrary to fact (*if I had known,* but I didn't, etc.), a past subjunctive must be employed. The imperfect subjunctive is used for a simple tense; the pluperfect subjunctive, for a compound tense.

| | |
|---|---|
| **Si estuviera**[1] **aquí mi hermano, nos dejarían entrar.** | If my brother were here (but he isn't), they would let us in. |
| **Si yo hubiera**[1] **sabido que venía Ud., habría hecho una torta.** | If I had known (but I didn't know) you were coming, I would have baked a cake. |
| **Gasta dinero como si tuviese una mina de oro.** | She spends money as if she owned a gold mine (but she doesn't). |

The contrary-to-fact construction may be used with a future action to indicate that it is considered unlikely.

| | |
|---|---|
| **Si me ofreciera un millón de dólares, no lo aceptaría.** | If he were to offer me a million dollars, I wouldn't accept it. |
| **Si hiciera mal tiempo mañana, no iríamos.** | If it should rain tomorrow, we wouldn't go. |
| **Si te lo pidiera, ¿le prestarías tu coche?** | If he were to ask you, would you lend him your car? |

B. Under no other circumstances will the subjunctive ever be used after the word **si.**[2]

| | |
|---|---|
| **Si vienes, las verás.** | If you come, you will see them. |
| **Si estuvo allí, no se aprovechó de ello.** | If he was there (assuming that he was), he did not profit by it. |

C. Note particularly that the present subjunctive is NEVER used after the word **si.** Note also that when **si** means *whether,* the indicative must be used.

| | |
|---|---|
| **¿Sabes si llegan hoy o mañana.** | Do you know whether (if) they are arriving today or tomorrow. |

[1] The **-ra** and **-se** forms of the imperfect and pluperfect subjunctive are interchangeable except in three instances (cf. **72** C, D, and E). The **-ra** form is more common than the **-se** in Spanish America.

[2] **Si,** followed by the present indicative tense, has the meaning *assuming that,* and therefore is not considered in Spanish as a conjunction of uncertainty.

EJERCICIOS

A. Cambie las frases siguientes para indicar una condición contraria al hecho:

1. Si lo sé a tiempo, no lo haré. 2. Si está enfermo, me avisará. 3. Si llueve mañana, no saldremos a la calle. 4. Si nos escribe antes de venir, le esperaremos. 5. Si hace buen tiempo, daremos una vuelta en coche. 6. Si te lo han ofrecido ya, no hay que insistir. 7. Si soy rica, compraré esta casa algún día. 8. Si caben tantas personas en el autobús, iremos todos juntos. 9. Si ensucias la casa, te castigará. 10. Si no nos cuesta nada, nos quedaremos.

B. Conteste en español:

1. ¿Qué haría Ud. si se hiciera rico de la noche a la mañana? 2. ¿Qué pensaría Ud. si su mejor amigo se negase a hacerle un favor? 3. ¿Qué habría ocurrido si los españoles hubiesen descubierto y conquistado Norteamérica en vez de Centro y Sudamérica? 4. ¿Qué habría hecho Ud. si no hubiera tenido dinero para continuar sus estudios? 5. ¿Qué pasaría si hubiera una guerra atómica?

C. Diga en español:

1. If you smoke too much, you'll get sick. 2. If I had the money, I would buy a new car. 3. He talks as if he knew it all. 4. Did they tell you whether they had seen him? 5. If we had gone with them, this wouldn't have happened. 6. If they should arrive early, what would we do? 7. If I said it, I'm sorry. 8. If he was sick, why didn't he tell us?

**70.** Purpose

Conjunctions indicating purpose are followed by the subjunctive. The idea of purpose is related both to the implied command (one's will that something be done) and to indefinite future (at the time of the main clause action, the goal for which it was performed could not possibly have been fulfilled).

A. **Para que** (in order that, so that) is always followed by the subjunctive, because by its very meaning it always states purpose.

| | |
|---|---|
| **Ahorra su dinero para que sus hijos puedan asistir a la universidad.** | He is saving his money so that his children may go to college. |
| **Se lo explicaré en pocas palabras para que no se confundan Uds.** | I shall explain it to you in few words so that you won't be confused. |

B. If there is no change of subject, there is no need for two clauses. The idea is then summed up in one clause, with the preposition **para** followed by the infinitive.

| | |
|---|---|
| **Ahorra su dinero para poder asistir a la universidad.** | He is saving his money in order to be able to go to college. |
| **Se lo explicó en pocas palabras para no confundirlos.** | He explained it to them in few words in order not to confuse them. |

C. **De modo que** and **de manera que** (so that) will be followed by the subjunctive when they imply purpose, and by the indicative when they denote result.

| | |
|---|---|
| **Levántelo de modo que (de manera que, para que) lo vean todos.** | Lift it up so that everyone can see it. |

*But:*

| | |
|---|---|
| **Llovió ayer, de modo que suspendieron el partido.** | It rained yesterday, so (that) the game was called off. |

EJERCICIOS

A. Cambie según las indicaciones:
1. Lo estoy haciendo ahora **para** no tener que trabajar después.
   (para que Julia, para que mis hijos, para que tú y Ana)
2. Nos lo dijo **para que** estuviéramos preparados.
   (de modo que, de manera que nuestros alumnos)
3. Se lo mandaré **para** estar seguro.
   (para que Ud., para que tú, para que Uds., para que todos)

B. Traduzca al español:
1. It was very sunny, so (that) we could see the mountains in the distance.
2. They stopped (in order) to rest a little. 3. They stopped so that the children could rest. 4. I must iron my dress so that it will be ready for tomorrow.

**71.** Impersonal Expressions with Subjunctive or Indicative

A. Impersonal expressions that contain subjunctive ideas will be followed by the subjunctive. Most impersonal expressions fall into these categories.

*Indirect or Implied Command*

| | | | |
|---|---|---|---|
| **Conviene** | | It is advisable | |
| **Es preferible** | | It is preferable | |
| **Es mejor, más vale** | | It is better | |
| **Urge** | **que venga.** | It is urgent | that he come. |
| **Importa,**[3] **es importante** | | It is important | |
| **Es necesario** | | It is necessary | |

[3] **¿Importa...?** also is used with the meaning *Do you mind . . . ?* Since the implication of command still obtains, it is followed by subjunctive. **¿Le importa que abra la ventana?** Do you mind if I open the window?

*Emotion*

| Es lástima | | It is a pity | |
|---|---|---|---|
| Es de esperar | | It is to be hoped | that they |
| ¡Ojalá! | que hayan ido. | Would (if only) | have |
| Es lamentable | | It is regrettable | gone. |
| Es sorprendente | | It is surprising | |

*Unreality: Doubt,*
*Uncertainty, Indefiniteness, etc.*

| Es (im)probable | | It is (im)probable | |
|---|---|---|---|
| Es fácil | | It is likely | |
| Es difícil | | It is unlikély | |
| Es (im)posible | que nos | It is (im)possible | that he |
| Parece mentira, es increíble | conozca. | It is incredible | knows us. |
| Es dudoso | | It is doubtful | |
| Puede ser | | It may be | |

B. When an impersonal expression indicates a certainty, it is followed by the indicative.

| Claro está | | It is clear | |
|---|---|---|---|
| Es verdad | que lo sabe. | It is true | that he |
| Es evidente | | It is evident | knows it. |
| No cabe duda de | | There is no doubt | |

C. Note that an impersonal expression does not call for the subjunctive because it is impersonal but because it may represent a concept that produces the subjunctive. Thus, as in the case of **creer,** the attitude of certainty or doubt, of belief or disbelief in the speaker's mind will determine the use of indicative or subjunctive.

**¿Es cierto que ha ganado?** (I think so, or
I have no opinion.)     Is it true that he has won?
**¿Es cierto que haya ganado?** (I doubt it.)

D. When the sentence is completely impersonal, the infinitive is used. Note that there is no change of subject.

| **Es necesario hacerlo.** | It is necessary to do it. |
|---|---|
| **Es imposible estudiar aquí.** | It is impossible to study here. |

EJERCICIOS

A. Cambie:
1. Nos visitarán mañana.
   (Es posible que, Es mejor, Ojalá, Es difícil, Es verdad)
2. Tenían razón.
   (Era imposible que, Claro está, Puede ser, Parecía mentira)
3. Eso no se repetirá.
   (Es evidente que, Conviene, Importa mucho, Es dudoso, Ojalá)
4. Valía más de lo que pagamos.
   (Era probable que, Es de esperar, No cabía duda de)

B. Conteste en español:
1. ¿Es probable que haga mucho frío este mes? 2. ¿Importa que terminemos esta lección hoy? 3. ¿Es posible que haya muchos estudiantes extranjeros en esta escuela? 4. ¿Es necesario practicar mucho para tocar un instrumento musical? 5. ¿Es cierto que es Ud. un famoso millonario? 6. ¿No será mejor que acabemos este ejercicio ahora?


EJERCICIO DE REPASO

1. Sometimes I doubt that marriage is essential in life. —What!
2. If they had married later, they would have been happier.
3. It is possible that he'll take the step when he finds himself alone some day.
4. If bachelorhood were the ideal state, there would be more people who would say so.
5. If I were married, I wouldn't stop (**dejar de**) working, but I would work less than now.
6. He told me that it was impossible for an intellectual to be a good wife.
7. It will be very difficult for her to find a man who meets her conditions.
8. If you find a woman who is willing to marry you, you may consider yourself lucky. —Thanks a lot!
9. I promised to do what I could so that he might be happy.
10. It would be preferable that he reached a certain level of education before accepting that position.


REPASO DE VERBOS

Repase los verbos **tener** y **hacer** y después diga en español:
I have it. Have you done it? I hope they have them. We want you (**tú**) to do it. He wanted us to do it. She wouldn't have done that. Did you (**Uds.**) do this? Why didn't you (**vosotros**) have it ready? Do me a favor. Don't do it that way. Have patience (**tú**). Do it yourself (**tú mismo**).

## PART B

**72.** Subjunctive in Principal Clauses

Aside from the appearance of subjunctive forms in polite and negative direct commands, there are several other instances of subjunctive usage in principal clauses.

A. Indirect commands

In certain common expressions and constructions, the indirect command is not preceded by **que** and apparently stands by itself in a main clause. Actually, this main clause is really a pseudo-main clause, and another main clause of volition or emotion is implied.

| | |
|---|---|
| **Dios le bendiga.** | May God bless you. |
| **¡Viva el Rey!** | Long live the King! |

B. Subjunctive after certain expressions of emotion and doubt

    1. **Ojalá** (would that, if only, how I wish) is regularly followed by the subjunctive.

| | |
|---|---|
| **¡Ojalá se lo hubiera advertido!** | If only I had warned him! |

    2. **Tal vez, quizá(s)**—perhaps—are followed either by the subjunctive or the indicative, according to the degree of doubt or certainty the speaker indicates.[4]

| | |
|---|---|
| **Quizá(s) venga mañana.** | Perhaps he will come tomorrow (but I doubt it). |
| **Quizá(s) viene (or vendrá) mañana.** | Perhaps he will come tomorrow (I think he will). |

C. Softened assertion

The **-ra** form of the imperfect subjunctive is used, mostly with the verbs **querer, deber,** and **poder,** to impart a milder, more polite tone to the statement.

| | |
|---|---|
| **Quisiera saber...** | I should like to know . . . |
| **Ud. debiera seguir su consejo.** | You (really) should follow his advice. |

D. Subjunctive in the result clause of contrary-to-fact sentences

Both in oral and written Spanish, the **-ra** form of the pluperfect subjunctive frequently replaces the conditional perfect in the result clause.

---

[4] **A lo mejor,** which is very common for *perhaps* in Spain, regularly takes the indicative. **A lo mejor nos lo dice hoy,** maybe he'll tell us today.

| | |
|---|---|
| **Si lo hubiese⁵ sabido, lo hubiera hecho.** | If he had known, he would have done it. |

### E. Subjunctive for the pluperfect indicative

In literary Spanish, the **-ra** form of the imperfect subjunctive at times replaces the pluperfect indicative. This is not a true subjunctive usage, however, since in this case, the **-ra** form merely points back to the Latin pluperfect indicative, from which it stems: **amaveram** (Latin pluperfect) > **amara.**

| | |
|---|---|
| **Perdonó al hombre que lo delatara a la policía.** | He forgave the man who had denounced him to the police. |

### 73. Indicative after **esperar** and **temer**

When **esperar** means *expect* and **temer** means *think,* these verbs lose much of their normal implication of emotion (hope—fear) and, under such circumstances, are followed by the indicative.

| | |
|---|---|
| **Espero que venga.** | I hope (emotion) that he will come. |
| **Espero que vendrá.** | I expect (belief) that he will come. |
| **Temo que esté enferma.** | I'm afraid (worried) that she is sick. |
| **Me temo que va a llover.** | I'm afraid (I think—little emotion) that it is going to rain. |

### 74. Unreality

Aside from the obvious cases of denial (*he denied that . . .,* etc.), there are many subtle instances in which the idea of the main clause, or the conjunction that introduces the subordinate clause, casts a cloak of unreality on the action of the subordinate clause.

A. Negative statements that deny the following assertion produce a subjunctive in the subordinate clause: **No quiero decir que...** *I don't mean that . . .*; **No es que...** *It isn't that . . .,* etc.

| | |
|---|---|
| **Eso no quiere decir que fuera culpable.** | That doesn't mean that he was guilty. |
| **No es que me guste verte sufrir, sino que no puedo ayudarte.** | It isn't that I like to see you suffer, but that I can't help you. |

B. Clauses introduced by **porque** (because) take the indicative if they make a positive assertion, the subjunctive if they deny or negate the reality of an assumption.

---

⁵ When the **-ra** form of the subjunctive replaces the conditional in the result clause, the **-se** form is often preferred in the *if* clause.

| | |
|---|---|
| **No alabé su trabajo porque fuera original, sino porque lo había hecho con cuidado.** | I praised his work not because it was original, but because he had done it carefully. |

*But:*

| | |
|---|---|
| **Alabé su trabajo porque era muy original.** | I praised his work because it was very original. |

## 75. Indefinite Degree or Amount

A. **Por** + an adjective or adverb + **que...** means *no matter* or *regardless of how much* (*little, smart,* etc.). When it is followed by the subjunctive, it conveys the idea of an indefinite amount or degree.

| | |
|---|---|
| **Por lista que sea, no lo podrá engañar.** | No matter how smart she is, she won't fool him. |
| **Por mucho que ahorre, no tendrá para comprar aquella casa.** | Now matter how much he may save, he won't have enough to buy that house. |

B. If the degree or amount is definite, the indicative is used.

| | |
|---|---|
| **Por mucho que se esforzaba, no tenía bastante talento para ser grande.** | No matter how much he tried, he did not have enough talent to be great. |

## 76. Subjunctive after **el que, el hecho de que, que**

A. When a subordinate clause that begins with **el que, el hecho de que,** or **que** (the fact that,[6] the assumption or situation that) precedes the main clause, the subjunctive is generally used. Since the speaker begins the sentence without the element of certainty furnished by the principal clause on which it depends, he momentarily adopts an attitude of doubt.

| | |
|---|---|
| **El que estuviera con ellos esa noche indica que era cómplice suyo.** | The fact that he was with them that night indicates that he was an accomplice of theirs. |
| **El que te traicione Pablo es increíble.** | The assumption (or possibility) that Paul will betray you is incredible. |

[6] The English expression *the fact that* is frequently misleading, since this often refers to situations that are not actually factual (The fact that he may be rich . . .. The fact that they might have been there . . .). The insinuation of possible doubt implicit in this expression is heightened in Spanish, thus explaining the frequency of subjunctive usage in such cases.

B. **El hecho de que** and **el que** may be followed by the subjunctive even when the main clause precedes, since the Spanish construction often implies a suggestion of doubt.

| | |
|---|---|
| **Le ha ayudado más que nada el (hecho de) que asistiera a una buena escuela.** | The fact that he attended (or may have attended) a good school has helped him more than anything else. |

**77.** Infinitive vs. Subjunctive

A. Normally, when there is no change of subject, the prepositions **para, sin, antes de, después de, hasta, a menos de, con tal de,** and other such prepositions of purpose, time, and uncertainty, are used with the infinitive.

| | |
|---|---|
| **No saldré a menos de tenerlo.** | I shall not go out unless I have it. |
| **Es capaz de todo con tal de conseguirlo.** | He is capable of anything provided he gets it. |
| **Siga Ud. caminando hasta llegar al pueblo.** | Keep walking until you reach the town. |

B. Normally, when there is a change of subject, the equivalent conjunctions **para que, sin que, antes (de) que, a menos que, con tal que,** etc., are followed by a clause containing the subjunctive, and **después de que, hasta que,** etc., by a clause containing either indicative or subjunctive, depending upon their meaning in the sentence.

C. The following usages are alternates to the rule.

    1. Use of conjunction + subordinate clause when there is no change of subject:

        **A menos que, con tal que,** and **hasta que** may be used with a following clause even if there is no change of subject. The sentence acquires thereby a somewhat more emphatic or more graphic descriptive tone.[7]

| | |
|---|---|
| **No lo permitirá a menos que haya cambiado de parecer.** | He will not permit it, unless he has changed his mind. |
| **Siga Ud. caminando hasta que llegue al pueblo.** | Keep walking until you reach the town. |
| **Lo haré, con tal que reciba primero el dinero.** | I will do it, provided I receive the money first. |

[7] Remember that the prepositions **para, sin,** and **antes de** + the infinitive may not be substituted by a clausal construction when there is no change of subject.

2. Use of preposition and infinitive when there is a change of subject:

Even where there is a change of subject, the prepositions **sin, a menos de, con tal de, antes de,** and **después de** + the infinitive often take the place of the conjunction + clause construction. However, in such cases, the subject must follow the infinitive.

| | |
|---|---|
| **Llegaron todos los huéspedes antes de ponerse el sol.** | All the guests arrived before the sun set. |
| **Entraron en la casa sin oírlos nadie.** | They entered the house without any-body's hearing them. |

D. The infinitive may be used after certain impersonal expressions even when another personal subject is implied or stated. The infinitive construction makes an objective or factual statement. The subjunctive, which is more emphatic and subjective, expresses the speaker's opinion of the action.

| | |
|---|---|
| **Le es imposible hacerlo.** | It is impossible for him to do it. |
| **Es imposible que él lo haga.** | It is impossible that he will do it. |
| **Nos importa verlos en seguida.** | It is important for us to see them at once. |
| **Importa que los veamos en seguida.** | It is important that we see them at once. |

E. **De** + an infinitive may be used in place of a contrary to fact *if* clause.

| | |
|---|---|
| **De no haberla perdido, no tendría que comprarme otra ahora.** | If I hadn't lost it, I wouldn't have to buy myself another one now. |

## EJERCICIOS

I. Tradúzcase al español.

A. May God protect them! I begged them to pay attention to the natives and not to go into the interior without the most thorough preparation, but they ignored me and set out for the unknown territory with only two guides, ten mules, and provisions for two weeks. Anyone who knows this region knows that this is insufficient. I hope they find what they are looking for and that none of my fears will be realized.

B. The two children, walking on tiptoe so that nobody should hear them, took the money from the chest and went downstairs. They left the house without anybody's seeing them, crossed the fields, and were (**se hallaron**) soon on the road. They decided to run toward the town, because, provided that they could catch the train, they would be out of the reach of their parents within an hour. It would take them half an hour to reach the town, and they were sure that their parents would not catch up with them unless they had already awakened and were following them. It was possible, of course, that there would be no train, because of the heavy snow which had been falling for a week (**estaba cayendo desde hacía una semana**) and which created an impassable obstacle on many sections of the track. If this should happen they would have to hide at an old abandoned farm until the trains resumed service.

II. Composicíon.
    1. Lo que pasó en el interior
    2. Por qué los niños quieren huir de casa y lo que les ocurrió

# SER AND ESTAR

||||||||||||||||||||||||||||||||||||||||||||||||||||||||||||||||||||||||||||||||||||||||||||||||||||||||||||||||||||||||||||||||||

Adaptado de

**EXCELSIOR**

México, D.F., 15 de noviembre de 1963

## El Milagro del Doctor Verdoux

Eran las siete y cuarto de la tarde. El doctor había terminado su servicio y deseaba regresar a París a buena hora. En dos ocasiones intentó llamar por teléfono a un amigo para indicarle que visitaría a su hijo enfermo al día siguiente. Pero la línea estaba ocupada. Esos pocos minutos perdidos en los intentos para telefonear al amigo iban a convertir al Dr. Verdoux en el hombre del milagro quirúrgico del año.

Después del segundo intento de llamar por teléfono a su amigo, el Dr. Verdoux se dirigió a su coche, que estaba estacionado a la puerta de la clínica. En el momento de subir al vehículo, oyó sonar el teléfono. Dio media vuelta, en tanto que la enfermera contestaba a la llamada. En el otro extremo del hilo informaban de un accidente. Un marinero se había seccionado la pierna izquierda a la altura del muslo y se desangraba rápidamente.

Diez minutos después, una ambulancia llegaba al lugar del accidente. El marinero, Boudic, quien estaba a punto de perder el conocimiento, tuvo aún fuerzas para indicar al ambulante que su pierna izquierda estaba a tres metros del lugar donde él yacía. El ambulante envolvió la pierna en una frazada para llevarla, junto con el hombre, a la clínica del Dr. Verdoux en Poissy. Cuando llegó la ambulancia, lo primero que preguntó el Dr. Verdoux fue: "¿La pierna? ¿Dónde está la pierna?" En esos mismos momentos la secretaria de la clínica, presa de honda emoción, anunciaba: "Doctor, a la entrada hay un envoltorio con una pierna. ¿Qué hago con él?" En esos instantes, el Dr. Verdoux no sabía aún qué hacer.

Christian Verdoux es un cirujano de cuarenta y tres años de edad. Un hombre sereno, padre de cuatro hijos, es de la parte meridional de Francia. Su señora, que es ginecóloga, trabaja en la misma clínica que él. El Dr. Verdoux no es especialista en injertos en el cuerpo humano, y por eso, podría haberse limitado a contener la hemorragia y a suturar la herida del marinero, quien estaba tendido ya en la mesa de operaciones.

Eran exactamente las ocho menos siete cuando comenzó la operación, la que iba a prolongarse cerca de nueve horas. En muchas ocasiones el Dr. Verdoux se quitó los guantes para poder coser mejor los nervios más delgados. Dos veces mandó traer sangre al centro de Versalles. Fue necesario aplicar en transfusiones tres litros de sangre al herido para sustituir la que había perdido. Durante ocho horas la pierna injertada al marinero estuvo en peligro. Sin embargo, ese peligro fue vencido y el herido entró en franca convalecencia.

El Dr. Verdoux está seguro de que Boudic podrá caminar en un plazo de cinco a seis meses y está igualmente convencido de que la operación puede repetirse. Un hombre modesto, apenas puede creer que se califique de extraordinaria la operación que realizó en el marinero. Pero sí, la operación le ha traído una satisfacción complementaria e inesperada: su hija mayor, impresionada por la hazaña de su padre, ha decidido estudiar la medicina.


## PREGUNTAS

1. ¿Por qué quiso el Dr. Verdoux telefonear a su amigo?
2. ¿Qué hizo después del segundo intento de llamar?
3. ¿Qué oyó en el momento de subir al coche?
4. ¿De qué accidente le informaban?
5. ¿Dónde estaba la pierna del marinero cuando llegó la ambulancia?
6. ¿Qué hizo con ella el ambulante?
7. ¿Cómo es el Dr. Verdoux y de dónde es?
8. ¿A qué hora comenzó la operación y cuántas horas se prolongó?
9. ¿De qué está seguro ahora el Dr. Verdoux?
10. ¿Qué otra satisfacción inesperada le ha traído la operación?


## CONVERSACIÓN

1. ¿Le interesa a Ud. la medicina? ¿Le gustaría ser médico o enfermera? ¿Por qué?

2. ¿Cuál considera Ud. el descubrimiento médico más impresionante de nuestra época? ¿Y de todas las épocas?

3. ¿Cree Ud. que un médico debe cobrar más a sus pacientes ricos que a los pobres? ¿Qué le parece a Ud. la medicina socializada? ¿Cree Ud. que un médico tiene el derecho de negarse a visitar a un paciente muy enfermo si el paciente no puede pagar? En su opinión, ¿tienen los médicos el derecho de declararse en huelga, como hicieron los de Bélgica hace poco?

4. ¿Le gustaría a Ud. seguir la misma carrera o profesión que su padre?

## PART A

### 78. General View of ser and estar

**Ser** and **estar** both mean *to be*. However, these two verbs are widely different in their concepts, and they can never be interchanged without a basic change of meaning. In most cases, they cannot be interchanged at all.

In general, **ser** tells *who* the subject is or *what* it is in its essence. **Estar** usually relates *where* or in what *condition* or *position* the subject is. The following are their principal uses.

### 79. Ser and estar with Adjectives

A. When the verb *to be* joins the subject with an adjective, **ser** is used to represent an essential characteristic or quality; **estar** is used to represent a state or condition or a semblance of being—what the subject looks like, seems like, feels like, tastes like, not what it actually is in essence.

Keep in mind the following nouns: **un ser** (a human being, an essence), **un estado** (a state), **los Estados Unidos** (the United States).

CHART OF THE USES OF *Ser* AND *Estar*

| ser<br>(who, what) | estar<br>(where, how) |
| --- | --- |
| 1. With Adjectives<br>Characteristic, quality | State, condition, semblance of being |
| 2. Subject = noun, pronoun | Location |
| 3. Possession | **Estar** + present participle = progressive tense |
| 4. Origin, material, destination | **Estar** + past participle = resultant state of an action |
| 5. Time of day | |
| 6. Passive voice | |

|  | Ser |  | Estar |
|---|---|---|---|
| **El hielo es frío.** | Ice is cold. | **El café está frío.** | The coffee is cold. |
| **El muchacho es pálido** | The boy is (characteristically) pale. | **El muchacho está pálido.** | The boy is (looks, happens to be) pale. |
| **¡Qué bonita eres!** | How pretty you are! | **¡Qué bonita estás!** | How pretty you look! |
| **Su sobrina es lista.** | His niece is bright (alert). | **Su sobrina está lista.** | His niece is ready. |
| **Mi hijo es bueno (malo).** | My son is good (bad). | **Mi hijo está bueno (malo).** | My son is well—in good condition (ill—in bad condition). |
| **¿Cómo es?** | What is he like? | **¿Cómo está?** | How is he feeling? |
| **Las uvas son verdes.** | The grapes are green (their normal color). | **Las uvas están verdes.** | The grapes are green (unripe). |

*Important*: The common notion that **ser** indicates a permanent situation and **estar** a temporary one is not entirely accurate. Of course, an essential characteristic or quality frequently is permanent, and a state or condition may often be temporary. But this is not necessarily so.

Youth is temporary. Wealth may come and go. Beauty may disappear. Size may change. Yet for the time that they last, they are sufficiently pervading to characterize a being.

| | |
|---|---|
| **Somos jóvenes.** | We are young. |
| **Era pobre.** | He was poor. |
| **Eran muy gordas.** | They used to be very fat. |

Conversely, a state may be fairly permanent: **Está muerto,** he is dead (the resultant *state* of the action of dying). Even the addition of the adverb *always* does not convert a state into a characteristic:

| | |
|---|---|
| **Esa ventana siempre está cerrada.** | That window is always closed. |

B. Age and financial position are regarded as characteristics of a person, and therefore the adjectives **joven, viejo, rico, pobre** normally take **ser**. However, when the speaker wishes to imply that the subject looks, seems, appears, feels (not is) young or old, **estar** is used.

| | |
|---|---|
| **El Sr. Colón es viejo.** | Mr. Colon is old. |
| **Cuando era joven, era muy rico.** | When he was young, he was very rich. |

*But:*

| | |
|---|---|
| **¿Ha visto Ud. al Sr. Colón? Está muy viejo.** | Have you seen Mr. Colon? He looks very old. |

C. **Ser** is used in almost all impersonal expressions.

| | |
|---|---|
| **Es (im)posible.** | It is (im)possible. |
| **Es evidente, importante, necesario, trágico, etc.** | It is evident, important, necessary, tragic, etc. |
| **Es de esperar.** | It is to be hoped. |

## EJERCICIOS

A. Complete las frases siguientes usando **ser** o **estar**:

1. Ayer Luisa _____ muy guapa, ¿verdad? 2. Aunque _____ rico, nunca _____ contento. 3. ¿_____ caliente el café? No, _____ algo frío. 4. Hoy el señor García tiene mala cara; _____ muy viejo. 5. Mis padres _____ jóvenes entonces. 6. ¿Qué le parece la chica? ¿_____ guapa o no? 7. La sala _____ hermosa pero _____ sucia. 8. Desde que llegó a Sevilla, mi madre _____ mala. 9. Tus amiguitos no me gustan nada. _____ muy malos. 10. Su familia _____ muy pobre, su papá _____ enfermo, y por eso siempre _____ preocupado.

B. Diga en español:

1. How is the water today? —It's a little cool. 2. Wood is heavy. The Andes are high. The grass is tall. 3. What is in this trunk? It's very heavy. 4. Nothing. It's a heavy trunk. 5. Johnny was to be here too, but he's sick. 6. You must be very tired. You look pale. Are you hungry? 7. Joan, how slim you look! —I *am* slim! 8. Are you sad or are you angry with me? —No, it's that the book I'm reading is very sad.

## 80. Other Uses of **ser**

A. When *to be* links the subject with a noun or a pronoun

| | |
|---|---|
| **Somos entusiastas del tenis.** | We are tennis fans. |
| **No creo que sea Raúl.** | I don't think it's Ralph. |
| **¿Quién es? —Soy yo.** | Who is it? —It's I. |

B. To state possession

| | |
|---|---|
| **¿De quién es esa casa?** | Whose house is that? |
| **Es (la) mía.** | It is mine. |
| **Y ésta es (la) de mis suegros.** | And this one is my in-laws'. |

C. To indicate origin (the place from which the subject comes), material or destination

| | |
|---|---|
| **¿De dónde es? —Será de otro planeta.** | Where is he from? —He must be from another planet. |
| **Las paredes son de vidrio y el techo es de aluminio.** | The walls are (made of) glass and the roof is (made of) aluminum. |
| **El nuevo televisor es para mi cuarto.** | The new television set is for my room. |
| **Esta corbata es para Ud.** | This tie is for you. |

D. To express time of day

| | |
|---|---|
| **¿Qué hora es?** | What time is it? |
| **Es la una en punto.** | It is exactly one o'clock. |
| **Eran las tres y media.** | It was 3:30.[1] |
| **Serán las cinco menos cuarto.** | It is probably (or about) a quarter to five. |

Note that the verb is always plural, except when the hour is one o'clock.

E. To form the passive voice

**Ser** + past participle + **por** is used when the action of the verb is done to the subject by someone or something (cf. **139**).

| | |
|---|---|
| **Fue atropellado por un coche.** | He was hit by a car. |
| **La cosecha será destruida por la sequía.** | The crop will be destroyed by the drought. |

EJERCICIOS

A. Cambie:
1. Esas cajas son de **hierro.**
   (aluminio, acero, cobre, plata, oro, madera, vidrio)
2. No **es** la una y media. **Son** las dos.
   (será, era, sería)
3. Esta **camisa** será para ti.
   (traje, chaqueta, sombrero, zapatos, calcetines, medias)

[1] Recall that the imperfect is used to express time in the past.

B. Conteste en español:

1. ¿De dónde es su familia? 2. ¿De dónde eran sus abuelos? 3. ¿De qué es su casa? 4. ¿De qué serán los muebles de esta sala? 5. ¿De quién es la casa en que vive Ud.? 6. ¿De quién es el coche que usa Ud.? 7. ¿De qué color es su alcoba?

C. Traduzca al español:

1. Who is the lucky man? 2. This is a magnificent painting. 3. The fire was put out by the firemen. 4. Whose books are these? —They are my brother's. 5. Where is Mr. Campos from? —He is from Galicia. 6. What's that? —It's your supper, dear. 7. He was to come at half-past three. —Well, it's already 4:15. 8. According to my watch, it is twenty-five to five. 9. I thought the ring was for me, but he gave it to his wife. —He's a cad!

## 81. Other Uses of estar

A. To indicate location (where the subject *is*, not where he *came from*)

| | |
|---|---|
| **¿Dónde está tu novia?** | Where is your girlfriend? |
| **Está aquí conmigo.** | She is here with me. |
| **Sus padres están de vacaciones en Méjico.** | His parents are on vacation in Mexico. |

B. With the present participle, to form the progressive tense

**Estar** + present participle is frequently used to describe an action more graphically in its progress at a given moment[2] (cf. **179**A).

| | |
|---|---|
| **Estábamos discutiéndolo cuando entró.** | We were discussing it when he came in. |
| **El tenor está cantando ahora mismo.** | The tenor is singing right now. |
| **Ha estado trabajando todo el día.** | He has been working all day. |

Important: Note that **ser** is NEVER followed by a present participle.

C. With the past participle, to describe the resultant state of an action

Note that if the idea *already* can be inserted before the past participle, **estar** is normally indicated.

[2] **Estar** + present participle is not used with **ir** and **venir**:
I am going.    **Voy.**

| | |
|---|---|
| **Están sentados a la mesa.** | They are seated at the table. |
| **La puerta estaba abierta.** | The door was open. |
| **El libro está bien escrito.** | The book is well written. |
| **Este teatro no estaba construido cuando salí de Lima.** | This theater was not built when I left Lima. |
| **Está muerto.** | He is dead. |

## EJERCICIOS

A. Cambie:

    1. He estado **cocinando** toda la tarde.
       (comer, trabajar, estudiar, prepararlos, discutirlo)
    2. Estaban bailando cuando se apagaron las luces.
       (Las gitanas, Mi novia y yo, La artista)
    3. **El niño** estaba dormido.
       (Nosotras, Todos, ¿Tú...?, ¿Vosotros...?, ¿Uds...?)
    4. ¿Están **cerradas** las ventanas?
       (abrir, hacer, romper, lavar)

B. Diga en español:

    1. The poet is from Soria, but he is here now. 2. He is visiting some relatives. 3. Where, oh where, can my husband's pen be? 4. I think it's lost —Don't say that. Oh, here it is. 5. Who is going to play that role? —I hope it's not Carmen. 6. The museum was closed when we arrived. 7. He'll be dead when they find him. 8. She said that she would try to be there on time.

## 82. *To be* in Expressions of Weather

A. Weather expressions that refer to phenomena that are *felt* (temperature, wind, etc.) use **hacer.**

| | |
|---|---|
| **Hace frío hoy. Pero mañana hará calor.** | It is cold today. But tomorrow it will be warm. |
| **Hacía mucho viento cuando salimos.** | It was very windy when we went out. |
| **Hace mucho sol.** | It is (feels) very sunny. |

Recall that a person's reaction to temperature requires the verb **tener.**

| | |
|---|---|
| **Tengo frío (calor).** | I am cold (warm). |

B. Weather expressions that refer to phenomena that are *seen* use **haber.**

| | |
|---|---|
| **Hay mucho sol.** | It is very sunny. (The sun is out brightly.) |
| **Hay luna.** | The moon is out. |
| **Hay mucho polvo (lodo) hoy.** | It is very dusty (muddy) today. |

## EJERCICIO

Conteste en español:

1. ¿Qué tiempo hace hoy? 2. ¿Qué tiempo hizo ayer? 3. ¿En qué estaciones del año hace más calor? 4. ¿En qué estaciones hace fresco o frío? 5. ¿Dónde hace calor todo el año? 6. ¿Dónde hace mucho frío siempre? 7. ¿Qué ropa lleva Ud. cuando hace mucho frío? 8. ¿Y cuando hace calor? 9. ¿Qué comemos cuando hace calor? 10. ¿Y qué tomamos cuando hace frío?

## EJERCICIO DE REPASO

1. It took him (**tardar... en**) three hours to return to Paris, and when he arrived it was 6 P.M.
2. I have been calling him for an hour, but the line is always busy.
3. He said that he would be there when he felt a little better.
4. His car was parked on the other side, so the policeman gave him a ticket.
5. The patient, who was quite (**bastante**) young, was on the verge of losing consciousness.
6. The doctor was from the south of France. He was considered the greatest specialist in this field.
7. For eight hours the grafted leg was in danger, but the danger was finally overcome.
8. This is really a miracle. You know, the leg had been entirely cut off.
9. Dr. Verdoux is now convinced that the operation can be repeated.
10. No, the doctor did not call you last night. It was I.

## REPASO DE VERBOS

Estudie todos los tiempos del indicativo y subjuntivo de **ser** y **estar.**

# PART B

**83.** The Psychology of **ser** and **estar** Used with Adjectives

A. The difference between **ser** and **estar,** when used with the same adjective, is often of a rather subtle nature, but is none the less important in its implication. In addition to the usual connotations of these verbs, **ser** may be said to indicate the normal, or objective attribute of the adjective, and **estar,** a subjective evaluation.

| | |
|---|---|
| **La sopa es rica.** | The soup is rich. (It is full of rich ingredients.) |
| **La sopa está rica.** | The soup is delicious. (It tastes rich.) |
| **Toñuelo es muy alto.** | Tony is very tall. (The speaker is making an objective statement about his size.) |
| **Toñuelo está muy alto.** | Tony is very tall. (Here the speaker is describing Tony's height at a particular time, with the implication that Tony is still in the process of growing up.) |
| **Estos zapatos son grandes.** | These shoes are large. |
| **Estos zapatos me están grandes.** | These shoes are too large for me. (They may be small shoes, but my foot is smaller.) |

B. Consider the difference implicit in the use of **ser** and **estar** with the various adjectives that mean *happy*.

1. **Feliz** refers to true happiness. It expresses an essential aspect of one's life rather than an emotional state. Therefore, it is most frequently used with **ser.**

| | |
|---|---|
| **Los habitantes de este pueblo son muy felices.** | The inhabitants of this town are very happy. |
| **¿Quién es verdaderamente feliz?** | Who is really happy? |

**Estar feliz** is synonymous with **estar contento.**

2. **Alegre** means *gay, joyful.* **Ser alegre** means *to be jovial, to be of a gay disposition.*

| | |
|---|---|
| **Ese Pablo es muy alegre, pero creo que no es feliz.** | That Paul is a jovial fellow, but I think he isn't happy. |

**Estar alegre** means *to be in a gay mood.*

| | |
|---|---|
| **Todos estuvimos muy alegres esa noche.** | We all were very gay that night. |

3. **Contento** means *pleased, satisfied,* and is used with **estar.**

| | |
|---|---|
| **No estoy nada contenta de su actitud.** | I am not at all pleased with his attitude. |

4. **Contentadizo** means *easily pleased*. Since it generally describes a person's characteristic disposition, it usually takes **ser.** The negative **descontentadizo** (malcontent, hard to please) is very frequent, and of course, follows the normal principle of usage.

| | |
|---|---|
| **No te quejes tanto.** | Don't complain so much. |
| **Eres muy descontentadizo.** | You are very hard to please (a malcontent). |

*But:*

| | |
|---|---|
| **¿Qué pasa hoy?** | What's the matter today? |
| **Estás muy descontentadizo.** | You seem very grouchy. |

C. The adjective **loco** (crazy) is more commonly used with **estar,** since it is viewed as expressing a state of mind rather than an inherent characteristic.

| | |
|---|---|
| **Está loco; no sabe lo que dice.** | He's mad; he doesn't know what he is saying. |

When **loco** is used with **ser,** it means *a madman.*

| | |
|---|---|
| **Lo han llevado al manicomio, porque es loco.** | They have taken him to the asylum, because he is mad (a madman). |

D. A few past principles may be use adjectivally with either **ser** or **estar.** Even though the English translation is the same, there is an implicit difference in meaning.

| | |
|---|---|
| **Estamos casados.** | We are married. (This is our status.) |
| **Somos casados.** | We are married (people). We are man and wife. |

**84.** Other Uses of **ser**

A. **Ser** is used when *to be* means *to take place.*

| | |
|---|---|
| **¿Dónde es la conferencia?** | Where is the lecture? (Where does the lecture take place?) |
| **¿Cuándo es el concierto?** | When is the concert? |
| **La escena es en Madrid.** | The scene is in Madrid. |

B. **Ser** and location

Occasionally, **ser** is used in sentences involving location when the place or site is really the implied predicate noun.

| | |
|---|---|
| **Aquí es donde vivo.** | Here is (the place) where I live. |
| **Nuestra casa es en Barcelona.** | Our home is (in) Barcelona. |
| | (Barcelona is the site of our home.) |

C. **Ser** is frequently found with the past participle **nacido** (born) in colloquial speech, particularly Spanish America.

| | |
|---|---|
| **Soy nacido en Panamá.** | I was born in Panama. (I am a native of Panama.) |

**Nací en Panamá** is more correct grammatically.

## 85. Other Uses of estar

A. To indicate the fit of clothing

| | |
|---|---|
| **Estos zapatos me están muy grandes.** | These shoes are (too) big for me. |
| **El abrigo te está muy ajustado.** | The overcoat is too tight for you. |

Notice the subjective evaluation implicit in this usage.

B. To express one's stand on an issue

| | |
|---|---|
| **Estoy contra la pena de muerte.** | I am against capital punishment. |
| **Están por ir.** | They are for (in favor of) going. |

C. **Estar para** means *to be about to.*

| | |
|---|---|
| **Estábamos para salir cuando llamaron.** | We were about to leave when they called. |

## 86. Quedar as a Substitute for estar

A. To describe the resultant state of an action

**Quedar,** which means *to remain,* lends a somewhat more graphic force to the resultant state.

| | |
|---|---|
| **Quedé muy sorprendido al oírlo.** | I was very surprised to hear it. |
| **El pobre quedó como aplastado.** | The poor fellow was quite dismayed. |

| | |
|---|---|
| A consecuencia del combate, quedaron[3] heridos dos policías. | As a result of the fight, two policemen were wounded. |
| Ud. queda encargado del proyecto. | You are in charge of the project. |

B. To indicate the fit or appearance of clothing

| | |
|---|---|
| Me queda un poco grande la falda. | The skirt is a little big on me. |
| Le queda bien ese traje. | That suit looks good on you. |

C. To denote location

| | |
|---|---|
| ¿Dónde queda la estación? | Where is the station? |

**87.** Changes of Meaning with **ser** and **estar**

Aside from the difference of implication that always exists when the same adjective is used with **ser** or **estar,** there is very often an essential difference in translation as well. (Recall **bueno, malo, listo, verde** as illustrated in **79.**) The following are other important adjectives that also show marked differences in translation when used with **ser** or **estar.**

A. **Estar enfermo** means *to be sick.* **Ser enfermo** or **enfermizo** means *to be an invalid* or *to be sickly.*

| | |
|---|---|
| El pobre Ramón siempre está enfermo. —Sí, es algo enfermizo. | Poor Raymond is always sick. —Yes, he is rather sickly. |

B. **Estar cansado** means *to be tired.* **Ser cansado** means *to be tiresome.*

| | |
|---|---|
| ¡Qué cansada estoy! | How tired I am! |
| ¡Qué cansado es ese profesor! | How tiresome that professor is! |

C. **Estar aburrido** means *to be bored.* **Ser aburrido** means *to be boring.*

| | |
|---|---|
| ¿Está aburrido? —Hasta más no poder. El libro es muy aburrido. | Are you bored? —Terribly. The book is very boring. |

D. **Estar seguro** means *to be certain, sure, positive* (one's state of mind), or *to be safe* (out of danger).

---

[3] In Spanish newspaper and radio reporting, **resultar** is most often used to describe the result of an accident: **En el accidente resultaron heridas tres personas.** Three people were injured in the accident.

| | |
|---|---|
| **Estoy seguro de que me vio.** | I am sure that he saw me. |
| **No te preocupes. Tu hijo está seguro.** | Don't worry your son is safe. |

**Ser seguro** means *to be a certainty* or *to be safe* (not dangerous), *trustworthy*, *reliable*, *accurate* (as an object, a method, etc.).

| | |
|---|---|
| **Eso es absolutamente seguro.** | That is absolutely certain (an absolute certainty). |
| **No te preocupes. La máquina es segura.** | Don't worry. The machine is safe. |

**88.** Other Translations of *to be*

A. **Hallarse** and **encontrarse** frequently are used with the meaning *to be (in a certain place or situation)*. By their very meaning, they place a subtle emphasis on the temporary, chance, or unexpected nature of the situation. Although the two verbs are synonymous, **hallarse** is more frequent in current usage.

| | |
|---|---|
| **Se hallaban entonces en Buenos Aires.** | They were (happened to be) in Buenos Aires at that time. |
| **A veces, me hallo sin palabras.** | At times, I am (find myself) at a loss for words. |

B. **Verse** means *to be in a certain position* or *situation*. It stresses the person's awareness of his situation or his conviction about a course of action.

| | |
|---|---|
| **Me veo obligado a decirles...** | I am obliged to tell you . . . |

EJERCICIOS

I. Tradúzcase al español.

Spain is a country of many geographical regions. Its surface is furrowed by many rivers. One could (**pudiera**) almost say that it is many countries in one. The Castilian plateau, which is situated in the center of Spain, is high and arid; its soil is often of a reddish color; its winters are cold and its summers hot. Some of the Castilian plains, like La Mancha, are like deserts, others are sparsely covered with (**de**) shrubs and trees that never seem to have enough water. The character and behavior of the Castilians reflect the severity of the land and the climate. They are grave and austere and very hardworking.

The former province of Andalusia, in the south of the country, is more fertile than Castile, and its olive trees, which are planted on much (**gran parte**) of its soil, are one of its salient features. Andalusians are generally lively and gay and have a reputation for being great talkers (**tienen fama de habladores**). There is also much fertile soil in the region of Valencia on the Mediterranean coast, which produces the famous Valencian oranges. Catalonia, to the north of Valencia, is the most industrialized section of the country, and its capital, Barcelona, is the most important city in Spain from the economic point of view.

On the slopes of the formidable Pyrenees Mountains (**Montes Pirineos**) to the northwest are huddled the picturesque villages of the old province of Navarre. The Basque provinces (**Provincias Vascongadas**) to the west of Navarre have green mountains and valleys and a rainy climate. Their inhabitants still speak the mysterious and old Basque language (**vascuence,** *m.*) and are known for their love of independence. There are other sections, such as Aragon, Asturias, and Galicia, each one with its geographical and cultural characteristics and its own history.

II. Composicióno
   1. Una descripción de mi pueblo o vecindad
   2. Las distintas regiones de los Estados Unidos: sus rasgos salientes y su historia
   3. Una vista inolvidable
   4. Una viñeta íntima

# THE ARTICLES

||||||||||||||||||||||||||||||||||||||||||||||||||||||||||||||||||||||||||||||||||||||||||||||||||

Adaptado de

**PUEBLO**

Madrid, 26 de abril de 1963

## El Fraile Se Ha Hecho Torero

Este hombre de ojos brillantes, que está sentado frente a mí se llama Enrique Moreno, pero hasta hace poco se llamó fray Gerardo de las Palmas y fue fraile antes de ser torero. Enrique Moreno tuvo que dejar los hábitos de capuchino porque la misma llamarada de la vocación que tuvo para hacerse fraile, la ha sentido ahora para hacerse torero. La vida da unos saltos tremendos. Al igual que en las novelas hay un torero que se corta la coleta para hacerse monje, aquí, en la vida real —que no hay novela más grande que la vida misma— hay un hombre que fue fraile y que va a vestirse el traje de luces muy pronto.

Nació en Las Palmas de Gran Canaria. Sólo tenía en el mundo del toro un antecedente, su abuelo César Moreno, que había sido apoderado de Rafael el Gallo y que le había contado la historia del viejo, único y excepcional Rafael, el del sombrero alto, las puntas de brillantes en la camisa y la pañoleta de seda sobre el cuello.

Enrique Moreno sintió pronto la llamarada del toro en la sangre. Toreó mucho de muchacho hasta que un día le vino a las manos un libro con la vida de San Francisco de Asís. Y nuestro hombre, de la noche a la mañana, cambió los alamares por el pardo sayal de capuchino. Pasó ocho años en el convento, hasta que no pudo más. Un día salió a la calle, ya de paisano, con pantalón, el brillo en los ojos, afeitada la barba, un poco temeroso de lo que iba a hacer, pero dispuesto a todo. El día 1° de mayo, si Dios quiere, aquel fray Gerardo de las Palmas saldrá a torear de nuevo. El domingo eligió él mismo los toros que habrá de torear. Y pidió los más grandes y los de más cuerna.

Enrique Moreno ha pensado mucho en lo que quiere hacer. Quiere torear para ganar dinero que dar a la gente que lo necesite. Torear para remediar en algo a la gente que ha visto en los hospitales, o a la puerta misma del convento, pidiendo limosna, a la gente que tiene hambre, a la que no tiene trabajo, a la que va por el mundo con el saco de la tristeza a las espaldas. "Sólo para ellos y nada más que para ellos".

El hombre está triste a veces, contento en ocasiones. Pero siempre veo en sus ojos esa llama de algo que no sé comprender ni escribir. ¿La vocación? ¡Quién sabe! Que a Dios se le sirve de muchas formas. Y más vale torero bueno que fraile malo.

## PREGUNTAS

1. ¿Qué fue Enrique Moreno antes de ser torero?
2. ¿Por qué tuvo que dejar los hábitos de capuchino?
3. ¿Cuál fue su único antecedente en el mundo del toro?
4. ¿Cómo vestía el gran torero Rafael el Gallo?
5. ¿Qué hizo Enrique de muchacho?
6. ¿Por qué decidió hacerse monje?
7. ¿Cuántos años pasó en el convento?
8. ¿Cómo salió un día a la calle?
9. ¿Qué toros escogió para su estreno en la corrida?
10. ¿Qué piensa hacer con el dinero que gane?

## CONVERSACIÓN

1. ¿Qué piensa Ud. de Enrique Moreno? ¿Cree Ud. que hizo bien o mal al dejar el convento? En su opinión, ¿ha cometido un pecado?
2. ¿Le interesa a Ud. la corrida de toros? ¿Ha visto Ud. alguna vez una corrida? ¿Dónde? ¿Le gustó? ¿Cree que sería popular en los Estados Unidos?
3. ¿Para qué profesión u oficio se prepara Ud.? ¿Por qué ha escogido Ud. esa carrera? Si descubre más tarde que no le interesa ya, ¿tendrá valor para cambiar a otro oficio? ¿Y si tiene familia? ¿Qué carrera sigue su padre? ¿Cuándo la emprendió? ¿Le gusta todavía? ¿Cómo la escogió?

## PART A

**89.** The Definite Article

These are the forms of the definite article:

| | | | |
|---|---|---|---|
| **el soldado** | the soldier | **los estudiantes** | the students |
| **la clase** | the class | **las señoras** | the ladies |

A. The article **el** is used before a feminine singular noun that begins with a stressed **a** or **ha.**

| | | | |
|---|---|---|---|
| **el alma** | the soul | **el ala** | the wing |
| **el agua** | the water | **el hambre** | hunger |

*But:*

**las aguas** the waters

B. Contractions

**A** + **el** is contracted to **al; de** + **el** becomes **del.**

| | |
|---|---|
| **Vamos al museo.** | Let's go to the museum. |
| **La firma del Sr. Alas...** | Mr. Alas' firm . . . |

C. The definite article is generally repeated before each noun.

| | |
|---|---|
| **la pluma y el lápiz** | the pen and pencil |

D. When a plural noun refers to both masculine and feminine beings or things, the *masculine* plural article is used.

| | |
|---|---|
| **los hermanos de Estelita** | Stella's brothers and sisters |
| **los hijos de Pérez** | the children, the sons and daughters of Pérez |

E. The neuter article is used primarily before adjectives. It never appears before a noun.

| | |
|---|---|
| **Lo malo es...** | The bad part is . . . |
| **Esto es lo mejor que puedo hacer.** | This is the best that I can do. |

EJERCICIOS

A. Cambie:

1. No me gusta **el agua.**
   (aguas minerales, arma de fuego, armas de fuego)
2. El pajarito se lastimó **el ala.**
   (alas, pico, cabecita, ojo derecho, dos ojos)
3. Mañana iremos a la **feria.**
   (estadio, clases, universidad, concierto, juegos olímpicos)
4. ¿Han llegado noticias del **frente**?
   (capitán, misioneros, jefe, patrona)
5. Lo **mejor** sería esperar.
   (peor, más difícil, más indicado, más fácil)

B. Traduzca al español:

1. Let's go to the hotel. —I prefer that we go first to Mr. Encina's house.
2. Hunger is the most serious problem of humanity. 3. The poor (fellow) fell into the water. 4. The waters had reached a dangerous point for the inhabitants of the village.

**90.** Special Uses of the Definite Article

Aside from its normal use, as in English, to designate a specific noun (*the* bread that I bought—**el pan que compré;** *the* house we live in—**la casa en que vivimos**), the definite article in Spanish has certain important functions that it does NOT have in English. It is used most frequently as follows:

A. With all titles, except **don** and **Santo,** when speaking *about* (not *to*) a person

| | |
|---|---|
| **El presidente Kennedy fue asesinado en 1963.** | President Kennedy was assassinated in 1963. |
| **El señor Ramos quiere hablar con Ud.** | Mr. Ramos wants to speak with you. |

*But:*

| | |
|---|---|
| **Adiós, señor Chips.** | Goodby, Mr. Chips. |
| **Don Juan fue un amante trágico.** | Don Juan was a tragic lover. |
| **San Francisco** | Saint Francis |

B. With nouns used in a general or abstract sense

| | |
|---|---|
| **El pan es el sostén de la vida.** | Bread is the staff of life. |
| **La historia se repite.** | History repeats itself. |
| **Las mujeres gastan más dinero que los hombres.** | Women spend more money than men. |

Notice especially that the definite article is NOT used when the partitive idea of *some* or *any* is implied.

| | |
|---|---|
| **Déme dinero para pan.** | Give me (some) money for (some) bread. |
| **No tuvieron tiempo.** | They didn't have (any) time. |

C. With days of the week and seasons of the year (except after **ser**), and with dates of the month

| | |
|---|---|
| **El otoño es hermosísimo en el norte.** | Fall is beautiful in the North. |
| **La tienda está cerrada los miércoles.**[1] | The store is closed on Wednesdays. |
| **Saldremos el diez y seis.**[1] | We shall leave on the 16th. |

*But:*

| | |
|---|---|
| **Hoy es martes.** | Today is Tuesday. |

### D. With the time of day

| | |
|---|---|
| **Son las dos.** | It is two o'clock. |
| **Eran las siete y cuarto.** | It was 7:15. |

E. With the names of languages, except after **en** or **de,** or immediately after the verb **hablar**

| | |
|---|---|
| **El español no es difícil.** | Spanish is not difficult. |
| **El alemán lo es.** | German is. |
| **¿Habla bien**[2] **el francés?** | Does he speak French well? |

*But:*

| | |
|---|---|
| **Un libro en español...** | A Spanish book . . . |
| **Nuestro profesor de latín...** | Our Latin professor . . . |
| **¡Cómo! ¿Uds. no hablan japonés?** | What! You don't speak Japanese? |

After the verbs **comprender, estudiar, aprender, leer, oír, saber,** and **escribir,** the article may be used or omitted.

F. With parts of the body and articles of clothing, in place of a possessive adjective

| | |
|---|---|
| **Metió la mano en el cajón.** | He put his hand in the drawer. |
| **Ponte la camisa blanca.** | Put on your white shirt. |
| **Se quitarán Uds. el sombrero ante una señora.** | You will take your hats off before a lady. |

Note in the last sentence above, since each person is taking off *one* hat, the singular must be used.

---

[1] Spanish does not use any preposition to translate the English *on* when referring to days or dates.

[2] When any word other than the subject pronoun intervenes between **hablar** and the name of the language, the article is used.

G. With the names of certain countries

   1. These are the most frequently used names that include the article. The article is disappearing, however, in newspaper and colloquial use.

   | | |
   |---|---|
   | **(los) Estados Unidos** the United States | |
   | **(el) Canadá** | **(el) Japón** |
   | **(el) Perú** | **(la) China** |
   | **(el) Paraguay** | **(el) Uruguay** |
   | **(el) Ecuador** | **(el) Brasil** |
   | **(la) Argentina** | **(la) Gran Bretaña** |

   2. The article is used with the names of all countries when that name is modified by an adjective or a phrase.

   | | |
   |---|---|
   | **la Inglaterra isabelina** | Elizabethan England |
   | **la España septentrional** | Northern Spain |
   | **la Europa del siglo doce** | twelfth-century Europe |

H. When a noun is omitted

   1. The article plus **de** means *the one(s) of* or *with*. Frequently it is translated in English as *that* or *those of* or *with*. (Recall the pseudo-demonstrative, **57.**)

   | | |
   |---|---|
   | **Nuestra clase y las de 1960 y 1961...** | Our class and those of 1960 and 1961 . . . |
   | **¿Ve Ud. a aquel hombre —el del pelo rojo?** | Do you see that man—the one with the red hair? |

   It also stands in place of a noun that is modified by a possessive. The article serves to avoid repetition of the noun.

   | | |
   |---|---|
   | **Mi abrigo y el de Diego son idénticos.** | My coat and Jim's (coat) are identical. |
   | **Nuestra casa y la de mis padres...** | Our house and my parents' . . . |

   2. The article plus **que** means *he who*, *the one(s) who* or *those who*.

   | | |
   |---|---|
   | **El que me lo vendió ha desaparecido.** | The one who sold it to me has disappeared. |

I. With an infinitive to form a noun

| | |
|---|---|
| **Nos despertó el ladrar del perro.** | The dog's barking woke us. |
| **¿A quién no le gusta el bailar de los gitanos?** | Who doesn't like the dancing of the gypsies? |

EJERCICIOS

A. Póngase la forma apropiada del artículo definido siempre que sea necesario:
1. Tanto en _____ latín como en _____ alemán se declinan _____ sustantivos. 2. Me parece que _____ francés es más difícil que _____ español.
3. Se tarda muchos años en hablar bien _____ ruso. 4. Estuve en _____
Corea del Sur _____ año pasado, pero no aprendí _____ idioma.
5. Siempre viajo en _____ verano y me gustan mucho _____ vacaciones.
6. Hoy es _____ martes, _____ quince de abril. 7. Volverán a vernos
_____ lunes a _____ una en punto. 8. Esperamos que nuestra tertulia
resulte tan agradable como _____ de hoy. 9. _____ más interesante de
estas reuniones es que se conoce a gente de otros países. 10. ¿Es tarde ya?
—Sí, serán _____ diez.

B. Conteste en español:
1. ¿Qué naciones integran la Organización de los Estados Americanos?
2. ¿Qué país de Hispanoamérica le interesa más? 3. ¿Qué país europeo
conoce Ud. mejor? 4. ¿Ha hecho Ud. alguna vez un viaje fuera de los
Estados Unidos? ¿Adónde fue? 5. ¿Cuáles son las lenguas principales de
Europa? ¿Y del Extremo Oriente? 6. ¿Cree Ud. que se puede vivir
feliz sin dinero? 7. En su opinión, ¿es verdad que la historia se repite?
8. ¿Qué estación del año le gusta más? ¿Por qué? 9. ¿Qué día es hoy?
¿Qué hora será? 10. ¿Cuándo terminarán las clases este semestre?

C. Diga en español:
1. Money is the root of all evil. 2. The watch that you gave me doesn't
work. 3. Gold is worth more than silver. 4. Friendship is worth more than
both. 5. Is the book written in English? 6. Will you wait a moment, Mr.
Masa? Dr. Vásquez is busy. 7. Have courage and faith. Life is good.
8. That one is my sister—the one with (**de**) the blue skirt and the red
eyes. 9. May I (**Puedo**) put on the new shoes? 10. Come on Sunday at
half past nine. 11. Where were you on June tenth at a quarter to seven?

**91.** The Indefinite Article:

These are the forms of the indefinite article

| | | | |
|---|---|---|---|
| **un joven** | a young man | **unos lápices** | some (a few) pencils |
| **una calle** | a street | **unas monedas** | some (a few) coins |

A. **Un** may be used before a feminine noun that begins with a
stressed **a** or **ha.** If the first syllable is not stressed, the normal feminine
article remains.

| | | |
|---|---|---|
| **un ala** | a wing | **un hambre feroz** | terrific hunger |

*But:*

| | |
|---|---|
| **una hacienda** | **una artista** |

B. **Unos** means *several*, *a few*, or *about* (in the sense of *approximately*). Normally, however, the idea of *some* or *any* is conveyed by omitting the article.

| | |
|---|---|
| **¿Tiene Ud. dinero?** | Do you have any (some) money? |
| **Mi hermana tiene unos veinte galanes.** | My sister has about twenty boy-friends. |

**92.** Omission of the Indefinite Article

In Spanish, the indefinite article is NOT used in certain cases in which it does appear in English. It is generally omitted under the following circumstances:

A. After **ser,** with an unmodified noun of profession, occupation, religion, nationality, or political party

| | |
|---|---|
| **Su padre es polaco.** | His father is a Pole. |
| **Es profesor de lenguas extranjeras.** | He is a professor of languages. |

BUT when the noun is modified, the article is generally used.

| | |
|---|---|
| **Es un violinista excelente.** | He is an excellent violinist. |

B. With personal effects, when the numerical concept of *a, an* (*one*) is deëmphasized

| | |
|---|---|
| **Salió sin sombrero.** | He went out without a hat. |
| **Hoy no voy a llevar chaqueta.** | Today I am not going to wear a jacket. |
| **Ella escribe mal con lápiz, mucho mejor con pluma.** | She writes badly with a pencil, much better with a pen. |

C. With **otro** (another), **tal** (such a), **cien(to)** (a hundred), **mil** (a thousand), **cierto** (a certain), and **¡qué!** (what a!)

| | |
|---|---|
| **Ahora tenemos que buscar otro.** | Now we have to look for another one. |
| **Te lo he advertido cien veces.** | I have warned you a hundred times. |
| **¡Qué tonto!** | What a fool! |

EJERCICIOS

A. Póngase la forma apropiada del artículo indefinido siempre que sea posible:

1. No puedo escribir sin _____ pluma. 2. Eso no se debe hacer con _____ lápiz. 3. Mi novio es _____ abogado. 4. Es _____ abogado

muy conocido. 5. ¿Podría Ud. darme _____ fósforos? 6. Le tuve que prestar _____ otros cinco dólares. 7. No salgas hoy sin _____ bufanda. 8. Gana _____ mil pesetas semanales.

B. Conteste en español:

1. ¿Piensa Ud. seguir la misma carrera que su padre o sus hermanos? ¿Qué son ellos? ¿Qué piensa Ud. ser algún día? 2. ¿Lleva Ud. chaqueta casi todos los días? 3. ¿Cree Ud. que un caballero siempre debe llevar corbata, a menos que esté jugando a los deportes? 4. ¿Cree Ud. que una señora debe llevar sombrero y guantes cuando va a la ciudad? ¿Y medias?

## EJERCICIO DE REPASO

1. Before becoming a Spanish professor, I was a bullfighter. —Ole!
2. Nowadays soccer is more popular in Spain than bullfighting.
3. Before he decided to become a monk, he had been a famous singer.
4. Tell him not to leave the house until he shaves off his beard.
5. They spoke no Spanish, though they had been living in Spain for six months.
6. Did you notice the young man dressed as (**de**) a bullfighter and the other one with the red hair and the guitar?
7. He said that he would give the money that he'd earn to those who needed it.
8. If they are good, bullfighters can earn a great deal of money, but they often die in the ring.
9. He really didn't want to fight (**torear**) any more, but pride forced him to show the public that he wasn't afraid.
10. A good bullfighter is better than a bad friar, he kept repeating a hundred, a thousand times. Do you think he regrets it now?

## REPASO DE VERBOS

Estudie los verbos **dar** y **decir,** y después diga en español:

I gave it to him. They told us (it). If only he would tell the truth! You (**vosotros**) used to say that. Give them to me. (**Ud., Uds., tú, vosotros**). Don't give them to her. (**Ud., Uds., tú, vosotros**). Let's tell them (it) now. Let's not tell them.

# PART B

**93.** Feminine Forms of Nouns Referring to Professions

In recent years, women have begun to enter professions to which they formerly did not belong. The Spanish language recognizes this by adding feminine forms to nouns which used to have only the masculine.

A. Nouns ending in **-ista** indicate gender by the article.

the newspaperwoman   **la periodista**
the psychiatrist **la alienista**

B. Some nouns ending in **-o** or **-e** have new feminine forms ending in **-a**.

| | | | |
|---|---|---|---|
| **la estudianta** | the student | **la médica** | the doctor |
| **la arquitecta** | the architect | **la cirujana** | the surgeon |
| **la abogada** | the lawyer | **la ingeniera** | the engineer |

C. Traditionally, a man's wife may be called by a feminine form of his occupational name.

**la alcaldesa**   the mayor's wife
**la generala**   the general's wife

**94.** The Neuter Article **lo**

A. With adjectives and adverbs

1. **Lo** may be used with an adjective to create an abstract noun.

**Lo hermoso no es siempre lo mejor.**   The beautiful is not always the best.

2. It may translate *how*, indicating degree or extent. It is used with both adjectives and adverbs in this sense.

**No se daba cuenta de lo cansados que estaban.**   He didn't realize how tired they were.
**Me maravillaba de lo bien que cantaba.**   I was amazed at how well he sang.

The indirect exclamation **qué** may substitute for **lo... que** in this construction.

3. **Lo** appears in many common idiomatic expressions.

| | |
|---|---|
| **por lo tanto** | therefore |
| **por lo visto** | apparently |
| **a lo lejos** | in the distance |
| **por lo pronto** | for the time being |
| **a lo mejor** | maybe, for all we know |
| **por lo general** | as a general rule |

B. With **de**

**Lo de** means *the matter of, the incident about, the story of,* etc.

| | |
|---|---|
| **¿Qué pasó ayer? —Lo de siempre.** | What happened yesterday? — The same old story. |
| **Acabo de contarle lo de mi tía.** | I have just told him the incident about my aunt. |

**95.** The Definite Article with Nouns in Apposition

The definite article may be used or omitted before a noun in apposition. However, a slight difference of meaning results from the presence or absence of the article. English frequently follows the same usage.

| | |
|---|---|
| **Carlos Montoya, guitarrista** | Carlos Montoya, (a) guitarrist |
| **Carlos Montoya, el guitarrista** | Carlos Montoya, the guitarrist |
| **Madrid, capital de España** | Madrid, (the) capital of Spain |
| **Madrid, la capital de España** | |

In the first example of each group, the absence of the article gives the clause in apposition an explanatory nature, and intimates that the fact is not presumed to be universally known. In the second examples, the presence of the article implies that the fact is presumed to be well known.

**96.** Omission of the Definite Article

A. With nouns in a series

1. In a series of general or abstract nouns taken as a group, the definite article is often omitted.

| | |
|---|---|
| **¡Libertad, fraternidad, igualdad!** | Liberty, fraternity, equality! |
| **Naturaleza, hombres, animales, todo estaba dormido.** | Nature, men, animals, everything was asleep. |

This occurs especially in titles of books.

*Guerra y paz*   *War and Peace*
*Sangre y arena*   *Blood and Sand*

2. Less frequently, the article is omitted in a series of specific nouns.

| | |
|---|---|
| **Le dolían brazos, piernas y dientes.** | His arms, legs, and teeth hurt. |

3. When a series of nouns refers to one unit of activity or being, it is common to omit all but the first definite article.

| | |
|---|---|
| **Los servicios, programas y actividades de esta organización...** | The services, programs, and activities of this organization ... |
| **La casa y finca de mi vecino han sido vendidas.** | My neighbor's house and land (considered as a unit) have been sold. |

*But:*

| | |
|---|---|
| **La casa y la finca de mi vecino...** | My neighbor's house and his land (two separate units) ... |

B. Omission in idiomatic usage

In a number of idioms, the definite article is omitted. The noun in such cases is generally used in a figurative, rather than a literal sense.

| | |
|---|---|
| **Espero que en adelante pueda levantar cabeza.** | I hope that from now on he will be able to raise his head (gain respect in society). |
| **El joven decidió correr mundo.** | The boy decided to see the world (travel about). |

With the time of day, it is often omitted after **de** and **a** when referring to the duration of an event.

| | |
|---|---|
| **Mi clase es de una a dos.** | My class is from one to two. |

**97.** Use and Omission of the Indefinite Article

A. Before unmodified predicate nouns

1. The indefinite article is omitted before an unmodified predicate noun of religion, nationality, profession, political or social affiliation, etc., when the factor stressed is the category to which the subject belongs: "What is he?"[3]

| | |
|---|---|
| **¿Qué es ese señor?** | What is that gentleman? |
| **—Es médico.** | —He is a doctor. |
| **Soy católico.** | I am a Catholic. |

[3] Occasionally, it is omitted even before a modified predicate noun that emphasizes the subject's category:
**Es antiguo servidor de su Majestad.**   He is an old servant of his Majesty.

2. The indefinite article is used before an unmodified predicate noun of religion, etc., when the element stressed is the person's identity, not his category: "Who is he?"

| | |
|---|---|
| **¿Quién es ese señor?** | Who is that gentleman? |
| **—Es un médico.** | —He is a doctor. |

It is also used to give special (and usually favorable) emphasis to the noun. The article is then also stressed with the voice.

| | |
|---|---|
| **¡Es un escritor!** | He is some writer! |
| **¡Eres un soldado!** | You are a real soldier! |

### B. Before nouns in apposition

The use of the indefinite article with nouns in apposition generally follows the same rule as that for unmodified predicate nouns. When the category (occupation, etc.) is stressed, the article is omitted. When the subject's identity is stressed, the article is used.

| | |
|---|---|
| **El pleito fue defendido por García, conocido abogado de la capital.** | The case was pleaded by García, a well-known lawyer of the capital. |
| **El pleito fue defendido por García, un conocido abogado de la capital.** | |

### 98. Further Omission of the Indefinite Article

### A. In negative sentences

The indefinite article is usually omitted in negative sentences, unless the numerical value of **uno** meaning *one* (*a single*) is strongly emphasized.

| | |
|---|---|
| **No han dicho palabra.** | They haven't said a word. |
| **No queremos piso sin calefacción.** | We don't want an apartment without heating. |
| **No dejaron huella.** | They didn't leave a trace. |

*But:*

| | |
|---|---|
| **No han dicho (ni) una palabra.** | They haven't said a single word. |

Note that **ni** is often used before the indefinite article in emphatic negative sentences.

### B. After **tener** and **buscar**

The indefinite article is generally omitted in negative sentences with **tener** and **buscar,** and frequently in affirmative sentences, unless the concept of *one* is stressed.

| | |
|---|---|
| **No tengo llave.** | I don't have a key. |
| **¿Buscas piso?** | Are you looking for an apartment? |
| **Mi hermana tiene novio.** | My sister has a fiancé. |
| **Tengo clase a la una.** | I have a class at one. |

*But:*

| | |
|---|---|
| **No tiene (ni) un amigo.** | He doesn't have one friend. |

C. In proverbs

Many proverbs and adages omit the article.

| | |
|---|---|
| **Perro que ladra no muerde.** | A barking dog doesn't bite. |
| **Casa con dos puertas mala es de guardar.** | A house with two doors is hard to guard. |
| **Más vale pájaro en mano que buitre volando.** | A bird in the hand is worth two in the bush (is better than a flying vulture). |

D. Before nouns modified by **bueno** or **malo**

Frequently, when **bueno** or **malo** precedes the noun it modifies, the indefinite article is omitted. The adjective is regarded as a unit with the noun and there is little numerical connotation.

| | |
|---|---|
| **Es buen amigo mío.** | He is a good friend of mine. |
| **Es mala persona.** | He is a bad person. |
| **Hicieron muy mala impresión.** | They made a very bad impression. |
| **Ud. nos ha dado muy buen ejemplo.** | You have given us a very good example. |

*But:*

| | |
|---|---|
| **Hicieron una impresión muy mala.** | They made a very bad impression. |
| **Ud. nos ha dado un ejemplo muy bueno.** | You have given us a very good example. |

**99.** The Articles with **tal**

A. **Tal** (such a) is never followed by an article.

| | |
|---|---|
| **en tal caso** | in such a case |

B. **Tal** may be preceded by an article.

    1. With the indefinite article, **tal** means *a certain, a so-called,* etc.

| | |
|---|---|
| **Vino a verme un tal don Joaquín Rima.** | A certain Don Joaquín Rima came to see me. |

2. With the definite article, **tal** means *the aforementioned*

| | |
|---|---|
| **El tal Sr. Rima me dijo...** | The aforementioned Mr. Rima told me . . . |

**100.** The Indefinite Article with **cierto**

A. When **cierto** precedes the noun and is used indefinitely, meaning *a certain*, it does not take the indefinite article.[4]

| | |
|---|---|
| **Nos lo ofreció cierto vendedor ambulante.** | A certain peddler (some peddler) offered it to us. |
| **En cierta ocasión...** | On a certain occasion . . . |

B. When **cierto** means *sure* (and in this sense, usually follows the noun), the article is used.

| | |
|---|---|
| **Se enfrentan con una derrota cierta.** | They face a certain (sure) defeat. |
| **Le prometo un ascenso cierto.** | I promise you a sure promotion. |

**101.** Collective Nouns

Collective nouns are singular in Spanish. However, when nouns that state a part (**mayoría, minoría,** etc.) of a plural whole are followed by that whole, the plural is used.

| | |
|---|---|
| **El pueblo ha triunfado.** | The people have triumphed. |
| **La mayoría no lo aceptará.** | The majority won't accept it. |

*But:*

| | |
|---|---|
| **La mayoría de las mujeres no lo aceptarán.** | The majority of women won't accept it. |
| **Gran parte de sus planes han fracasado.** | A large number of his plans have failed. |

EJERCICIOS

I. Traducir al español.

It was a holiday and it was very cold. There wasn't a person on the street, although it was midday. The apartment I was going to see was in a large old house which seemed to be on the point of collapsing. Although I am not a millionaire, I have always lived in large, modern houses and that old building made (**me produjo**) an unpleasant impression on me.

[4] **Un cierto**—*a certain*—used specifically, is synonymous with **un tal**:
    **Vino a verme un cierto D. Joaquín Rima.**

I entered it and went up two flights. In my pocket I had the key, which the agent, a man of few words, had given me. I opened the door and found myself in a dark, small, and dirty apartment of three rooms. It had small windows, walls that had not been painted for years, and a kitchen without a refrigerator.

It did not take me long to (**no tardé mucho en**) decide that I would never take the apartment, and I was sorry that I had wasted (**haber perdido**) my time in this manner. I went to the door and tried to open it, but I couldn't. I tried (**Lo intenté**) again, but in vain. It was impossible to open it. Something had happened to the lock.

I went to the window that faced the street and leaned out of it, hoping to attract the attention of somebody in the street. But there were no passersby. I returned to the door and tried to open it again, but with the same result.

I was already on the point of breaking it down when I saw a fire escape outside of one of the windows in the back of the apartment. I took a board and broke the glass. I had never left an apartment by such a staircase, but this time it couldn't be helped (**no había más remedio**).

Five minutes later, I was on the street again, but now I had another problem. A policeman was approaching me with a curious look on his face . . .

II. Composición.

    1. Lo que me pasó con el policía
    2. Mi concepto de una casa (o apartamento) ideal
    3. Por qué prefiero vivir en la ciudad (en las afueras, en el campo)

# INTERROGATIVES, EXCLAMATIONS, INDEFINITES, NEGATIVES

||||||||||||||||||||||||||||||||||||||||||||||||||||||||||||||||||||||||||||||||||||||||||||||||||||||||||||

Adaptado de un artículo por Luis Valeri

**LA VANGUARDIA ESPAÑOLA**

Barcelona, 13 de agosto de 1963

## La Murmuración

Murmuración, la define el diccionario como "conversación en perjuicio de un ausente" o "noticia verdadera o falsa que se repite para indisponer a unas personas con otras o para desprestigiar a alguna". La tendencia humana a ocuparnos excesivamente de la vida de nuestros semejantes como simple conversación sin ninguna necesidad verdadera, no es sólo una torpeza, sino que puede producir graves disgustos. Y a veces lo peor no es traer o llevar chismes, sino expresarse con medias frases insidiosas que sin decir nada quieren decir mucho, y producen a veces más daño que la murmuración declarada:

—Sí, sí, fíate de fulana...

—¿Por qué dices esto?

—No me hagas hablar...

—¿Pero qué sabes de ella para decir esto?

—Ya te he dicho que no quiero hablar porque... en fin, dejémosla en paz.

—No, no, ¿qué pasa? ¿Ha hecho algo? Porque yo la tengo por buena persona...

—Sí, sí, fíate de las buenas personas...

Y así se alarga indefinidamente una conversación que sin decir nada, dice más que si se lanzara contra alguien una acusación.

Aun las personas murmuradoras son a su vez objeto de ella. "¡Qué lengua tiene fulana! Es peor que una víbora." Y realmente, nunca como en estos casos está tan bien aplicado este calificativo. Nadie está exento de la murmuración.

La murmuración no es algo peculiar de las mujeres. He concurrido a "peñas" de "amigos" y sé cómo se habla de un ausente. Recuerdo una vez que estaban despellejando a un buen hombre. En ese mismo momento entró él en la tertulia y llegó a oír su nombre acompañado de un epíteto poco favorable para él. Al verle, todos los contertulios, sorprendidos, se callaron. El buen hombre preguntó irónicamente:

—¿Conque os estabais ocupando de mí? ¿Y qué decíais de este "pobre hombre"?

—¡Nada de eso! —exclamó uno.

—Quita, quita, no creía que fueses tan suspicaz —repuso otro.

Y un tercero que estaba harto de oír tanta murmuración, contestó:

—Pues sí, te estaban poniendo verde. Pero consuélate, porque hoy te ha tocado a ti como ayer le tocó a fulano y mañana le tocará a mengano.

## PREGUNTAS

1. ¿Cómo define "murmuración" el diccionario?
2. ¿Qué resultados puede producir?
3. A veces, ¿qué es peor que la murmuración abierta?
4. ¿Puede Ud. citar algunas de esas medias frases insidiosas?
5. ¿Quién está exento de la murmuración?
6. ¿Es algo peculiar de las mujeres la murmuración?
7. ¿Qué incidente recuerda el escritor del artículo?
8. ¿Qué dijo el buen hombre al entrar?
9. ¿Cómo contestaron los dos primeros "amigos" suyos? ·
10. ¿Qué dijo el tercero?

## CONVERSACIÓN

1. ¿Conoce Ud. a una persona murmuradora? ¿Quién es? ¿De quién suele murmurar? ¿Tiene muchos amigos aquella persona? Y Ud., ¿ha murmurado Ud. alguna vez? ¿Lo hace frecuentemente?

2. ¿Recuerda Ud. un episodio mortificante que haya ocurrido como resultado de la murmuración? ¿Cuál ha sido el momento más mortificante de su vida?
3. En el caso referido por el autor de este artículo, ¿cree Ud. que hizo bien o mal el amigo que dijo la verdad al buen hombre? ¿Qué habría hecho Ud. en su lugar?

# PART A

**102.** Interrogatives

An interrogative is a pronoun, adjective, or adverb that asks a question. It must always have a written accent. The following are the most common interrogatives:

A. **¿Quién(es)?**   Who? Whom?

| | |
|---|---|
| **¿Quién es ese hombre tan guapo?** | Who is that good-looking man? |
| **¿Por quién(es) tañen las campanas?** | For whom do the bells toll? |

B. **¿Qué?, ¿Cuál(es)?**   What? Which?

1. As a pronoun

**¿Qué?** asks for a definition or explanation and always means *what*?

| | |
|---|---|
| **Mamacita, ¿qué es un cocodrilo? —¿Qué dices?** | Mommy, what is a crocodile? —What are you saying? |

**¿Cuál(es)?** asks for a selection and may be translated as *which*? or *what*?

| | |
|---|---|
| **¿Cuál es la nueva edición?** | Which is the new edition? |
| **¿Cuáles de estos poemas le gustan más?** | Which (ones) of these poems do you like best? |
| **¿Cuál es su número de teléfono?** | What (which one) is your telephone number? |

2. As an adjective

**¿Qué?** means both *what*? and *which*?

| | |
|---|---|
| **¿A qué hora nos encontramos?** | At what time shall we meet? |

| ¿Qué programa presentan esta noche? | Which (or what) program are they presenting tonight? |
| ¿Qué notas te dio? | What grades did he give you? |

¿**Cuál(es)**? is popularly used also in this sense.

| ¿En cuál casa vive Ud.? | In which house do you live? |
| ¿Cuáles libros compraremos? | Which books shall we buy? |

## C. ¿De quién(es)?   Whose?

¿**De quién(es)**? is the only interrogative of possession. It must never be confused with the relative adjective **cuyo**, which is translated as *whose* (cf. **164**).

| ¿De quién es esta pluma? | Whose pen is this? |
| ¿De quiénes son aquellos asientos desocupados? | Whose seats are those unoccupied ones? |

## D. ¿Cómo? and ¿Qué tal?   How?

1. ¿**Cómo**? inquires as to the way in which something is done, or the situation in which something or someone is found.

| ¿Cómo se aprende a hablar un idioma extranjero? | How does one learn to speak a foreign language? |
| ¿Cómo le gusta el café —con crema o con leche? | How do you like coffee—with cream or with milk? |
| ¿Cómo está Ud.? | How are you? |

2. ¿**Qué tal**? asks for an evaluation.

| ¿Qué tal les pareció la comedia? | How did you like the play? (How did it seem to you?) |
| Hola. ¿Qué tal? | Hello. How are things? |
| ¿Qué tal le gustó el café? —Muchísimo, gracias. | How did you like the coffee? —Very much, thank you. |

## E. ¿Dónde? and ¿A dónde? (¿Adónde?)

¿**Dónde**? inquires about the location of the subject.

¿**A dónde**? (or ¿**adónde**?) asks *in which direction?* and is used with verbs of motion.

| ¿Dónde está mi abrigo? | Where is my coat? |
| ¿A dónde vas, hijo? | Where are you going, son? |

F. **¿Cuánto?** How much? **¿Cuántos?** How many?

| | |
|---|---|
| **¿Cuánto tiempo nos queda?** | How much time do we have left? |
| **¿Cuántas piezas sabe Ud. tocar?** | How many pieces can you play? |

G. **¿Por qué?** and **¿Para qué?** Why?

**¿Por qué?** inquires about the reason, the motive for an action.

**¿Para qué?** means *to what end? what for? what good will come of it?*

| | |
|---|---|
| **¿Por qué los ofendió Ud.?** | Why did you insult them? |
| **Debes trabajar más.** | You should work harder. |
| **—¿Para qué?** | —Why? (What for?) |

## EJERCICIOS

A. Haga preguntas basadas en las frases siguientes. Por ejemplo:

| | |
|---|---|
| Esto es una nevera. | **¿Qué es esto?** |
| Tu sombrero está aquí. | **¿Dónde está mi sombrero?** |

1. Esta pluma es de María. 2. Nos gustó mucho la película. 3. Esto es un antiguo instrumento musical. 4. Juan es el mejor estudiante de la clase. 5. La casa más antigua de esta calle es la última. 6. A mí me gusta el café sin azúcar. 7. Quito es la capital del Ecuador. 8. La Coruña está en el noroeste de España. 9. He pasado la tarde estudiando. 10. Al Palacio Real se va por la Puerta del Sol. 11. Esta línea representa una carretera principal. 12. Son nuestros. 13. Porque no quise hacerlo. 14. Mi número de teléfono es el 254–63–89. 15. ¡No!

B. Diga en español:

1. Who is Silvia? What is she (like)? 2. To whom were you talking? —To a friend of mine. 3. Why did you have to give up your job? —What does it matter? 4. Whose is that blue car parked near the fire hydrant? —Who wants to know? —A policeman. —How much will it cost me? 5. What is your address? —What? —Where do you live? —What is he saying? —In which house do you eat and sleep? —Why didn't you ask me that before? —What for? You probably don't know.

**103.** Exclamations

A. All interrogatives may be used exclamatively, if the sense permits.

| | |
|---|---|
| **¡Cuántas haciendas tiene!** | How many estates he has! |
| **¡Quién lo haría sino él!** | Who would do it but he! |
| **¡Cómo! ¡Qué me dices! ¡Cómo miente!** | What! What are you telling me! How he lies! |

B. **¡Qué!** and **¡Vaya un!** What a . . .!

1. **¡Qué...!** followed by a noun, means *what a . . .*! Notice that the definite article is not used.

| | |
|---|---|
| **¡Qué muchacho!** | What a boy! |
| **¡Qué pelea!** | What a fight! |

**¡Vaya un...!** is synonymous with **¡qué!** in this sense, and always requires the indefinite article.

**¡Vaya un muchacho!**
**¡Vaya una pelea!**

2. **¡Qué...!** followed by an adjective or an adverb, means *how . . .*!

| | |
|---|---|
| **¡Qué simpático es!** | How nice he is! |
| **¡Qué bien canta!** | How well he sings! |

## EJERCICIOS

A. Póngase el interrogativo o exclamativo apropiado:

1. ¿_____ libro quiere Ud.? 2. ¿_____ metros de largo tiene la estación? 3. ¡_____ calor hace! 4. ¡_____ niños quisieran tener una bicicleta como ésta! 5. ¡_____ flores más hermosas! 6. ¡_____ me alegro! 7. ¡_____ hombre tan inteligente!

B. Diga en español:

1. What a day to go to the beach! 2. How (much) we like to dance! 3. How well they did, and how badly the others did! 4. What a good boy you are! 5. Who would believe it!

**104.** Indefinites

These are the most common indefinites:

**algo** something
**alguien** somebody, someone
**algún, alguno (a)** some, any or some (one of a group)
**algunos (as)** some, several (of a group)
**algún día** some day, some time
**(en) alguna parte** somewhere
**(de) algún modo,** somehow, in some way
**(de) alguna manera**
**jamás** ever (when a negative is implied)
**alguna vez** ever, at some time (no negative implication)

| | |
|---|---|
| **Tengo algo que contarte.** | I have something to tell you. |
| **Hay alguien en la cocina con Dina.** | Someone's in the kitchen with Dinah. |
| **¿Ha visto Ud. a alguno(s) de mis amigos?** | Have you seen any of my friends? |
| **Sí, he visto a algunos.** | Yes, I have seen some. |
| **¿Han oído Uds. jamás tal cosa?** | Have you ever heard such a thing? (Negative reply expected) |
| **¿Ha estado Ud. alguna vez en París?** | Have you ever been in Paris? |

## EJERCICIOS

A. Conteste:

1. ¿Ha estado Ud. alguna vez en España? 2. ¿Le gustaría ir algún día al Japón? 3. ¿Cuáles son algunos de sus platos favoritos? 4. ¿Ha visto Ud. a algunos de sus amigos hoy? 5. ¿Tiene Ud. algo importante que hacer esta tarde? 6. ¿Ha leído Ud. algunas novelas interesantes recientemente? 7. ¿Le espera alguien después de la clase? 8. ¿Ha visto Ud. jamás un libro que le haga tantas preguntas personales?

B. Diga en español:

1. Some day, somewhere, somehow, I am going to find somebody who loves me. 2. That is something that *I* would like too. 3. Some people have luck at (**para**) cards. 4. Well, something is better than nothing.

**105.** Negatives

A. Negation in general

1. A sentence is made negative by placing **no** before the entire verb form, i.e., before **haber** in a compound tense, or before the auxiliary that precedes a present or past participle. This is contrary to English usage, which places the negative between the auxiliary and the participle.

| | |
|---|---|
| **No ha ido.** | He has not gone. |
| **No estaban gritando.** | They were not shouting. |
| **No hemos sido elegidos todavía.** | We have not been elected yet. |
| **El drama no está terminado.** | The drama is not finished. |

2. Only object pronouns—direct, indirect, or reflexive—may stand between the negative and the verb.

| | |
|---|---|
| **No les he hecho daño.** | I have not hurt them. |

B. These are the most common negatives:

**nada**   nothing, not . . . at all
**nadie**   nobody, no one
**ningún, ninguno (a)**   none, no (one of a group)
**ningunos (as)**   no; none (of a group) (*rare*)
**nunca,**   never
**jamás**
**de ningún modo,**   in no way, by no means, not at all
**de ninguna manera**
**tampoco**   neither (opposite of *also*)
**ni... ni**   neither . . . nor (opposite of *either . . . or*)

C. The double negative
   1. Remember:

   | | |
   |---|---|
   | **En español, no se omite** | In Spanish, you (don't) never |
   | **nunca ningún negativo.** | leave out no negative. Well, |
   | **Pues, casi nunca.** | hardly never. |

   Two negatives, or as many negatives as the sentence requires, add up to a negative in Spanish.

   | | |
   |---|---|
   | **No conozco a nadie en este** | I don't know anyone in town. |
   | **pueblo. —Ni yo tampoco.** | —Neither do I. |
   | **No lo han mencionado** | They have never mentioned it |
   | **nunca a nadie.** | to anyone. |

   2. When a negative such as **nunca, nadie, nada,** or **tampoco** precedes the verb, **no** is omitted.

   | | |
   |---|---|
   | **No he estado nunca en** | I have never been in Paris. |
   | **París.** | |
   | **Nunca he estado en París.** | |
   | **No se lo dijo nadie.** | Nobody told him. |
   | **Nadie se lo dijo.** | |
   | **No sabe leer tampoco.** | Neither does he know how to |
   | **Tampoco sabe leer.** | read. |

D. Use of negatives after comparisons
After a comparative, indefinites take the negative form.

| | |
|---|---|
| **Le respeto a él más que a nadie.** | I respect him more than anyone. |
| **Ahora sabemos menos que nunca.** | Now we know less than ever. |
| **Más que nada.** | More than anything. |

## Comparative Chart of Indefinites and Negatives

| *Indefinites* | *Negatives* |
|---|---|
| **algo** something | **nada** nothing |
| **alguien** somebody, someone | **nadie** nobody, no one |
| **algún, alguno (a)** some, any or some (one of a group) | **ningún, ninguno (a)** none, no (one of a group) |
| **algunos (as)** some, several (of a group) | **ningunos (as)** no; none (of a group) *(rare)* |
| **(en) alguna parte** somewhere | **(en) ninguna parte** nowhere |
| **(de) algún modo,** somehow, in some way | **(de) ningún modo,** in no way |
| **(de) alguna manera** | **(de) ninguna manera** |
| **jamás** ever (negative implied) | **nunca, jamás** never |
| **alguna vez** ever, at some time | |
| | **ni... ni** neither ... nor |
| | **tampoco** neither, not ... either (opposite of *also*) |

## EJERCICIO

Conteste negativamente las preguntas siguientes:

1. ¿Ha visto Ud. hoy algo de interés especial? 2. ¿Ha viajado Ud. alguna vez en un helicóptero? 3. ¿Se ha encontrado con alguno de sus amigos esta mañana? 4. ¿Vamos a algún sitio? 5. ¿Me ha llamado alguien? 6. ¿Han terminado Uds. también? 7. ¿Lo harán ellos de algún modo? 8. ¿Habéis hecho algo para mí? 9. Por lo visto no ha venido María. ¿Y Luisa? 10. Será él o su hermano, ¿verdad?

## EJERCICIO DE REPASO

1. What is gossip? Gossip is usually (**suele ser**) a conversation damaging the character of a person who is not present.
2. There was no reason (**motivo**) to believe that this would produce any serious unpleasantness.
3. He went out into the garden without anyone's saying anything.
4. Whose gloves are those they have just found on the bench?
5. What is the subject of that conversation? They don't seem to be saying anything interesting.
6. Have you ever seen a group of people who are more interested in gossiping than these old women?
7. Though women like to gossip more than men, there are some men who are real experts at gossiping. For example, do you know what Chalo said the other night . . . ?
8. What a party! All they do is rip the hide off (**poner verde**) their friends.
9. "So you were talking about me?" he said. "Surely there must be something more interesting to (**que**) say." —"No, nothing."
10. Is there anyone who hasn't done it at some time? I'm afraid we have all gossiped at times.

## REPASO DE VERBOS

Estudie los verbos **poder** y **poner** y después diga en español:

They couldn't come. Where did you (**tú**) put it? I put it on the desk. We were afraid that he couldn't finish. Somebody put them there. I haven't put anything anywhere. Put it here. (**Ud., Uds., tú, vosotros**). Let's not put it (*f.*) there.

# PART B

**106.** Interrogatives in Indirect Questions

Often, a question is included within another statement, or a sentence may be so phrased that it refers to a question either in the mind of the speaker or in that of the person addressed. In such cases, Spanish uses the interrogative pronoun, which thereby maintains its written accent.

| | |
|---|---|
| **Dime adónde vas y cuándo.** | Tell me where you're going and when. |
| **No quiere revelar quién es ese señor.** | He won't reveal who that man is. |
| **No sé qué pasó.** | I don't know what happened. |

**107.** The Pronouns **¿cuál? ¿qué? ¿quién?** to mean *which (one)?*

Although the normal function of **¿cuál?** is to indicate a selection, the pronouns **¿qué?** and **¿quién?** are also used at times to translate the English *which (one)?*

A. **¿Cuál?** is generally used when **ser** is followed by a predicate noun or pronoun.

| | |
|---|---|
| **¿Cuál es la mía?** | Which is mine? |
| **¿Cuál es el elemento más peligroso —el agua o el fuego?** | Which is the more dangerous element —water or fire? |

It must be used before a phrase introduced by **de**.

| | |
|---|---|
| **¿Cuál de las tres alternativas prefiere Ud.?** | Which of the three alternatives do you prefer? |

B. **¿Qué?** appears often instead of **¿cuál?** when the objects from which the selection is to be made are nouns used in the general or abstract sense.

| | |
|---|---|
| **¿Qué es más peligroso —el agua o el fuego?** | Which (or what) is more dangerous— water or fire? |
| **¿Qué prefiere Ud. —el fútbol o el básquetbol?** | What do you prefer—football or basketball? |

**¿Cuál?** remains when the objects are nouns used in a specific sense.

| | |
|---|---|
| **¿Cuál es más peligroso —este león o ése?** | Which is more dangerous—this lion or that one? |
| **¿Cuál prefiere Ud. —el nuestro o el de ellos?** | Which do you prefer—ours or theirs? |

C. **¿Quién?** appears frequently when the selection involves persons. It may be translated as *which (one)? who?* or *whom?*

| | |
|---|---|
| ¿Quién va a invitarle, María o Mercedes? | Who is going to invite him, Mary or Mercedes? |
| ¿Quién es más inteligente — Juan o Pedro? | Who (which one) is more intelligent —John or Peter? |
| ¿Quiénes son los líderes? | Who (which ones) are the leaders? |

**108.** The Interrogative *Whose*?

A. When *whose*? is subject of *to be*, it is translated by ¿de quién(es) + ser...?

| | |
|---|---|
| ¿De quién es aquel sombrero negro? | Whose is that black hat? (To whom does that black hat belong?) |

B. But, when *whose*? is preceded by a preposition, or is used with a verb other than **ser,** it is translated in either of the following ways:

    1. By **qué**

| | |
|---|---|
| ¿Con qué dinero se fue? | With whose money did he abscond? |
| ¿En qué cuarto dormirás?[1] | In whose room will you sleep? |
| ¿Qué sombrero tomó? | Whose hat did he take? |

    2. By using ¿**De quién es...**? followed by a clause that describes the action.

| | |
|---|---|
| ¿De quién era el dinero con que se fue? | With whose money did he abscond? |
| ¿De quién es el cuarto en que dormirás?[1] | In whose room will you sleep? |
| ¿De quién era el sombrero que tomó? | Whose hat did he take? |

**109.** Exclamations

A. **¡Qué!**

¡**Qué** + a noun, means *what a . . .*! When the noun is followed by an adjective, **tan** or **más** must precede the adjective.

| | |
|---|---|
| ¡Qué muchacho más (o tan) guapo! | What a handsome boy! |
| ¡Qué obra más (o tan) interesante! | What an interesting work! |

[1] There is a slight difference in connotation between ¿**En qué cuarto dormirás?** and ¿**De quién es el cuarto en que dormirás?** The first emphasizes selection of a room from among a group of rooms (a house) with which the speaker is familiar. The second sentence emphasizes the question as to the possessor: *To whom does the room that you will sleep in belong?*

When the adjective precedes its noun, **tan** or **más** is omitted.

| | |
|---|---|
| **¡Qué buena persona!** | What a good person! |
| **¡Qué guapo muchacho!** | What a handsome boy! |
| **¡Qué maravillosa vista!** | What a magnificent view! |

B. **¡Cuánto!** is used before a verb to correspond to the English *how (much)*!

| | |
|---|---|
| **¡Cuánto le quería Ana!** | How (much) Anna loved him. |
| **¡Pero cuánto le temía!** | But how (much) she feared him! |

Recall, however: **¡qué!** translates *how*! before an adjective or adverb (**¡Qué bien lo hace!** How well he does it!), and **¡cómo!** refers to the way in which the action is done (**¡Cómo dibuja!** How he draws!).

C. **¡Quién!**

**¡Quién!** followed by a verb in the **-ra** form of the imperfect subjunctive, has the meaning *how I wish . . . if only I could . . .*

| | |
|---|---|
| **¡Quién supiera escribir!** | If only I could write! |

**110.** *Someone* and *Anyone*

A. **Alguien** means *someone*—some specific person.

| | |
|---|---|
| **Alguien llama a la puerta.** | Someone is at the door. |
| **¡Alguien me lo pagará!** | Someone will pay for it! |

B. **Cualquiera** means *anyone at all*.

| | |
|---|---|
| **Cualquiera que me engañe lo sentirá.** | Anyone who deceives me will regret it. |
| **Cualquiera sabrá eso.** | Anyone at all will know that. |

1. **Un cualquiera** means *a nobody, an ordinary fellow*, a person who is just anybody at all.

| | |
|---|---|
| **No te dejaré casarte con un cualquiera.** | I won't let you marry a nobody. |

2. As an adjective, **cualquier(a)** means *any . . . at all, any . . . whatever*. When placed before a noun, it loses its final **a**. The plural form is **cualesquier(a)**.

| | |
|---|---|
| **Me contento con un dibujo cualquiera.** | I'll be satisfied with any sketch at all. |
| **Cualquier vestido servirá para esa fiesta.** | Any dress at all will do for that party. |

**111.** *Some, Any, Several, A few*

A. The idea of *some* or *any* is most frequently implied in Spanish by merely omitting the article.

| | |
|---|---|
| **¿Tienes fósforos?** | Do you have any matches? |

B. **Algunos** and **varios** indicate *some* or *several*, and although indefinite in number, have a more numerical implication than the wholly indefinite omission of the article.

| | |
|---|---|
| **¿Tienes algunos fósforos?** | Do you have some (a few, several) matches? |

**Varios** is the less used of these adjectives. Aside from its meaning of *several*, it bears the further sense of *various* and *sundry*.

| | |
|---|---|
| **Vende varios tipos de cuadernos.** | He sells several (different) kinds of notebooks. |

C. **Unos cuantos** and **unos pocos** are synonymous and mean *a few, a small number of.*

| | |
|---|---|
| **Tengo sólo unos cuantos (o unos pocos).** | I have only a few. |

D. **Alguno que otro** means *a few, some*, in the sense of *an occasional.*

| | |
|---|---|
| **En el puerto se veía alguno que otro bote de vela.** | In the port an occasional sailboat (a few sailboats) could be seen. |

(For the difference between *little* and *a little*, see p. 276.)

**112.** Negatives

A. In certain cases, negatives are used although the sentence is not obviously negative.

    1. After comparatives (see **105** D)

| | |
|---|---|
| **El sabe más que nadie.** | He knows more than anyone. |

    2. In sentences where a negative meaning is implied

| | |
|---|---|
| **Me fue imposible hacer nada.** | It was impossible (not possible) for me to do anything. |

    3. After **sin**

| | |
|---|---|
| **Sin dirigir palabra a nadie, salió del cuarto.** | Without speaking to anyone, he left the room. |
| **Eso me dejaría sin nada que ponerme.** | That would leave me without anything to wear. |

B. In other cases, affirmatives are occasionally used for negatives, often with special emphasis.

> 1. **Alguno,** following the noun, is an emphatic equivalent of **ninguno** (not) any, none.
>
> | | |
> |---|---|
> | **No le hagas caso alguno.** | Don't pay any attention at all to him. |
> | **No me dio indicación alguna.** | He didn't give me any indication at all. |
>
> 2. **En mi vida** is used very frequently to mean *never in my life.*
>
> | | |
> |---|---|
> | **En mi vida he jugado a las cartas.** | Never in my life have I played cards. |
> | **En su vida ha molestado a nadie.** | Never in his life has he bothered anybody. |
>
> 3. **En absoluto** means *absolutely not!*
>
> | | |
> |---|---|
> | **¿Papá, me darás un coche?** **—¡En absoluto!** | Dad, will you give me a car? —Absolutely not! |

EJERCICIOS

I. Traducción.

I had never seen such a house in my life. It looked like a castle, for (**pues**) it had a round tower at each end, its roof was covered with battlements, and its windows were round and small.

"What a strange house!" exclaimed my wife when she first saw it (**al verla**). And although I didn't say anything, I didn't like it at all. If I had known what surprises were awaiting us in it, I would never have gone there for my vacation. But my uncle had written me from Europe, asking me whether I wanted to spend a few weeks in his house, since nobody lived there, and I had accepted his invitation.

Although the rooms were somewhat gloomy, they were comfortable, and after we had dusted the furniture, we began to feel at home. The first night passed without incident, but I shall never forget the second night.

Between one o'clock in the morning and four o'clock, there were strange noises on the upper floor. Doors opened, beds moved, and footsteps were heard in hallways and rooms. We knew that nobody could have entered the house without our knowing it. We didn't believe in ghosts, but what were we to think?

The noises stopped at dawn. We decided to stay one more night (**una noche más**). The same thing (**lo mismo**) happened that night—the same noises, the same footsteps. The next day, we packed our suitcases and left, swearing that we would never sleep in that house again.

—I would have stayed a little longer. A little noise never hurt anyone. And besides, the trip must have cost you so much.

—I know. But we felt that any place would be better than that. Tell me, which would you prefer: to lose sleep or to lose money?

—What a question! Do you know what I would do? Well, I'll tell you. . . .

II. Composición.

Cómo explico yo el incidente arriba referido y lo que haría en tal situación

# ADJECTIVES

||||||||||||||||||||||||||||||||||||||||||||||||||||||||||||||||||||||||||||||||||||||||||||||||||||||||||||||

Adaptado de un artículo por Afranio Melo

**AMÉRICAS**

Unión Panamericana, noviembre de 1963

## La Ruta del Siglo

La constitución brasileña de 1946 contiene providencias para promover el desarrollo económico del Amazonas y del nordeste, que son las dos zonas subdesarrolladas más extensas del país. El programa consiste especialmente en superar la pobreza extrema del habitante de la selva amazónica, que vive en precarias chozas de paja, crónicamente mal nutrido y analfabeto. Esa gente está desparramada sobre un área de más de 4,000,000 de kilómetros cuadrados y dedicada a labores de poca productividad material y monetaria. Su nivel de vida es de los más bajos del mundo.

Cuando se construyó Brasilia en las colinas del Estado de Goías, el centro político de la nación se trasladó tierra adentro. Renovado interés se mostró por tener una carretera que uniera la región del Amazonas con la nueva capital. A mediados de 1958 se comenzó la construcción de la carretera Belem-Brasilia, "la carretera del siglo". En algunas partes las dificultades para llegar al sitio donde se construía el camino obligaron a utilizar medios aéreos de acceso. Se construyeron nueve aeropuertos y numerosos puentes, entre ellos algunos de grandes dimensiones. También hubo que derribar árboles y limpiar de troncos un área de más de 16 millones de metros cuadrados.

Tres verdaderos milagros ocasionados por la construcción de la carretera muestran su significación como instrumento de progreso. El primero de esos milagros se llama Gurupí. Situada en la porción central de Goías, a unos 746 kilómetros de Brasilia, esta población tiene sólo cinco años de existencia y ya cuenta con más de 8,000 habitantes. Imperatriz es un segundo milagro. Desde hace 50 años, hasta que se construyó la carretera no se habían edificado casas. La ciudad vivía del pasado, del esplendor de la época del caucho. Ahora llegó el camino y con él multitud de obreros y diversas ocupaciones relacionadas con la construcción. La ciudad empezó entonces a crecer de nuevo y fue invadida por gente del nordeste. Esta gente es realmente trabajadora. El municipio de Imperatriz solía producir 40,000 sacos de arroz por cosecha y ahora produce más de 200,000.

El tercer milagro producido por la carretera fue el de Ceres. Hoy Ceres es una población de 10,000 habitantes y provee de cereales y vegetales a la parte sur del Estado y a Brasilia. Su desarrollo no se debe únicamente a la fertilidad de la tierra sino también a las facilidades de transporte que se le han abierto ahora.

Tal es la historia de la famosa "carretera del siglo" que puede transformar en el futuro todo el paisaje de una vasta porción del interior del Brasil. Abierta y construida por miles de brasileños anónimos, elogiada por unos y criticada por otros, este camino está dándole de hecho al Brasil regiones que anteriormente le pertenecían sólo en el papel.

## PREGUNTAS

1. ¿Qué providencias contiene la constitución brasileña de 1946?
2. ¿Cómo vive la gente de la selva amazónica?
3. ¿Sobre qué área está desparramada esa gente?
4. ¿Dónde se construyó la nueva capital Brasilia?
5. ¿Qué tuvieron que construir como consecuencia?
6. ¿Cuándo se comenzó la construcción de la carretera Belem-Brasilia?
7. ¿Qué dificultades encontraron al construir el camino?
8. ¿Qué efecto ha tenido la carretera en el pueblo de Gurupí?
9. ¿Cómo era Imperatriz antes de la llegada del camino? ¿Cómo es ahora?
10. ¿A qué factores se debe el desarrollo de Ceres?

## CONVERSACIÓN

1. ¿Conoce Ud. un pueblo o ciudad que haya nacido como consecuencia de la construcción de una carretera, un aeropuerto, una fábrica, etc.? ¿Conoce Ud. una población que haya muerto como resultado del traslado de una industria mayor?
2. ¿Ha cambiado en años recientes la condición económica del pueblo en que vive Ud.? ¿Cómo?
3. ¿Ha visto Ud. alguna vez un caso de verdadera pobreza? ¿Dónde fue? ¿Se ha hecho algo por remediarla?
4. ¿Cree Ud. que los Estados Unidos deben ofrecer ayuda económica a los países subdesarrollados? ¿Cree Ud. que la ayuda económica trae consigo el derecho de exigir ciertas reformas internas en el país recipiente?

## PART A

**113.** Function and Forms of Adjectives

A. Use and agreement

 1. An adjective is used to describe a noun. Therefore, it must always agree in gender and number with the noun it describes.

| | |
|---|---|
| **Está cansado.** | He is tired. |
| **Gloria es simpatiquísima.** | Gloria is very nice. |
| **Nuestros amigos italianos...** | Our Italian friends . . . |

 2. If an adjective modifies two nouns of the same gender, the plural of that gender is used.

  **blusas y ropas muy bonitas** very pretty blouses and dresses

 3. If an adjective modifies both a masculine and a feminine noun, the masculine plural is used.

  **novelas y cuentos históricos** historical novels and stories

B. The feminine singular

 1. Adjectives ending in **-o** change the final **-o** to **-a.**

  **un día hermoso** a beautiful day
  **una muchacha hermosa** a beautiful girl

 2. Adjectives ending in **-dor** or **-ón, -án, -ín,** and adjectives of nationality that end in consonant add **-a.**

  **un capataz muy trabajador** a hardworking foreman
  **una mujer muy trabajadora** a hardworking woman
  **el gobierno francés** the French government
  **la poesía francesa** French poetry

 3. All other adjectives have the same form for both the masculine and feminine.

  **un libro fácil** an easy book
  **una canción fácil** an easy song
  **un tono suave** a soft tone
  **una brisa suave** a soft breeze
  **un chico cortés** a polite boy
  **una persona cortés** a polite person
  **mi amigo mejor** my best friend
  **su obra mejor** his best work

## C. Plural forms

The plural of adjectives is formed exactly like that of nouns: **-s** is added to a singular form that ends in a vowel; **-es** is added to one that ends in a consonant. A final **-z** changes to **-c** before **-es**.

**muchos cambios**   many changes
**comidas deliciosas**   delicious meals
**bailes encantadores**   charming dances
**parejas felices**   happy couples

## EJERCICIOS

A. Cambie:

1. un **hombre** hablador (mujer); un **chico** inteligente (chica); un **alumno** perezoso (alumna); un **libro** chiquitín (libreta); un **potro** andaluz (yegua); un **niño** preguntón (niña); un **joven** holgazán (una joven); el **cuarto** interior (la habitación); mi **amigo** francés (amiga); un **estudiante** superior (obra)

2. una **casa** azul (casas); la **luz** rojiza (luces); un **alma** ruin (almas); el **abrigo** gris (abrigos); un **acto** atroz (actos); una **criada** trabajadora (unas criadas); un **tigre** feroz (tigres); un **viejo** hablador (viejos); un **matrimonio** feliz (parejas)

B. Diga en español:

1. a blond child (*m.* and *f.*); a good opportunity; green lamps; difficult lessons; small portions

2. Japanese artists (*m.* and *f.*); young doctors; English literature; a lazy worker; a happy family

## 114. Shortening of Adjectives

A. A few adjectives drop the final **-o** when they precede a masculine singular noun.

| | |
|---|---|
| **primero, primer**  first | **bueno, buen**  good |
| **alguno, algún**  some | **tercero, tercer**  third |
| **malo, mal**  bad | **ninguno, ningún**  no, none |
| **postrero, postrer**  last | |

| | |
|---|---|
| **Ése es un buen ejemplo.** | That is a good example. |
| **No tengo ningún dinero.** | I have no money. |
| **El primer día de cada mes...** | The first day of each month . . . |

B. Three common adjectives lose their last syllable under certain conditions.

1. **Grande** (large, great) becomes **gran** before any singular noun.

> **(un) gran número**   a large number
> **una gran obra de arte**   a great work of art

2. **Ciento** (one hundred) becomes **cien** before all nouns and before the numerals **mil** and **millón.** It is not shortened before any other numeral.

| | |
|---|---|
| **Pío Baroja escribió cien obras.** | Pio Baroja wrote a hundred works. |
| **Recibió cien mil votos.** | He got 100,000 votes. |

*But:*

| | |
|---|---|
| **Hay ciento dos páginas.** | There are 102 pages. |

3. **Santo** (Saint) becomes **San** before all masculine names except **Domingo** and **Tomás.**

> **San Francisco**   St. Francis
> **San Agustín**   St. Augustine

*But:*

> **Santo Domingo**   St. Dominick
> **Santa Teresa**   St. Theresa

## EJERCICIOS

A. Conteste en español:

1. ¿En qué página estamos ahora? 2. ¿De qué trata el primer capítulo de este libro? 3. ¿En qué página empieza la lección tercera? 4. ¿Qué ciudades norteamericanas llevan nombres de santos? 5. ¿Hay más de cien mil habitantes en el pueblo donde vive Ud.? 6. ¿Cuántos años hay en un siglo? 7. ¿Cuántos años hace que somos una nación independiente? 8. ¿Cree Ud. que tiene buen gusto en el vestir? 9. ¿A quién considera Ud. un gran hombre (o una gran mujer)? 10. ¿Cuántos centavos vale un dólar? ¿Y diez dólares?

B. Diga en español:

1. Some day; no time; some friends of mine. 2. His third wife; the first seat; the second story; the first of June. 3. A good possibility; bad taste; a great poet. 4. One hundred and fifty; a hundred years; a hundred million Americans; St. Andrew; St. Ann.

**115.** General View of the Position of Adjectives

Unlike English, Spanish does not have a fixed position for most adjectives. Spanish adjectives both precede and follow the noun. However, many adjectives do have a fairly specific position in normal use, and if that position is changed, the adjective acquires a special emphasis or a different connotation.

**116.** Placement of Adjectives After the Noun

A. The primary function of an adjective that is placed after the noun is to set that noun off from others of its kind.

**una lámpara azul**   a blue lamp

(Blueness is not a general characteristic of lamps. Rather, it distinguishes the lamp it describes from lamps of other colors.)

B. The following are important categories of distinguishing adjectives that regularly follow the noun:

1. Adjectives of nationality and religion

> **los perfumes franceses**   French perfumes
> **la Reforma Protestante**   the Protestant Reformation

2. Adjectives of color and shape

> **la Casa Blanca**   the White House
> **una mesa redonda**   a round table

3. Adjectives referring to branches of learning, classifications, or scientific terminology

> **un estudio psicológico**   a psychological (literary,
> **(literario, geográfico,**   geographic, philosophical, study
> **filosófico, etc.)**   etc.)
> **ácido acético**   acetic acid

4. Adjectives modified by adverbs (especially those modified by **más** or **menos**)

> **una canción muy triste**   a very sad song
> **el autor más leído del año**   the most read author of the year

5. Participles used as adjectives

> **una figura arrodillada**   a kneeling figure
> **una causa perdida**   a lost cause

EJERCICIO

Cambie:

1. una situación peligrosa (interesante, nueva, difícil)
2. la revolución rusa (francesa, americana, hispanoamericana)
3. um drama psicológico (filosófico, contemporáneo, clásico)
4. mi tío rico (casado, mayor, peruano, neoyorquino)
5. sus zapatos viejos (nuevos, negros, gastados)

**117. Placement of Adjectives Before the Noun**

A. Demonstrative, unstressed possessive,[1] and indefinite adjectives (including **mucho** and **poco**), and cardinal numbers regularly precede the noun.

> **esta ciudad**   this city
> **tres ratones ciegos**   three blind mice
> **nuestros parientes**   our relatives
> **algún día**   some day
> **poca diferencia**   little difference

B. Certain common adjectives (**bueno, malo, joven, viejo, pequeño**) often precede, but may follow the noun.

| | |
|---|---|
| **Eres un buen muchacho** (or **un muchacho bueno**). | You are a good boy. |
| **Es un joven periodista** (or **un periodista joven**). | He is a young newspaperman. |

C. A usually distinguishing adjective may be placed before the noun if the speaker wishes to describe a normal characteristic of that noun, rather than to differentiate it from other nouns of its type (cf. **122B**).

> **la blanca nieve**   the white snow
> **la alta Sierra Nevada**   the lofty Sierra Nevada
> **la hermosa Escocia**   beautiful Scotland

D. In a question, the predicate adjective after **ser** or **estar** precedes the subject.

| | |
|---|---|
| **¿Está casada tu hermana?** | Is your sister married? |
| **¿Es muy rico su tío?** | Is his uncle very rich? |

---

[1] The stressed forms **mío, tuyo**, etc., of course, always follow the noun.

EJERCICIOS

A. Conteste en español:

1. ¿Tiene Ud. un hermano mayor (o una hermana mayor)? 2. ¿Tiene hermanos menores? 3. ¿Vive su familia en esta ciudad? 4. ¿Cuántos días hay en cada semana? 5. ¿Se considera Ud. un buen estudiante de lenguas? 6. ¿Es alto o bajo su padre? ¿Y su madre? 7. ¿Son ricos la mayor parte de sus parientes? 8. ¿Están casados ya algunos de sus amigos?

B. Diga en español:

1. Our town has five public libraries. 2. Is your brother slim or heavy? 3. The red blood was staining his white shirt. 4. He has written several historical novels in recent years. 5. Richard is the most intelligent boy I know. 6. A dazzling sun was coming in through the open windows.

## 118. Changes in Meaning According to Position

Many adjectives have a significant difference in meaning when they are placed before or after the noun. Note particularly the following:

> **un hombre grande**   a big man
> **un gran hombre**   a great man
>
> **un amigo viejo**   an old (elderly) friend
> **un viejo amigo**   an old (long-standing) friend
>
> **el muchacho pobre**   the poor (not rich) boy
> **el pobre muchacho**   the poor (pitiful) boy

## 119. Placement of Two or More Adjectives

There are two principal ways of handling two or more adjectives that modify one noun.

A. Place one adjective before the noun and one (or more) after the noun. The shorter, or the more subjective, adjective will precede.

| | |
|---|---|
| **Mi rico tío venezolano me mandó este anillo.** | My rich Venezuelan uncle sent me this ring. |
| **Un estupendo poeta contemporáneo francés...** | A magnificent contemporary French poet . . . |

B. When both (or all) adjectives are felt to be equal in their distinguishing force, place them after the noun, joining two by **y,** or separating them all by commas.

> **un muchacho listo y simpático**
> a bright, nice boy
>
> **una novela larga, aburrida, (y) hueca**
> a long, boring, and shallow novel

For a more poetic or dramatic effect, the adjectives may all be placed before the noun.

**los largos, sombríos, (y) tortuosos corredores**
the long, somber, winding corridors

## EJERCICIOS

A. Conteste afirmativamente empleando los adjetivos indicados entre paréntesis:

1. ¿Está su casa de campo en un cerro? (muy alto). 2. ¿Acaba Ud. de hablar con esa chica? (simpática) 3. ¿Conoció Ud. ayer a este joven? (rico, americano) 4. ¿Estudian Uds. ahora literatura? (moderna, inglesa) 5. ¿Recuerda Ud. al huérfano que vimos allí? (pobre, ciego, enfermo) 6. ¿Es amigo de Ud. el señor García? (antiguo, mío) 7. ¿Te gustaría ahora un baño? (bueno, caliente) 8. ¿Le gustan las flores? (pequeñas, amarillas, azules) 9. ¿Tiene amigos ese muchacho? (algunos, interesantes) 10. ¿Ha escrito Ud. ya un estudio sobre España? (bueno, geográfico, cultural)

B. Escriba en español:

1. The young Argentinian author has just written a new psychological drama. 2. The poor woman fell down a long and winding staircase. 3. It was a magnificent afternoon, one of those clear, cool afternoons we always liked so much. 4. A black silent figure was hiding behind the back door of the little house.

## 120. Use of Prepositional Phrases Instead of Adjectives

When an English adjective denotes the material out of which something is made, Spanish generally uses a prepositional phrase (**de** + the material) instead of an adjective.

    **una casa de madera**   a wooden house

    **una pared de vidrio**   a glass wall

    **un techo de paja**   a thatched roof

    **un anillo de oro**   a gold ring

## EJERCICIO

Diga en español:

a brick house, a diamond bracelet, leather shoes, a cotton dress, a silk robe, a Swiss watch (¡**Ojo**!), an aluminum table, a plastic toy, a straw hat, a steel beam, an electric light (!), nylon stockings, a wool suit, an iron pot

**121.** Adjectives Used as Nouns

A. An adjective is often used with a definite or indefinite article to form a noun.

> **un belga, los eslavos**   a Belgian, the Slavs
> **un viejo, la joven**   an old man, the young girl
> **algún insolente**   some fresh fellow

B. With the neuter article **lo,** the masculine singular form of the adjective becomes an abstract noun that describes the quality indicated by the adjective.

| | |
|---|---|
| **Lo bueno y lo malo...** | Good and bad . . . |
| **Lo curioso era...** | The strange (thing or part) was . . . |
| **Lo mejor del viaje era...** | The best (part) of the trip was . . . |

## EJERCICIO DE REPASO

1. Concrete steps should be taken to improve the economic situation of the nation.
2. The collapse of the rubber industry resulted in a deep economic crisis.
3. The population of that jungle used to live in precarious straw huts.
4. The low standard of living of those poor people was reflected in their food and clothing.
5. The administrative structure of the federal government was transferred inland.
6. The old plan of a network of roads does not include an artery that crosses the Amazon jungle.
7. The official name of this great road was BR–14, but it also bore the name of a famous engineer who died in the teeming tropical jungle.
8. Among the numerous bridges that they will have to build, two will be of major dimensions.
9. I hope they will be able to adapt themselves to these new and difficult conditions.
10. They have been building this important highway for five years.

## REPASO DE VERBOS

Estudie los verbos **ver** y **querer** y después diga en español:

I want you to see it. They wanted us to see them. He refused. Did you (**tú**) see her? Will they want to come? I doubt that he'll want (to). I should like to go.

# PART B

**122.** Further Analysis of the Position of Adjectives

Although demonstrative, numerical, possessive, and indefinite adjectives normally precede the noun, and other adjectives—of color, shape, nationality, etc.—generally follow the noun (cf. **116**), the position of adjectives, on the whole, is quite flexible. Although it is impossible to give an overall rule covering every situation, the following considerations may serve as guides in determining the position of the adjective.

A. By being placed after the noun, the adjective is given a distinguishing force, thereby setting off the noun from other nouns of the same category.

| | |
|---|---|
| **Las mujeres hermosas no son necesariamente menos inteligentes que las feas.** | Beautiful women are not necessarily less intelligent than homely ones. |

B. By being placed before the noun, the adjective has one of two implications.

  1. It expresses a characteristic or expected quality of the noun. There is no particular stress on the adjective in a distinctive sense.

| | |
|---|---|
| **Las hermosas modelos demostraban las últimas modas.** | The beautiful models were demonstrating the latest fashions. |
| **Los musculosos boxeadores entraron en el cuadrilátero.** | The muscular boxers entered the ring. |

Adjectives of size frequently precede the noun, since the qualities expressed are often felt to be inherent in the noun. When placed after the noun, these adjectives retain their distinguishing sense.

  **una pequeña casa**   a small house
  **una casa pequeña**
  **un largo viaje**   a long trip
  **un viaje largo**

  2. It may acquire an emotional, intense, or often poetic value, stressing a subjective attitude on the part of the speaker.

Contrast this with the literal meaning of the adjective placed in its more usual position after the noun.

| | |
|---|---|
| **una histórica ocasión** | an historic occasion (history-making, memorable) |
| **una ocasión histórica** | an historic occasion (belonging to history) |
| **un fantástico cuento** | a fantastic story (amazing, incredible) |
| **un cuento fantástico** | a fantastic story (full of fantasy) |
| **sus dramáticas obras** | his dramatic works (filled with dramatic impact) |
| **sus obras dramáticas** | his dramatic works (theatrical, for the stage) |
| **una imposible tarea** | an impossible task (a very difficult task magnified by the emphatic emotional reaction of the speaker) |
| **una tarea imposible** | an impossible task (a more objective distinction between this task and others that are feasible) |

Even adjectives of color are occasionally placed before the noun to impart a more poetic flavor.

| | |
|---|---|
| **Sus negros ojos me seguían mirando.** | His black eyes kept following me. |
| **Me enamoré de sus rubios cabellos.** | I fell in love with her blonde hair. |

**123.** Changes of Meaning According to Placement

Aside from the significant changes in meaning already observed in the placement of the adjectives **grande, pobre,** and **viejo** (cf. **118**), the following differences of connotation should also be noted in other common adjectives.

A. **Medio,** before the noun, means *half*; after the noun, it means *average.*

**medio indio**    half-Indian
**el hombre medio**    the average man

B. **Mismo,** before the noun, generally means *same*, and less frequently *very*; after the noun, its normal meaning is the intensifying *(one's) self.*

> **el mismo día**   the same day
> **el rey mismo**   the King himself

C. **Nuevo,** before the noun, means *new* in the sense of *another*; after the noun, it retains the literal sense of *new* (*not old*).

> **un nuevo plan**   a new (another) plan
> **mis zapatos nuevos**   my new shoes
> (as contrasted with the old ones)

D. **Alguno,** before the noun, is the indefinite *some*; placed after the noun in a negative sentence, it becomes a very emphatic negative.

| | |
|---|---|
| **Tiene algún talento.** | He has some talent. |
| **No tiene talento alguno.** | He has absolutely no talent at all. |

E. **Ese,** the demonstrative *that*, acquires a derogatory implication when placed after the noun.

> **ese artista**   that artist
> **el artista ese**   that so-called artist

**124.** The Position of Ordinal Numbers

Ordinal numbers are generally not used beyond **décimo** (tenth). With the dates of the month, only **el primero** (the first) takes the ordinal.

A. With chapters of books and personal titles, ordinal numbers usually follow the noun.

> **Capítulo Segundo**   Chapter II
> **Carlos Quinto**   Charles V

*But:*

> **Luis Catorce**   Louis XIV

B. In all other cases, they usually precede the noun.

> **la tercera página**   the third page

C. When **primero** and a cardinal number modify the same noun, the cardinal number comes first. This is the opposite of English usage.

> **los tres primeros cuentos**   the first three stories

**125.** The Use of Adjectives in Place of Adverbs

Adjectives are frequently used in Spanish with the force of adverbs, especially in cases where the action described emphasizes the state or condition of the subject, not the manner in which the action is performed.

| | |
|---|---|
| **Salió silenciosa.** | She went out silently. (She was silent as she went out.) |
| **Viven felices a pesar de su pobreza.** | They live happily in spite of their poverty. |
| **Siempre me saludaban alegres.** | They always used to greet me gaily. |

**126.** The English Prefix *un* with Adjectives

The English prefix *un* is usually translated in Spanish by placing the adverb **poco** before the adjective, unless the Spanish adjective has a negative form beginning with **in** (**infeliz**—unhappy; **infiel**—unfaithful, etc.).

| | |
|---|---|
| **Eso es poco importante.** | That is unimportant. |
| **Nos dieron una comida saludable, pero poco apetitosa.** | They gave us a healthful, but unappetizing meal. |

**127.** Replacement of Adjectives by Suffixes

Spanish often adds certain diminutive and augmentative endings to nouns in order to convey not only a feeling of size, but also a favorable or unfavorable connotation. Frequently, the use of such suffixes obviates the need for adjectives.

A. **-ito**

**-ito,** which sometimes takes the form **-cito,** gives the implication of smallness, plus a generally favorable evaluation. However, it may be used merely to imply affection, with no connotations of size.

> **una casita**   a (nice) little house
> **un hombrecito**   a small man
> **Juanito**   Johnny (no implication of size)
> **madrecita, mamacita**   Mom, Mommy
> **un chiquitito**   a tiny little boy

The diminutive **-uelo** is less favorable.

> **un chicuelo**   a boy, a kid
> **un tiranuelo**   a petty tyrant

### B. -illo

**-illo** or **-cillo** is a warmly affectionate diminutive ending, but may be used sarcastically.

> **Juanillo**   Johnny-boy
> **una casilla**   a charming little cottage
> **un chiquillo**   a cute little boy (or baby boy)
> **un autorcillo**   a would-be author

### C. -ón

**-ón** gives a general implication of largeness or impressiveness.

> **un caserón**   a mansion
> **un hombrón**   a big (impressive looking) man
> **una mujerona**   a large woman

### D. -ote

**-ote**, **-ota** imply a derogatory evaluation and are often affixed to adjectives as well as to nouns.

> **un viejote**   a surly old man
> **una zagala grandota**   a big, hulking shepherd girl

### E. -azo

**-azo** implies largeness, but often with a comic or derogatory effect; **-aco** also appears in this sense.

> **un hombrazo**   a huge (probably awkward) fellow
> **un pajarraco**   a big, ugly bird

### F. -uco,-uca;-ucho, -ucha

These suffixes give a most derogatory connotation.

> **una mujeruca**   a slovenly, wretched woman
> **una casucha**   a hovel, a shack
> **un  animalucho**   a miserable little beast.

### 128. Lo + Adjective + que

The neuter article **lo,** followed by an adjective and **que,** corresponds to the English *how* + adjective. In this sense, *how* refers to a degree or extent, and is not an exclamation.

| | |
|---|---|
| **No se da cuenta de lo bonita que es.** | She doesn't realize how pretty she is. |
| **¿Sabe Ud. lo divertidas que son esas comedias?** | Do you know how amusing those plays are? |

EJERCICIOS

I. Tradúzcase al español.

When we reached the top of the hill, we saw a magnificent panorama. In the distance some blue mountains, which formed the horizon, stood out against a sky even bluer than the mountains. To the right one could see a large lake surrounded by beautiful cypresses and elegant villas. Many sailboats were moving through the smooth water of that lake, which shimmered in the midday sun. In the center, green fields where a few cows were grazing, stretched out to the foot of the mountains. Some peasants were working in the fields and their white shirts formed a perfect harmony with the green of the grass. To the left there was a small village whose old houses clustered around a beautiful Gothic church. Beyond the village there was a mysterious wood in the midst of which stood an old castle. Everything seemed so peaceful and happy that we too began to feel at peace with the whole world. I don't think many people realize how profound can be the impression made by such a landscape. The view was so beautiful that we did not want to leave the hill and we remained there several hours. Have you ever felt the same sensation? If you have, you will know how happily one can live with nature, and that material things are sometimes unimportant.

II. Composición.

Un paisaje que me llamó la atención
Descripción de un cuarto
Un lugar interesante que he visitado

# ADVERBS AND COMPARISONS

||||||||||||||||||||||||||||||||||||||||||||||||||||||||||||||||||||||||||||||||||||||||||||||||||||||||||||||||||||||||

Adaptado de

**ESPAÑA SEMANAL**

Madrid, 18 de agosto de 1963

## Los Misterios Humanos

Cada día compramos alguna cosa. Casi nunca, sin embargo, nos hacemos la pregunta de por qué y cómo lo hacemos. En realidad, la adquisición de un producto no es más que la conclusión de una serie de procedimientos mentales, de impresiones y reflexiones. Y las técnicas comerciales se valen cada día más de la psicología para influir en el ritmo de las ventas. El problema, como oímos decir a muchos industriales, no está en producir, sino en vender.

Se ha visto por experiencia que se puede hacer una previsión más o menos certera en los productos alimenticios. Pero la predicción del gusto de los consumidores no es tan fácil en otros terrenos. Cuando las personas han satisfecho el hambre, el sueño y otras necesidades, tienen a su disposición productos que, hasta cierto punto, son superfluos y que permiten mayor libertad para escoger. Aquí es donde comienzan las dificultades para el psicólogo y para el vendedor.

Parece que sólo la menor parte de los compradores son capaces de valorar objetivamente una mercancía. Especialmente importante es la presentación de la mercancía, el ambiente de la venta y la personalidad del vendedor. Por ejemplo, para los paquetes de cigarrillos americanos se ha visto que eran particularmente eficaces figuras de jóvenes deportivos y de bronceadas muchachas. Figuras como éstas tanto se pueden enfocar hacia el público femenino como al masculino. Cuando se quiere abrir una brecha en el comprador masculino, se ha visto que la figura más eficaz es la de una muchacha que muestre, según un conocido psicólogo, "una cierta complacencia". Las mujeres, sin embargo, prefieren las figuras de una pareja feliz y afectuosa, un hombre elegante, o escenas de familia con niños pequeños.

A veces la presentación no tiene el menor efecto en la mentalidad de algunas personas. Muchas mujeres miran antes de todo la etiqueta con el precio y sólo compran artículos en reclamo. Unos carteles bien visibles que terminen con el número nueve tienen una acción sumamente persuasiva en muchas mujeres. Así, por ejemplo, anunciar un artículo a 99 pesetas tiene mucho más atractivo que si se pusiera el cartelito del precio en las 100 pesetas.

Personas sugestionables, con tendencias neuróticas, tienden a ser más receptivas a la propaganda y la presentación, pero en las compras intervienen también motivos más simples. Bajo el estímulo del hambre, las compras alimenticias son mayores. La miopía impide a muchos comprar en los supermercados, ya que la vista no alcanza las mercancías colocadas demasiado altas. En suma, el lugar de la venta es casi siempre una exposición estudiada científicamente y tiende a asemejarse a un laberinto lleno de sorpresas.

## PREGUNTAS

1. ¿De qué se valen cada día más las técnicas comerciales?
2. ¿Cuál es el problema mayor de los industriales?
3. ¿En qué productos se puede hacer una previsión más o menos certera?
4. ¿Qué permiten los productos superfluos?
5. ¿Cuántos compradores son capaces de valorar realmente una mercancía?
6. ¿Qué es especialmente importante?
7. ¿Qué figuras son más eficaces para vender cigarrillos? ¿Por qué?
8. ¿Qué figuras prefieren en general las mujeres?
9. ¿Qué otras condiciones afectan las ventas?
10. ¿Quiénes son más receptivas a la propaganda y la presentación?

## CONVERSACIÓN

1. ¿Le gusta ir de compras? ¿Con qué frecuencia va? ¿Qué compras ha hecho Ud. esta semana?
2. ¿Influyen en Ud. la presentación de la mercancía y el ambiente del almacén? ¿Recuerda Ud. haber comprado algo alguna vez porque el vendedor había sido muy amable con Ud.? ¿En qué orden de importancia pondría Ud. los siguientes: presentación, calidad, precio, ambiente?

3. ¿Ha comprado Ud. alguna vez una verdadera ganga? ¿Qué fue? ¿Compró el artículo porque era una ganga o porque lo necesitaba?
4. ¿Qué le parece a Ud. la propaganda comercial que se hace en la televisión y la radio? ¿Compra Ud. muchos de los productos presentados así? ¿Cuáles ha comprado? ¿Quedó Ud. satisfecho después? ¿Cree Ud. que sería mejor la televisión de circuito cerrado sin anuncios comerciales?

# PART A

**129.** Adverbs

A. Function of adverbs

Adverbs are used to modify a verb, an adjective, or another adverb. They answer the questions *where? how? when?*

| | |
|---|---|
| **Viene a menudo a visitarnos.** | He comes often to visit us. |
| **Tienen algunas ideas muy buenas.** | They have some very good ideas. |
| **No canta tan mal.** | He doesn't sing too badly. |
| **Vivimos allá en la cuesta.** | We live there on the hill. |
| **¿A dónde vas?**[1] | Where are you going? |

B. Formation of adverbs

Most adverbs of manner (*how?*) are formed by adding **—mente** to the feminine singular form of the adjective.

| | | |
|---|---|---|
| **lento** slow | **lentamente** slowly |
| **amargo** bitter | **amargamente** bitterly |
| **fácil** easy | **fácilmente** easily |
| **cortés** polite | **cortésmente** politely |

C. Position of adverbs

1. Although there is no rigidly fixed position for adverbs, it is generally good form to place the adverb immediately after the verb it modifies, and immediately before the adjective or adverb it modifies.

| | |
|---|---|
| **Escribe maravillosamente.** | He writes wonderfully. |
| **Ella sabe mucho más que yo.** | She knows much more than I. |
| **Viven muy cerca.** | They live very near. |

---

[1] **¿A dónde?** (or **¿adónde?**) must be used with verbs of motion.

2. In a phrase consisting solely of **no** and an adverb, Spanish places the adverb first.

| | |
|---|---|
| **Ahora no.** | Not now. |
| **Todavía no.** | Not yet. |

## EJERCICIOS

A. Conteste negativamente, empleando adverbios de significado opuesto:

1. ¿Hablan **bien** el español? 2. ¿Quiere que escribamos **mucho?** 3. ¿Insiste en que leamos **rápidamente?** 4. ¿Vivís **cerca?** 5. ¿Le digo a Pablo que venga **temprano?** 6. ¿Protestaron **fuertemente?** 7. ¿Prefiere Ud. que me siente **aquí?** 8. ¿Se les puede ver **fácilmente?** 9. ¿Se lo decía a Ud. **siempre?** 10. ¿Está **arriba** tu padre? 11. ¿Trabajas **fuera** ahora? 12. ¿Ha llegado **ya** el correo?

B. Diga en español:

1. You can do better if you try. 2. Don't complain so much. 3. He always buys himself expensive suits. 4. Anita never does (**sale**) well on exams. 5. There is too much to (**que**) do here. 6. There's my car. Where is yours? 7. They speak very clearly, don't they?

**130.** Equal Comparisons of Adjectives and Adverbs

A. **Tanto... como**   as much . . . as;  in the *plural*,  as many . . . as

1. Used as an adjective, **tanto** will agree in gender and number with the noun it modifies.

| | |
|---|---|
| **No tenemos tanto trabajo como ellos.** | We don't have as much work as they. |
| **¿Sabe Ud. tantos poemas como ella?** | Do you know as many poems as she? |

2. As an adverb, **tanto** never changes its ending.

| | |
|---|---|
| **No compra tanto aquí como antes.** | He doesn't buy as much here as before. |
| **Paco no come tanto como debiera.** | Paco doesn't eat as much as he should. |

B. **Tan... como**   as . . . as

**Tan** is used only to modify an adjective or another adverb. It is NEVER used before **mucho.**

| | |
|---|---|
| **Es tan leal como valiente.** | He is as loyal as (he is) brave. |
| **Mi sobrino es tan alto como yo.** | My nephew is as tall as I. |
| **Hablan español tan bien como cualquier hispano.** | They speak Spanish as well as any native. |

*But:*

| | |
|---|---|
| **Ella sabe tanto como sus maestros.** | She knows as much as her teachers. |

**Tan,** used without **como,** means *so.*

| | |
|---|---|
| **Estamos tan contentos.** | We are so pleased. |


## EJERCICIOS

A. Cambie las frases siguientes para expresar una comparación de igualdad:
1. No hay nadie **más** inteligente **que** Ricardo. 2. Tenemos **más** dinero **que** todos ellos juntos. 3. Debes tener **más** paciencia **que** tu hermana. 4. Estaban **menos** cansados **que** antes. 5. Mi coche es **más** nuevo **que** el suyo. 6. Habla **mejor que** nosotros. 7. No quiero estudiar **más.** 8. Habrá **menos** hombres **que** mujeres a bordo. 9. Gasta **menos que** Uds. 10. Tiene **más** discos **que** un almacén.

B. Diga en español:
1. I am so tired. —You can't be as tired as I. 2. The chief had as many enemies as friends. 3. You shouldn't smoke so much. —I don't smoke as much as you. 4. There were as many employees as clients at the reception. 5. She dances as well as a professional dancer. 6. Please. Don't do so many things at a time.


**131.** Unequal Comparisons of Adjectives and Adverbs

A. Regular comparatives

To form most comparatives, **más** (more) or **menos** (less) is placed before the adjective or adverb.

    **más enfermo**   sicker
    **más difícil**   more difficult
    **menos inteligente**   less intelligent
    **más despacio**   more slowly

| | |
|---|---|
| **Mi coche es más nuevo.** | My car is newer. |
| **—El mío es más hermoso.** | —Mine is prettier. |
| **Por favor, caminen Uds. más rápidamente.** | Please walk faster. |


B. Irregular comparatives
1. Six adjectives and four adverbs are compared irregularly in Spanish.

| *Adjectives* | *Adverbs* | *Comparative* |
|---|---|---|
| **mucho**  much; *pl.*, many | **mucho**  much, a great deal | **más**  more |
| **poco**  little (in amount or degree) | **poco**  little | **menos**  fewer, less |
| **bueno**  good | **bien**  well | **mejor**  better |
| **malo**  bad | **mal**  badly | **peor**  worse |
| **grande**  large | | **mayor**[2]  older, larger |
| **pequeño**  small | | **menor**[2]  younger, smaller |

2. **Grande** and **pequeño** may also be compared regularly: **más grande, más pequeño,** etc. In this sense, the adjective refers only to size, not to age.

| **Pedro es mayor, pero Raúl es más grande.** | Peter is older, but Ralph is bigger. |
|---|---|

## EJERCICIO

Lea con cuidado, y después conteste las preguntas: 1. Mario tiene veinte años. Juan tiene quince... ¿Quién es mayor? 2. Arturo tiene dos metros de alto. José tiene 1.80... ¿Quién es más bajo? 3. Andrés ha sacado una A en el examen, David una B... ¿Quién salió mejor? 4. Pedro recorre los cien metros en veinte segundos, Guillermo en catorce... ¿Quién corre más rápidamente? 5. El libro azul mide treinta centímetros de largo y veintidós de ancho. El libro rojo mide diecinueve de largo y trece de ancho... ¿Cuál es más pequeño? 6. Segovia está a cincuenta kilómetros, El Escorial a cuarenta... ¿Cuál está más lejos? 7. Yo llego en diez minutos, Carlos en doce... ¿Quién vive más cerca?

**132.** Translations of *than*

### A. **Que**

When a direct comparison is made between two persons, things, or actions, *than* is translated by **que,** except before a number.

| **Paco es más alto que tú.** | Frank is taller than you. |
|---|---|
| **Hemos visto más películas este año que el año pasado.** | We have seen more movies this year than last year. |
| **Ahora sé menos que antes.** | Now I know less than before. |
| **Canta mejor que baila.** | She sings better than she dances. |

[2] To keep in mind the meaning of **mayor**—*older, larger*—and **menor**—*younger, smaller*—think of *major* and *minor*.

B. **De**

Before a number, *than* is translated by **de**.

| | |
|---|---|
| **El viaje dura menos de cuatro horas.** | The trip takes less than four hours. |
| **El gobierno ha gastado más de diez millones de dólares en eso.** | The government has spent more than ten million dollars on that. |
| **¿Cuánto dinero le queda? —No más de cinco dolares.** | How much money do you have left? —No more than five dollars. |

The idiom **no más que** means *only*.

| | |
|---|---|
| **No tengo más que cinco dólares.** | I have only five dollars. |

C. **De** + definite article + **que**

When the sentence has *two* stated verbs and *than* really means *than what, than the one(s) who or that*, etc., it is translated by **del que, de los que, de la que, de las que,** or **de lo que.**

1. If the object being compared by the two clauses is a noun, the article that corresponds to that noun follows **de**.

| | |
|---|---|
| **Tiene más amigos de los que puede invitar.** | He has more friends than (those whom) he can invite. |
| **María debe más dinero del que ganará en toda su vida.** | Mary owes more money than (that which) she'll earn in her whole life. |

2. When an adjective, an adverb, or a whole idea is being compared, the neuter article **lo** follows **de**.

| | |
|---|---|
| **Es más bonita de lo que esperábamos.** | She is prettier than (what) we expected. |
| **Canta mejor de lo que nos habían dicho.** | He sings better than (what) we had been told. |
| **Entienden más de lo que crees.** | They understand more than (what) you think. |

EJERCICIOS

A. Conteste en español con frases completas:

1. ¿Es Ud. más alto o más bajo que su mejor amigo? 2. ¿Es su madre mayor o menor que su padre? 3. En su opinión, ¿es más fácil el inglés que el español? 4. ¿Trabaja Ud. menos este semestre que el semestre pasado? 5. ¿Le gustan más sus cursos este año que el año pasado? ¿Por qué? 6. ¿Tiene Ud. más amigos ahora que cuando asistía a la escuela superior? 7. ¿Tiene Ud. menos de diez dólares en el bolsillo (o en la bolsa) hoy?

8. ¿Conoce Ud. a alguien que tenga más de ochenta años? 9. ¿Ha recibido Ud. alguna vez una nota mucho mejor de la que esperaba? 10. ¿Conoce Ud. a alguien que parezca mucho más joven de lo que es? ¿Quién es?

B. Traduzca al español:

1. "More than you know, more than I'd show, man of my heart, I love you so (much)." 2. My dear girl, you are much more in love than I. Why are you so silly? 3. It is better to attend to the more important things first. 4. Juliet is the younger and smaller, but she is much nicer than her sister. 5. I don't think she is as pretty as mine. 6. José received fewer calls than he expected. 7. He knows less than you think.

**133.** Superlatives

A. General function of superlatives

A superlative compares one person or thing with all others of the same category and states that the object of its comparison has the most or least of a certain quality. Even when the noun to which it is compared is not stated, it is always implied.

B. Formation of superlatives in Spanish

Superlatives are formed by placing the definite article before the comparative. If the definite article is already used before the noun, it is not repeated after it.

| | |
|---|---|
| **Son los mejores de la clase.** | They are the best in the class. |
| **Fue el concierto más impresionante del año.** | It was the most impressive concert of the year. |

Notice that **de** is used after a superlative to translate the English *in*.

EJERCICIOS

A. Conteste en español:

1. ¿A quién considera Ud. el mejor presidente de nuestro país? ¿Por qué? 2. ¿Cuál es la ciudad más grande de este estado? 3. ¿Cuál es la universidad más destacada de todas? 4. ¿Quién es el miembro más viejo de su familia? ¿Cuántos años tiene? 5. ¿Quién es el más joven de su familia? 6. ¿Quién es el mejor profesor (o la mejor profesora) de esta escuela? (!) 7. ¿Cuál fue la noticia más impresionante de este año?

B. Diga en español:

1. We carry a selection of the finest wines. 2. The most expensive products are not always the best. 3. My older brother is one of the best-known

(**más...**) painters in the country. 4. His least valuable works cost more than we can afford (spend).

## 134. The Pseudo-Superlative—**ísimo**

The intensifying ending **-ísimo,** added to an adjective, corresponds to the English *extremely, very,* or *most.* It is not a superlative, since there is no actual or implied comparison with anything else.

| | |
|---|---|
| **Es una persona simpatiquísima.** | He is a very (or most) charming person. |
| **Es un día rarísimo.** | It's a most unusual day. |

### EJERCICIO

Diga más enfáticamente:

un joven simpático; un libro interesante; una discusión animada; una familia rica; unos viejos pobres; una charla importante

### EJERCICIO DE REPASO

1. It will be more difficult to sell this product than you believe.
2. They explained to us that the greatest problem was not producing, but selling.
3. Every year we produce much more than we can consume.
4. It is possible that the most effective advertising of cigarettes is done on television.
5. Often advertising doesn't have the slightest effect on the mentality of some persons.
6. Labels that attract attention will always have an extremely persuasive effect on many women.
7. It is as important to present a product well as to manufacture it well. —I can't believe that that's true.
8. Easily influenced people are of course the most receptive to advertising.
9. Figures of young sporting men and bronzed girls appeal as much to men as to women.
10. His nearsightedness prevented him from buying more than four or five articles in the supermarket.

### REPASO DE VERBOS

Estudie los verbos **salir** and **valer,** y después diga en español:

I'm going out now. It will be worth more some day. We hope it's worth so much. They said that they would go out soon. I'm afraid they're leaving right now. It wouldn't be worth while.

# PART B

**135.** Adverbs

A. Shortening of adverbs

    1. When two or more adverbs ending in **-mente** modify the same verb, **-mente** is omitted from all but the last.

| | |
|---|---|
| **Entraron silenciosa y misteriosamente.** | They entered silently and mysteriously. |

    2. **Recientemente** is shortened to **recién** before a past participle used as an adjective.

| | |
|---|---|
| **El misionero recién llegado...** | The newly arrived missionary ... |
| **Los recién casados...** | The newlyweds ... |

B. Use of prepositional phrases in place of adverbs

Prepositional phrases are frequently used instead of adverbs of manner.

**dulcemente, con dulzura**   sweetly

**irónicamente, con ironía, de modo irónico**   ironically, sarcastically

**sencillamente, con sencillez**   simply

C. **Lo** + adverb + **que**

The neuter article **lo** followed by an adverb and **que** corresponds to the English *how* + adverb, to indicate extent. It is not an exclamation.

| | |
|---|---|
| **Se quejó de lo despacio que íbamos.** | He complained about how slowly we were going. |

D. **Dondequiera**   wherever

**Dondequiera** and **adondequiera** are used much as the English *wherever*. When its meaning is *every place*, it is followed by the indicative. When it refers to an indefinite place, it calls for the subjunctive.

| | |
|---|---|
| **Dondequiera (que) trabajaba, le querían todos.** | Every place (wherever) he worked, everyone liked him. |
| **Dondequiera (que) estés, piensa en mí.** | Wherever you are (may be), think of me. |

E. Position of adverbs

When an adverb begins the sentence, it is generally more emphatic and often causes an inversion of the subject and verb.

| | |
|---|---|
| **Ud. lo sabe bien. Bien lo sabe Ud.** | You know (it) very well. |
| **Su padre siempre le reñía cuando le veía con ella.** | His father used to scold him whenever he saw him with her. |
| **Siempre le reñía su padre cuando le veía con ella.** | |

## 136. Comparisons

### A. **Cuanto... tanto**

**Cuanto más (menos)... tanto más (menos)** means *the more (less) . . . the more (less)*.

| | |
|---|---|
| **Cuanto más estudio, tanto menos comprendo.** | The more I study, the less I understand. |
| **Cuanto menos sabe, tanto más grita.** | The less he knows, the more he shouts. |

### B. The regular and irregular comparisons of **bueno** and **malo**

**Bueno** and **malo** may be compared regularly: **más bueno, más malo**; they may also be compared irregularly: **mejor, peor**. However, there is an important difference in the implication of the two usages.

1. **Mejor** and **peor** are used for all general qualities except personality traits.

| | |
|---|---|
| **Es el peor hotel de la ciudad.** | It is the worst hotel in the city. |
| **El mejor estudiante de la escuela...** | The best student in the school . . . |

2. **Más bueno** and **más malo** refer specifically to traits of character.

| | |
|---|---|
| **Es el hombre más malo del pueblo.** | He is the worst (the meanest) man in town. |
| **Es más buena que una santa.** | She is better (kinder) than a saint. |
| **Es más bueno que el pan.** | He is better than bread. (He is as good as gold.) |

### C. **Tan** to translate *such (a)*

When *such (a)* modifies an adjective, **tan** must be used instead of **tal**.

| | |
|---|---|
| **En un día tan hermoso, ¿quién puede trabajar?** | On such a nice day, who can work? |
| **Son personas tan buenas.** | They are such good people. |

*But:*

| | |
|---|---|
| **En tal caso, tendríamos que ponerle pleito.** | In such a case, we would have to sue him. |

D. Agreement of **mucho** in comparisons

1. When **mucho más** (much more) or **mucho menos** (much less) is followed by a noun, **mucho** generally retains its function as an adjective, and thereby agrees with the noun.

| | |
|---|---|
| **Mi madre tiene mucha menos paciencia que mi padre.** | My mother has much less patience than my father. |
| **El conoce a mucha más gente que yo.** | He knows many more people than I. |

In the plural, **muchos** (many) always agrees with the noun compared.

| | |
|---|---|
| **Había muchos más hombres que mujeres.** | There were many more men than women. |
| **Hoy vinieron muchas más personas que ayer.** | Today many more people came than yesterday. |

2. When **mucho** precedes **mejor** or any other comparative, it usually functions as an adverb, and is invariable. This is especially true when the adjective comes after the noun it modifies.

| | |
|---|---|
| **Su idea es mucho mejor que la nuestra.** | His idea is much better than ours. |
| **Los nuevos planes son mucho más factibles que los originales.** | The new plans are much more workable than the original ones. |
| **La Sra. Colón es mucho más razonable que su marido.** | Mrs. Colon is much more reasonable than her husband. |
| **Son mucho mejores bailadores que los otros.** | They are much better dancers than the others. |

**137.** *Than* in Special Situations

A. **Que** in the comparison of two clauses

1. When two actions are being directly compared, **que** is used. (Recall **132** A.)

| | |
|---|---|
| **Descansa más que trabaja.** | He rests more than he works. |
| **Cantan aun peor que bailan.** | They sing even worse than they dance. |

2. When the subordinate clause begins with a relative pronoun, **que** again translates *than*.

| | |
|---|---|
| **Estos delegados son más liberales que los que vinieron antes.** | These delegates are more liberal than the ones who came before. |
| **Esto importa mucho menos que lo que nos dijo ella.** | This matters much less than what *she* told us. |

B. **De** before words that imply quantity

Even though a specific number is not mentioned, **de** is often used before words implying quantity.

| | |
|---|---|
| **Solía dormir mucho menos de lo normal.** | He used to sleep much less than the normal amount. |
| **No me quedan más de unos cuantos.** | I don't have more than a few left. |
| **Ése come más de la cuenta.** | That fellow eats more than is proper. |

## EJERCICIOS

I. Traducir al español.

CHARLES: Now you (*fam.*) have to learn to speak Spanish better.

JOHN: Why?

CHARLES: Because, in the first place, it is extremely important to know how to speak foreign languages in order to be able to understand the culture of other peoples. And in the second place, in order to understand and feel the spirit of our Spanish-speaking (**de habla española**) neighbors, it is indispensable to understand and speak their tongue.

JOHN: I have just returned from Europe. Wherever I went I always spoke English and everybody understood me. There are more people than I thought who understand English. So if I go to Latin America, I will do the same. There are as many Latin Americans as Europeans who know English.

CHARLES: Who knows? But even though that may be so, you are not right in insisting that everybody speak to you in English. What would you say if a person from another country came here without knowing one word of English and insisted upon your speaking to him in his own language?

JOHN: But English is much more important. It is the most important language in the world.

CHARLES: Not by any means, according to statistics. There are other languages, especially Asiatic tongues, spoken by many more people. Besides, you know very well how important Spanish is today in the United States, and how frequently it is heard in cities like New York. It is used more and more in the courts, in hospitals, in stores . . .

JOHN:   All right, all right. You have convinced me. Where do I learn it?

CHARLES:   I shall give you private lessons.

JOHN:   Very well. And how much do you charge?

CHARLES:   I shall make you a special price: ten dollars an (**la**) hour.

JOHN:   Now I understand why you want me to study Spanish.

II. Composición.

1. Por qué es importante (o no es importante) saber lenguas extranjeras en el mundo de hoy

2. El estudio de lenguas extranjeras como requisito universitario

3. Cómo enseñaría yo una lengua extranjera

# THE PASSIVE VOICE

||||||||||||||||||||||||||||||||||||||||||||||||||||||||||||||||||||||||||||||||||||||||||||||||||||||||||||||||||||||||||||||

Adaptado de

**A B C**

Madrid, 10 de agosto de 1963

## Asalto al Tren Correo

Ayer a las cinco de la mañana un tren-estafeta fue asaltado en las cercanías de Londres. El botín que fue robado por los atracadores del tren pasa de cuatrocientos veinticinco millones de pesetas. Las recompensas que han sido ofrecidas por las compañías aseguradoras y por Correos ascienden a cuarenta y cuatro millones de pesetas. Toda la policía del país está movilizada, pero aún no tiene una pista segura que conduzca al tesoro. Cientos de detectives están inspeccionando almacenes, viviendas, vehículos y bosques. Otros agentes secretos acuden a los bares para tratar de recoger alguna conversación sospechosa. Se hablaba de una avioneta pintada de rojo que al parecer despegó de un campo de aviación que no está en uso y que se halla cerca del punto donde fue asaltado el tren. Esta tarde, sin embargo, informan que no hay confirmación de ese vuelo misterioso. En la cuneta de la carretera donde esperaba el camión de los bandidos, ha sido descubierta hoy la siguiente inscripción, hecha con tiza amarilla: "Len se fue al otro puente, camino de Cheddington." ¿Una pista, o una broma de algún entusiasta de las investigaciones policíacas?

La policía sospecha que los ladrones han tenido la ayuda de algunos funcionarios relacionados con el transporte de esa ingente suma de dinero. Para el atraco tuvieron que saber cuándo se iba a enviar el

186

tesoro, qué vagones lo llevaban, el horario exacto del tren y la distribución interior de los empleados de Correos. La operación fue realizada por los atracadores sin el menor titubeo y con exactitud matemática.

El director general de Correos anunció esta tarde que será reforzada la protección física de los trenes-estafeta. Se instalarán redes telefónicas dentro de los vagones para asegurar la comunicación entre ellos, y va a ser montado un sistema de radio-teléfono para mantener contacto con el exterior. En ningún caso, sin embargo, los que viajen en esas estafetas irán armados. Según el director general, es preferible que los bandidos aligeren un tren antes de que se registren en el país las escenas de tiros que acreditan a las películas del Oeste. Para los bandidos es un factor muy agradable que el personal de escolta vaya sin armas, pero eso también implica que si aquéllos hacen uso de las suyas y matan a alguien, el punto de destino es la horca.

"¿Están las joyas de la Corona a salvo?", se pregunta hoy un diario. Buen signo es que esas joyas nunca salen de la Torre de Londres para viajar en tren-estafeta.

## PREGUNTAS

1. ¿Dónde fue asaltado el tren-estafeta?
2. ¿A qué suma llega el botín que fue robado?
3. ¿Qué recompensas han sido ofrecidas?
4. ¿Qué medidas está tomando la policía?
5. ¿De dónde despegó la avioneta de que se hablaba?
6. ¿Qué fue descubierto en la cuneta de la carretera?
7. ¿Por qué sospecha la policía que los bandidos tuvieron la ayuda de algunos funcionarios?
8. ¿Cómo será reforzada la protección física de los trenes-estafeta?
9. ¿Por qué no quiere el director que el personal de escolta vaya armado?
10. ¿Qué les pasará a los bandidos que usen armas?

## CONVERSACIÓN

1. ¿Qué noticia de las últimas dos semanas le impresionó más? ¿Qué noticia del último año? ¿Recuerda Ud. el asesinato del presidente Kennedy? ¿Cuántos años tenía Ud. entonces? ¿Cuáles fueron sus primeras impresiones?
2. ¿Ha ocurrido un robo en su vecindad recientemente? ¿Ha habido un robo alguna vez en su casa o en casa de un amigo o pariente suyo? ¿Cuándo? ¿Encontraron a los ladrones?
3. ¿Cree Ud. que la policía debe usar armas de fuego? ¿Por qué?

# PART A

**138.** The Difference Between Active and Passive Voice

The active voice is a construction in which the subject does the action of the verb. In the passive voice, the subject does not do, but receives the action of the verb.

| | |
|---|---|
| **El presidente le nombrará embajador.** | The President will appoint him ambassador. (The subject—President—is doing the appointing.) |
| **Será nombrado embajador (por el presidente).** | He will be appointed ambassador (by the President). (The subject—he—is receiving the appointing.) |

**139.** The True Passive

A. The true passive voice in Spanish is formed exactly as in English.

| *Subject* + | **Ser** + | *Past Participle* + | **por** |
|---|---|---|---|
| **Nuestra escuela** | **fue** | **fundada** | **por el estado.** |
| Our school | was | founded | by the state. |
| **Estos libros** | **serán** | **publicados** | **por Zigzag.** |
| These books | will be | published | by Zigzag. |

Notice that the past participle agrees with the subject.

B. At times, **de** is used instead of **por** to indicate the agent (the doer of the action), particularly when the action is mental or emotional.

| | | |
|---|---|---|
| **Son** | **amados** | **de todos.** |
| They are | loved | by everyone. |

C. IMPORTANT: The true passive construction must be used when the doer of the action is expressed.

When the agent is not mentioned, but strongly implied, the true passive (of course, without **por** or **de**) may still be used in many cases.

| | | | |
|---|---|---|---|
| **La Gioconda** | **fue** | **pintada** | **entre 1500 y 1504.** |
| La Gioconda | was | painted | between 1500 and 1504. |
| **Muchos árboles** | **han sido** | **plantados** | **en esta vecindad.** |
| Many trees | have been | planted | in this area. |
| **Juan** | **será** | **enviado** | **a Nueva York.** |
| John | will be | sent | to New York. |

D. Remember that the passive voice always involves an action that is being done to the subject. If the sentence expresses a state, not an action, **estar** is used and there is no passive voice. (See **81 C.**)

| | |
|---|---|
| **La casa está rodeada de un hermoso jardín.** | The house is surrounded by a beautiful garden. (No action.) |
| **Estaban sentados cerca de la ventana.** | They were seated near the window. |

## EJERCICIOS

A. Cambie las frases siguientes según los nuevos sujetos:
  1. La presa fue destruida por el diluvio.
     (presas, cosechas, árboles, granero)
  2. Los folletos han sido confiscados por el gobierno.
     (contrabando, drogas, sus obras, pasaportes)
  3. La casa será reconstruida pronto.
     (edificio, motores, casas, aparato)

B. Conteste afirmativamente las preguntas siguientes empleando en su contestación la voz pasiva:

  1. ¿López y Hermanos construirán la casa? (**Sí, la casa será...**) 2. ¿Derribó muchos árboles el huracán? (**Sí, muchos árboles fueron...**) 3. ¿Cortarán la hierba hoy? 4. ¿Han vendido la casa ya? 5. ¿Tu tío escribió ese poema? 6. Miguel Angel pintó ese cuadro, ¿no? 7. Felipe II las invitó a la corte, ¿verdad? 8. ¿Han asaltado un tren-estafeta? 9. ¿La policía ha cogido al ladrón? 10. ¿La compró un famoso millonario? 11. ¿Le aman todos?

C. Diga en español:
  1. Our house was built by Losada and Co. 2. It is very well built. 3. Her dresses will be designed by a famous Paris *couturier*. 4. The trunks were sent to a wrong address. 5. Suddenly, the window was opened. 6. He would have been run over by the car if she hadn't called him at (**en**) that moment. 7. The car knocked down an iron fence.

**140.** Alternates for the True Passive When the Agent Is *NOT* Expressed

A. The impersonal *they* as an alternate for the passive voice

Just as in English, the third person plural may be used in Spanish as a substitute for the passive voice when the agent is not expressed.

| | |
|---|---|
| **Dicen que no será candidato.** | It is said (they say) that he will not be a candidate. |
| **Le dieron el premio a María.** | Mary was given (they gave Mary) the prize. |
| **Acaban de construir un nuevo edificio.** | A new building has just been erected. (They have just erected . . .) |

B. The reflexive

A reflexive construction is often used in place of the true passive when the doer of the action is not stated.

1. If the subject of the passive sentence in English is not a person, it becomes the subject of a normal reflexive construction in Spanish (as if it had done the action to itself, or they, to themselves).

| | |
|---|---|
| **Se vendió la casa hace dos meses.** | The house was sold two months ago. |
| **Se han escrito muchas novelas sobre este tema.** | Many novels have been written on this theme. |

Notice that the reflexive verb will normally precede its subject when it is used passively.

2. If the subject of the passive sentence in English is a person (or an animate thing that plausibly could do the action to itself), Spanish uses an impersonal reflexive construction, which is always in the third person singular. *One* (indicated by the impersonal **se**) does the action, and the person to whom the action is done is the object of the verb.

| | |
|---|---|
| **Se la veía allí a menudo.** | She was seen there often. (One used to see her there often.) |
| **Se me ha dicho que no vienen.** | I have been told that they are not coming. (One has told me . . .) |
| **Se le mató al general.** | The general was killed. (One killed the general.) |

NOTE: The impersonal reflexive construction can take either a direct or an indirect object.

| | |
|---|---|
| **Se la mandó.** | She was sent. (One sent her. *Direct object.*) |
| **Se le ofreció un empleo.** | She was offered a job. (One offered a job to her. *Indirect object.*) |

However, only **le** and **les** may be used for a third person masculine object, direct or indirect.

| | |
|---|---|
| **Se le halló.** | He was found. |
| **Se les llevó.** | They were taken. |
| **Se le habrá dejado una fortuna.** | He has probably been left a fortune. |

## EJERCICIOS

A. Cambie las oraciones siguientes por una construcción reflexiva:

1. La casa ha sido vendido ya. (**Ya se ha...**) 2. Los trabajos no han sido iniciados. (**No se han...**) 3. Las puertas fueron abiertas. 4. Mañana pintarán el piso. 5. Le ofrecieron un buen puesto. 6. La sentencia fue anunciada. 7. Así evitarán una catástrofe. 8. Los premios fueron entregados hoy. 9. Han cancelado todos los visados. 10. Dicen que va a llover.

B. Traduzca al español:

1. The article was published in every newspaper. 2. It is very badly written. 3. I am told that it will be very warm out tomorrow. 4. We have been given another chance. 5. Let's give them another chance. 6. Suddenly, the house was surrounded by police. 7. The mirror was broken during the quarrel. 8. The mirror was already broken when I came in. 9. The document has been signed. (3 ways) 10. "Poems are made by fools like me, but only God can make a tree."

**141.** Summary of the Passive Voice in Spanish

A. When the doer of the action is expressed, the true passive must be used.

| | |
|---|---|
| *Don Quijote* **fue escrito por Cervantes.** | *Don Quixote* was written by Cervantes. |
| **Será recibido por el rey mismo.** | He will be received by the king himself. |

B. When the agent is not expressed, there are three possible ways of stating the passive idea.

1. The true passive, when an agent is strongly implied[1]

| | |
|---|---|
| *Don Quijote* **fue publicado en 1605.** | *Don Quixote* was published in 1605. |
| **Será bien recibido.** | He will be well received. |

[1] The true passive construction without agent expressed should not be used when the person to whom the action is done is really the indirect object of the action (see **142** B1).

2. The impersonal *they* (third person plural)

**Publicaron** Don Quijote **en 1605.**
**Le recibirán bien.**

3. The reflexive

a. Normal reflexive construction when the subject is not a person

**Se publicó** Don Quijote **en 1605.**

b. Impersonal reflexive (**se** *one*) when the subject of the English passive construction is a person

**Se le recibirá bien.**

## EJERCICIO

Conteste en español:

1. ¿Cree Ud. que los niños malos deben ser castigados mucho por sus padres? ¿En qué forma? 2. ¿Le castigaban a Ud. mucho cuando era niño? 3. ¿Cree Ud. que un alumno que se comporta mal en la escuela debe ser castigado corporalmente por el maestro? 4. ¿Le han acusado a Ud. injustamente alguna vez? 5. ¿Ha sido Ud. invitado a una fiesta esta semana? 6. ¿Se le ha ofrecido recientemente una buena oportunidad?

## EJERCICIO DE REPASO

1. How much money was stolen by the bandits? —More than a million dollars.
2. The whole police force was already mobilized when the second train was attacked.
3. The vehicle has been discovered today in a ditch along (**de**) the road.
4. I hope this operation will be carried out without the slightest hesitation.
5. We have been told that telephones will be installed in the (railroad) cars.
6. I want a radio-telephone (communication) system to be set up as soon as possible.
7. Have you been taught to use these weapons? —Not yet.
8. We prefer that the train be attacked rather than having a single man killed.
9. He was hanged because he had made use of his weapon against one of the unarmed guards.
10. When they approached the building, it was already surrounded by many policemen.

REPASO DE VERBOS

Estudie los verbos **conocer, parecer, etc.,** y después diga en español:
I know him. We didn't know them. Did you deserve it? I'm rocking the baby.
He is afraid that they'll perish. They appeared tired. I hope he knows her.


# PART B

**142.** The True Passive Construction

A. Preferred usage

Aside from its required use when the agent is mentioned, the true passive construction is preferred when the agent is not stated, but is strongly implied or obvious.

| | |
|---|---|
| **Este cuadro es de Goya; fue pintado en 1814.** | This painting is by Goya; it was painted in 1814. |
| *Hamlet* **fue escrito después de** *Julio César.* | *Hamlet* was written after *Julius Caesar.* |

B. Avoidance

1. When a person is the indirect recipient of the passive voice action, the true passive must be replaced by either the third person plural (*they*), *not* reflexive, or by the impersonal reflexive (*one*). The third person plural construction is somewhat more common in spoken language.

| | |
|---|---|
| **Me han dicho que...** | I have been told that[2] . . . |
| **Se me ha dicho que...** | (It has been told *to* me.) |
| **¿Nos darán otro examen?** | Will we be given another exam? |
| **¿Se nos dará otro examen?** | (Will it be given *to* us?) |
| **Deben ofrecerles un buen puesto.** | They should be offered a good job. |
| **Se les debe ofrecer un buen puesto.** | (It should be offered *to* them.) |

The true passive is correct when a person is the direct recipient of the passive action.

| | |
|---|---|
| **No fui invitado.** | I was not invited. |
| **Debe ser ascendido.** | He should be promoted. |

---

[2] **Me ha sido dicho,** though hypothetically correct, is very rarely used and should be avoided.

However, even here, it is being supplanted increasingly, especially in oral usage, by the third person plural construction.

| | |
|---|---|
| **No me invitaron.** | I was not invited. (They didn't invite me.) |
| **Deben ascenderle.** | He should be promoted. (They should promote him.) |

2. In the present and imperfect indicative, the true passive is normally replaced by an active construction when it describes an action in its progress.[3]

| | |
|---|---|
| **El muchacho abre (está abriendo) la ventana.** | The window is (being) opened by the boy. |
| **La guardia de honor izaba (estaba izando) la bandera.** | The flag was being raised by the honor guard. |

However, either a true passive or an active construction may be used in these tenses to express a mental or emotional attitude, or an habitual action.

| | |
|---|---|
| **Es temido de todos.** **Todos le temen.** | He is feared by all. |
| **Eran respetados hasta de sus enemigos.** **Hasta sus enemigos los respetaban.** | They were respected even by their enemies. |
| **Estos romances eran cantados por los gitanos.** **Los gitanos cantaban (solían cantar) estos romances.** | These ballads used to be sung by the gypsies. |

**143.** Preferred Usage of the Third Person Plural

When a verb has both a direct and an indirect object pronoun, the third person plural is used as a substitute for both the reflexive and the true passive constructions. Obviously the use of the reflexive would create the unlikely situation of having three consecutive object pronouns (reflexive, indirect, and direct), and the true passive would be cumbersome and abnormal with an indirect object that refers to a person.

---

[3] Only with the progressive tense (**estar** + present participle), does the true passive frequently appear: **La cuestión está siendo discutida por la junta.** *The matter is being discussed by the council.* Notice how the progressive emphasizes an action *in progress* at a particular moment.

| | |
|---|---|
| **No se lo han dicho.** | He has not been told it. |
| **Se lo preguntaron.** | They were asked it. |
| **Me los enseñarán de antemano.** | I will be shown them in advance. |

**144.** The Reflexive Passive

A. To imply an accidental or unexpected action (Recall **49** C.)

| | |
|---|---|
| **Se me han olvidado las gafas.** | I forgot my glasses. |
| **Se le perdió el dinero.** | He lost the money. |

B. The reflexive passive vs. the impersonal **se**

There is considerable confusion even in current literate usage between the reflexive substitute for the passive voice and the impersonal construction with **se**.

    1. The normal reflexive passive used with persons

        We have seen that when a person is subject of the passive sentence in English, and the agent is not mentioned, the proper reflexive construction in Spanish should be the impersonal **se** (one) followed by a verb in the third person singular. The English subject then becomes the object, direct or indirect, of the verb.

| | |
|---|---|
| **Se les veía en todas partes.** | They were seen everywhere. |

        The impersonal third person plural, *not* reflexive, is an alternate: **Los veían en todas partes.**

        However, the theoretically incorrect form—**Se veían en todas partes** [4]—is found so frequently in both oral and written Spanish, that it is difficult to dismiss it simply as an error. Moreover, this construction appears with many verbs other than **ver.**

| | |
|---|---|
| **Se oían cantar.** | They were heard singing. |
| **Se reclutaron muchos soldados.** | Many soldiers were recruited. |

    2. The impersonal **se** instead of the normal reflexive

        The normal reflexive construction is properly used as a substitute for the passive when the subject is not a person and the agent is not expressed.

---

[4] Strictly speaking, this sentence would be correct grammatically only if it were meant to convey: *They saw each other* or *They saw themselves.*

**Ya se han vendido los libros.**   The books have already been sold.

However, the technically incorrect—**Ya se ha vendido los libros.** *One has already sold the books.*—is found rather frequently in modern Spanish and is gradually gaining acceptance.

**145.** Passive and Pseudo-Passive in English

A. In Spanish, there can never be any doubt as to the passive or nonpassive quality of a sentence. In English, however, it is the context which often determines whether a sentence is passive or not. Thus difficulties may arise in the translation into Spanish of isolated sentences. It is important to keep in mind at all times that the passive voice speaks of an action that is done to the subject by an agent mentioned or unmentioned. If the sentence treats not of an action but of a state, **estar** is to be used.

**La ventana fue cerrada.**   The window was closed.
**Se cerró la ventana.**
**Cerraron la ventana.**

The Spanish here records the act of someone's closing the window.

**La ventana estaba cerrada.**   The window was closed.

Here the Spanish describes the condition of the window at a certain time. There is no reference to the act of its having been closed by anyone. If the word *suddenly* is added, the sentence becomes obviously passive.

**De repente la ventana fue cerrada (se cerró la ventana, o cerraron la ventana).**   Suddenly, the window was closed.

B. **Estar** + past participle to translate an English pseudo-passive

**Estar** is used at times with the past participle, even though the agent of the apparent action is expressed. Actually, the stress then lies on the state of affairs and not upon the description of an action.

**El pueblo estaba gobernado por un general siciliano.**   The town was governed by a Sicilian general.

The emphasis of the Spanish sentence is placed on the situation of the governed—*The town was in the hands of . . .* —rather than on the action involved in governing. Similarly:

| **Le revista está dirigida por el Sr. Ortiz.** | The magazine is edited by (under the editorship of) Mr. Ortiz. |
| **Estaba influido por su amigo.** | He was influenced by (under the influence of) his friend. |

## 146. The Use of **ser muerto**

Although **muerto** is the past participle of **morir** (to die), it is used in place of **matado** to express the action of being killed. **Ser matado** generally means *to be slaughtered* (as of animals) or *to be assassinated*.

| **El pobre fue muerto por el tranvía.** | The poor fellow was killed by the streetcar. |
| **El primer ministro ha sido matado (o asesinado) por la multitud.** | The prime minister has been killed by the crowd. |

Often, when the agent is not expressed, Spanish prefers the simple active verb, **morir**.

| **Murió en la guerra (en el accidente, etc.).** | He was killed (He died) in the war (in the accident, etc.). |

## EJERCICIOS

I. Tradúzcase al español.

Have you seen the paper today? Well, listen to this. It's one of the most unusual cases I have ever heard. It seems that about ten years ago, a well-known Chilean engineer was accused of murder. He denied the crime, and although there was only circumstantial evidence, he was found guilty and sentenced to death. He appealed to all the higher courts, but in vain. Finally, he made a plan. If he wasn't pardoned by the last day, he would know how to save himself.

On the morning of the execution, the prisoner asked the guard to give him a cigarette. The guard gave it to him. He then asked him to light it for him, since his hands were trembling so (**tanto**). The guard assented. But when the guard approached, the condemned man grabbed him by (**de**) the throat, choked him, took the keys, and fled. His escape was discovered almost immediately and he was pursued by hundreds of police. But it seems that his plans were well made. He was taken by friends to a prearranged hideout, and disappeared.

A few years later, the police caught another man who confessed to the original crime for which (**por el cual**) the engineer had been condemned. There was no longer any doubt that he had been innocent of the first crime, but now he was being sought for the murder of the guard. Well, yesterday, they found him. For nine years he had been living in a country village. He had married, had three children, and was respected and liked by all his neighbors. His friends begged the police to let him go, but of course, they couldn't. After all, he had committed a premeditated murder. Now what do you think of that . . . ?

II. Composición.
1. Cómo yo decidiría el caso arriba referido
2. Mi concepto de la justicia

# PREPOSITIONS

||||||||||||||||||||||||||||||||||||||||||||||||||||||||||||||||||||||||||||||||||||||||||||||||||

Adaptado de un artículo por Luis Moure-Marino

**A B C**

Madrid, 20 de junio de 1963

## El Viaje a la Luna

La frase "prometer la luna" ya no sirve para expresar lo imposible. Efectivamente, en un discurso pronunciado en una fábrica de proyectiles, el presidente de los Estados Unidos ha prometido la luna a los americanos para fecha muy próxima, acaso para el año venidero: "Hemos decidido colocar un hombre en la luna —ha dicho—, no porque la empresa sea fácil, sino precisamente por ser difícil; porque esa empresa servirá para organizar y ponderar nuestras mejores energías y porque el reto de llegar a la luna es uno que no estamos dispuestos a aplazar..."

En relación con este entusiasmo popular por alcanzar la luna, leemos que para los niños americanos ha pasado la época de los vaqueros y el béisbol, pues también los juguetes infantiles simulan artefactos espaciales. La Administración de la Aeronáutica y del Espacio recibe a diario millares de cartas de niños menores de diez años en las que preguntan qué deben hacer para llegar a ser astronautas. Claro es que no todo es entusiasmo infantil en los programas espaciales estadounidenses. En los próximos años los Estados Unidos dedicarán exclusivamente a investigaciones espaciales una suma superior a todo lo gastado en investigación desde la revolución americana hasta el fin de la segunda guerra mundial. La fiebre por los proyectos espaciales ha provocado profundos cambios en la vida social. Han surgido nuevas industrias y ciudades. Todo hace presentir que una mañana cualquiera nos desayunaremos con la noticia de que un grupo de intrépidos astronautas americanos han "alunizado" felizmente.

Muy bien. Los americanos o los rusos habrán llegado a la luna...
"¿Y qué?" —preguntaremos nosotros. "¿Qué beneficios derivarán para
la humanidad de tan largo viaje?..." Se nos contesta que el que domine el
espacio dominará la tierra. Y nosotros seguiremos preguntando: "¿Y
qué?..." Porque, en efecto, cada vez se domina a los hombres menos con
las armas y más con las ideas. Este colosal esfuerzo por alcanzar la luna
resulta un tanto contradictorio cuando son tan numerosos y tan graves
los problemas que tenemos en la tierra. El hambre azota a una gran
parte del género humano; hierven en las sociedades terribles conflictos
económicos; los humanos vivimos atormentados por la angustia del
aniquilamiento atómico y acechados por terribles enfermedades. ¿Por
qué no tratamos de superar estos graves problemas antes de viajar hacia
las estrellas? Lo primero sería poner orden en nuestra revuelta casa y
sólo después podríamos lanzarnos por los largos caminos siderales.

## PREGUNTAS

1. ¿Qué significaba antes la frase: "prometer la luna"?
2. Según el presidente de los Estados Unidos, ¿para cuándo colocarán un
   hombre en la luna?
3. ¿Por qué decidieron los americanos tratar de llegar a la luna?
4. ¿Por qué dice el autor que ha pasado para los niños americanos la época
   del béisbol y de los vaqueros?
5. ¿Qué recibe a diario la Administración de Aeronáutica y del Espacio?
6. ¿Cuánto dedicarán los Estados Unidos a estudios espaciales en los
   próximos años?
7. ¿Cómo ha cambiado la vida social americana?
8. ¿Qué hace presentir todo esto?
9. Según el autor del artículo, ¿con qué se domina más a los hombres?
10. ¿Qué problemas dice el autor que debemos resolver antes de lanzarnos
    a la luna?

## CONVERSACIÓN

1. ¿Qué piensa Ud. de las opiniones expresadas aquí por el autor de este
   artículo? ¿Está Ud. de acuerdo con la mayor parte de ellas? ¿Por qué?
   ¿Cree Ud. que el escritor entiende bien la filosofía de la vida americana?
   ¿Es verdad que el interés por la ciencia ocupa ahora en los Estados Unidos
   un puesto de primera importancia? ¿Le interesa a Ud. la ciencia?
   ¿Cree Ud. que debe tomar precedencia sobre las humanidades en el
   programa de estudios universitarios?
2. ¿Le interesaría a Ud. ser astronauta? Si se realiza la posibilidad de ir a la
   luna, ¿le gustaría ir? ¿Iría Ud. en la primera expedición?

3. ¿Cree Ud. que el hombre tiene derecho a salir de los límites de nuestro mundo? ¿Por qué?

4. ¿Cree Ud. que hay vida humana en otros planetas? ¿Qué evidencia hay hasta ahora?

# PART A

**147.** Uses of **a**

A. The personal **a**

1. **A** must normally be used before a direct object that refers to a specific person or persons, except after the verb **tener.**

| | |
|---|---|
| **Encontré a un amigo mío en San Juan.** | I met a friend of mine in San Juan. |
| **Visitamos a los Romero la semana pasada.** | We visited the Romeros last week. |
| **¿A quién saludabas, a ella o a él?** | Whom were you greeting, her or him? |

*But:*

| | |
|---|---|
| **Tengo cinco tías, dos tíos y treinta y un primos.** | I have five aunts, two uncles, and thirty-one cousins. |

2. The personal **a** is also used when the direct object is one of the indefinites—**alguien, nadie, alguno(s), ninguno(s)** (when the latter two refer to persons).

| | |
|---|---|
| **No he llamado todavía a nadie.** | I haven't called anyone yet. |
| **¿Ha visto Ud. a alguno de ellos?** | Have you seen any of them? |

3. It may also appear when the direct object is the name of a country; at times it is used to personify an abstract noun or an animal.

| | |
|---|---|
| **¿Visitará (a) Méjico este verano?** | Will he visit Mexico this summer? |
| **Quería mucho a su perro.** | He loved his dog very much. |
| **Amar a la bondad es amar a Dios.** | To love goodness is to love God. |

B. After verbs of motion

**A** is used after all verbs of motion to introduce an infinitive, a noun, or a pronoun.

| | |
|---|---|
| **Vamos a ver.** | Let's see. |
| **Vino a oír el concierto.** | He came to hear the concert. |
| **Ven a mí, muchacho.** | Come to me, boy. |

Remember that a verb of motion is followed by **a** + the prepositional object pronoun. It does not (except in the most limited of circumstances) take an indirect object pronoun.

### C. After verbs of beginning, learning, teaching

| | |
|---|---|
| **Ella le enseñó a bailar.** | She taught him to dance. |
| **Ahora empiezo a comprender.** | Now I am beginning to understand. |

### D. Al + infinitive = *upon* (doing something)

| | |
|---|---|
| **Al salir de la iglesia, vimos que llovía.** | Upon leaving the church, we saw that it was raining. |
| **Al llegar a la cima, decidieron descansar.** | Upon reaching the summit, they decided to rest. |

### EJERCICIOS

A. Conteste en español:

1. ¿Cree Ud. que conoce bien a sus profesores? 2. ¿A quiénes visitó Ud. la semana pasada? 3. ¿Quién le enseñó a nadar? 4. ¿Cuándo aprendió Ud. a bailar? 5. ¿Empiezan Uds. a hablar bien el español ahora? 6. ¿Adónde fue Ud. anoche? 7. ¿Cuántos amigos íntimos tiene? 8. ¿A quién recuerda Ud. mejor de su niñez? 9. ¿Qué va Ud. a hacer este verano? 10. ¿Qué hizo Ud. primero al despertarse esta mañana?

B. Diga en español:

1. We were going to buy it. 2. Go to him and ask him for it. 3. Upon realizing the truth, he turned pale. 4. Have you seen Mike today? —No, neither him nor his parents. 5. They are learning to draw and paint. 6. Does your father know the dean? 7. Does the dean know your father? —No, thank goodness.

### 148. Uses of **de**

A. To indicate possession

| | |
|---|---|
| **Marcela es la sobrina de la mujer del mayordomo del tío de mi padre.** | Marcella is my father's uncle's butler's wife's niece. |

B. After certain very common verbs, prepositions, and expressions

| | |
|---|---|
| **acabar de**   to have just | **olvidarse de**   to forget (about) |
| **tratar de**   to try to | **acordarse de**   to remember |
| **alegrarse de**   to be happy | **darse cuenta de**   to realize |
| **enamorarse de**   to fall in love with | **estar seguro de**   to be sure |
| **antes de**   before | **después de**   after |

## EJERCICIOS

A. Conteste en español:

1. ¿De quién es la casa en que vive Ud.? 2. ¿Se ha olvidado Ud. recientemente de algo importante? ¿Qué fue? 3. ¿Se alegrará de terminar sus estudios universitarios? 4. ¿Qué cosas nuevas ha tratado Ud. de hacer este año? 5. ¿Ha estado Ud. enamorado de alguien alguna vez? ¿De quién?

B. Diga en español:

1. Don't forget to lock the door. 2. He tried to finish on time, but he couldn't. 3. Do you realize how late it is? 4. We had just left school when it began to snow.

## 149. Uses of **con**

A. As a substitute for an adverb of manner

| | |
|---|---|
| **con cuidado**   carefully | **con amargura**   bitterly |
| **con impaciencia**   impatiently | **con mucho gusto**   gladly |

B. After certain common verbs, such as

| | |
|---|---|
| **casarse con**   to marry | **soñar con**   to dream of |
| **contar con**   to count on | |

## EJERCICIOS

A. Diga de otra manera:

1. Habló irónicamente. 2. Lloró amargamente. 3. Sonrieron tristemente. 4. Lo aceptan todo tranquilamente. 5. Escríbalo más cuidadosamente. 6. Debes hablar con más claridad.

B. Diga en español:

1. Marian is going to marry my brother. 2. Who would dream of such a thing? 3. I count on you to (**para**) keep the secret. 4. He enunciated his words clearly and carefully.

**150.** Uses of **en**

A. To indicate location—*at* (a certain place) or *in*

| | |
|---|---|
| **Estudiaremos en la Universidad de Madrid este verano.** | We shall study at the University of Madrid this summer. |
| **Estará en casa toda la tarde.** | He will be at home all afternoon. |

B. After certain common verbs, such as

| | | | |
|---|---|---|---|
| **pensar en** | to think of, or about | **confiar en** | to trust |
| **entrar en** | to enter | **insistir en** | to insist upon |
| **tardar en** | to delay, to be long in, to take long | **convenir en** | to agree to |
| | | **consistir en** | to consist of |

## EJERCICIOS

A. Conteste en español:

1. ¿Vive Ud. en la universidad misma o en casa de su familia? 2. ¿En qué está pensando en este momento? 3. ¿Cuánto tiempo tarda Ud. en llegar a la escuela por la mañana? 4. ¿En quién confía Ud. más? 5. ¿En qué consiste la Organización de los Estados Americanos?

B. Diga en español:

1. It is not permitted to enter the laboratory. 2. All I do is (**No hago más que**) think of you. 3. They agreed to deliver it next week. 4. How long does it take to get to Cádiz?

**151.** Uses of **para**

**Para,** which is translated most frequently in English as *for* or *in order to*, is characterized by looking ahead ⟶ toward the goal, the objective, the destination of the action.

$$\textbf{para} \longrightarrow \begin{array}{l} \text{goal} \\ \text{destination} \\ \text{objective} \end{array}$$

Almost all of its principal uses conform to this concept. Its important meanings are given below.

A. In order to ⟶ goal

| | |
|---|---|
| **Estudia para (ser) médico.** | He is studying to be a doctor. |
| **Ahorraremos para comprar una casa nueva.** | We shall save in order to buy a new house. |

B. Destined for ⟶ goal, destination

| | |
|---|---|
| **Esto es para ti.** | This is for you. |
| **Salen para Inglaterra mañana.** | They are leaving for England to-morrow. |

C. To be used for ⟶ objective

**ropas para señoras**   ladies' clothes
**un vaso para vino**   a wine glass

*But:*

**un vaso de vino**   a glass of wine

D. By or for (a certain date or time) ⟶ objective

| | |
|---|---|
| **Para mañana, lean Uds. el capítulo diez.** | For tomorrow, read Chapter X. |
| **Estará de vuelta para la semana que viene.** | He will be back by next week. |

E. Considering, compared with, with respect to

| | |
|---|---|
| **Para un muchacho de diez años, sabe demasiado.** | For a ten-year-old, he knows too much. |
| **Para algunos estudiantes, esto será difícil; para Uds., es fácil, ¿verdad?** | For some students, this may be hard; for you, it's easy, isn't it? |

## EJERCICIOS

A. Cambie según las indicaciones:

1. **Tengo** algo para ti. (No tengo...) 2. **Ahora** venden ropas para niños. (Antes) 3. Volverán para **fines** de marzo. (principios) 4. Salieron para Inglaterra **ayer.** (la semana que viene) 5. ¿Me quieres dar un vaso de **vino?** (cerveza) 6. ¿**Estudian** para abogado? (vosotros) 7. **Dice** que lo tendrá para el miércoles. (Dijo)

B. Diga en español:

1. I have a present for your sister. 2. For an old man, he is very strong. 3. Please have them ready by ten o'clock. 4. They left for the station half an hour ago. 5. a water glass; a cup of tea; a clothes brush; a tooth brush; a cup of coffee. 6. To go to the city, you have to take the train.

## 152. Uses of **por**

**Por** has two general types of usages. One refers to tangible or physical actions: *by, through, around, along,* etc. The other type looks back ⟵ to the motive, the impulse of the action.

A. Tangible or physical uses (location, position, etc.)

    1. By (an agent), by means of

| | |
|---|---|
| **La pared fue destruida por el incendio.** | The wall was destroyed by the fire. |
| **POR AVION** | VIA AIRMAIL |
| **Nos llamó por teléfono.** | He telephoned us. |

    2. Through, along, around, in

| | |
|---|---|
| **Me paseaba por el parque un día...** | I was strolling through (in) the park one day . . . |
| **Les gusta andar por la orilla del río.** | They like to walk along the river bank. |
| **Estará por aquí.** | It must be around here. |

    3. During, for (a period of time)

| | |
|---|---|
| **Mañana por la mañana...** | Tomorrow morning . . . |
| **Vámonos por la tarde.** | Let's go during (in) the afternoon. |
| **Se han ido a Quito por tres meses.** | They have gone to Quito for three months. |

    4. In exchange for

| | |
|---|---|
| **Me dio su chaqueta por mi reloj.** | He gave me his jacket for my watch. |
| **Pagué dos dólares por esta corbata.** | I paid two dollars for this tie. |

    5. Per[1]

| | |
|---|---|
| **Máxima velocidad: 80 kilómetros por hora** | Maximum speed: 80 kilometers per hour |
| **el noventa por ciento de los votantes** | 90 percent of the voters |

B. Motive, impulse ⟵ **por**

    1. Motive, impulse ⟵ out of, because of, through

| | |
|---|---|
| **Se casó con ella no por amor sino por compasión.** | He married her not for love, but for pity. |
| **Lo dijeron por miedo.** | They said it out of fear. |

[1] *Per* may also be translated by using the definite article: *Thirty cents a (per) dozen.* **Treinta centavos la docena.** This usage is especially common when quoting prices.

2. Motive, impulse ←— for the sake of, on behalf of

| | |
|---|---|
| **Haría cualquier cosa por su hijo.** | He would do anything for his son. |
| **¡Por Dios!** | For heaven's sake! |

3. Motive, impulse ←— in order to, in the hopes of

When **por** is used, the outcome is viewed as doubtful or uncertain, and the emphasis lies on the motive of the action.

| | |
|---|---|
| **Se esfuerza por alcanzar un puesto político.** | He is trying hard to attain a political post. |
| **Hizo lo posible por salvarlos, pero no pudo.** | He did everything possible to save them, but he couldn't. |

4. Motive, impulse ←— for, in quest of, in search of

| | |
|---|---|
| **Fue por agua.** | He went for water. |

Not *destined for* water, but *motivated by the desire to get* or *bring back* water.

| | |
|---|---|
| **Mandaron por el médico.** | They sent for the doctor. |

5. Motive, impulse, origin ←— pending, yet to be

In this case, the outcome is uncertain. The emphasis lies on the project that is planned, on the origin of the action.

| | |
|---|---|
| **El puente todavía está por concluir.** | The bridge is yet to be completed. |

## EJERCICIO

Complete las frases siguientes con **por** o **para:**

1. _____ aprender bien, hay que estudiar mucho. 2. En estos países se ha hecho muy poco _____ los indios. 3. ¿Cuánto le cobraron _____ ese sombrero? ¿Veinte pesos? ¡Dios mío! 4. Vuelva mañana _____ la tarde, ¿está bien? 5. Pídale que tenga arreglado el reloj _____ el lunes próximo. 6. Habla muy bien el castellano _____ un extranjero. 7. El verano pasado salimos _____ Holanda en junio e hicimos un viaje _____ toda Europa. 8. Quiere que su hijo estudie _____ médico. 9. Esta tarjeta no es _____ ti. 10. Todas las casas del pueblo fueron quemadas _____ el enemigo. 11. Todavía quedan muchas cosas _____ hacer. 12. Dígale que vaya a la tienda _____ pan. 13. Me hacen falta unas cinco tazas _____ te. 14. Le pagarán diez dólares _____ hora. 15. ¿Por qué no la mandas _____

avión? 16. Ése nunca hace nada _____ nadie. 17. Este perro ha sido mordido _____ un hombre. —¡Cómo! 18. Demos una vuelta _____ la playa.

## EJERCICIO DE REPASO

1. The project of placing a man on the moon cannot be carried out yet.
2. The undertaking attracted (*imperfect*) us precisely because it was difficult.
3. For American children, space exploration will soon be more important than baseball.
4. In order to reach the moon they will have to appropriate astronomical sums to space projects from now on.
5. Don't you think we should also appropriate money for other scientific investigations?
6. It is said that whoever (**el que**) controls space will also control the earth.
7. The enthusiasm for space exploration has caused deep changes in American social life.
8. To many people this colossal effort to reach the moon seems unrealistic.
9. How long would it take the astronauts to arrive on the moon?
10. Upon landing they realized that the rocket had been damaged.

## REPASO DE VERBOS

Estudie **conducir, producir, traducir, etc.,** y después diga en español:
He produced them. Did you (**tú**) translate it? He told us to conduct them there. Translate them (*f.*) into Spanish. (**Ud., Uds.**) They introduced a new topic. Do you (**Uds.**) produce wheat here?

# PART B

**153.** Omission of the Personal **a**

A. The personal **a** is omitted before an object noun that does not refer to a specific person.

| | |
|---|---|
| **Busca un nuevo ayudante.** | He is looking for a new assistant (no specific person). |

*But:*

| | |
|---|---|
| **Busca a su nuevo ayudante.** | He is looking for his new assistant (a specific person). |

B. It is often omitted when both the direct and indirect objects are persons. The omission of the **a** thereby avoids confusion as to which of the objects is the indirect.

| **Mandó un mensajero al rey.** | He sent a messenger to the king. |

C. It may be omitted when **querer** means *to want.*

| **¡ Quiero mi mamá !** | I want my mother! |

*But:*

| **Quiero a mi mamá.** | I love my mother. |

**154.** Further Uses of the Preposition **a**

A. It may express the method by which an action is carried out.

| **Lo escribí a máquina.** | I typed it. (I wrote it by machine.) |
| **Lo cosen a mano.** | They sew it by hand. |

B. It may correspond to the English *for* or *toward*, to express an emotional attitude with respect to its object.

| **Demostró su odio a los extranjeros.** | He showed his hatred for (or toward) foreigners. |
| **Tengo gran afición a los deportes.** | I am very fond of sports. |

C. Very often, it denotes removal or separation.

| **Quitamos las armas a los rebeldes.** | We took the weapons away from the rebels. |

D. Occasionally, it may mean *at* (up *to* a certain point in space, but not within it)

| **Estaban sentados a la mesa.** | They were sitting at the table. |
| **Está a la puerta.** | He is at the door. |

*But:*

| **Está en casa.** | He is at home (inside the house). |
| **Estudian en la Universidad de Madrid.** | They are studying at (within) the University of Madrid. |

E. In expressions of time, it may mean *within.*

| **A los pocos días de llegar a Burgos...** | Within a few days of arriving in Burgos . . . |

**155.** Further Uses of **de**

A. **De** often translates *with* when referring to a characteristic of the subject described or to an item that is regarded as more or less inseparable from him. **De** must be used when the subject is a pronoun.

| | |
|---|---|
| el muchacho del pelo rojo | the boy with the red hair |
| la niña de la falda azul | the girl with (wearing) the blue skirt |
| el de la guitarra negra | the one with the black guitar (he is identified with that guitar) |

Notice how **con** retains the sense of a separable adjunct.

| | |
|---|---|
| Ese hombre con la guitarra negra... | That man with (now holding) the black guitar . . . |
| ¿Quién es esa niña con la falda azul? | Who is that girl with the blue skirt (in her hand, etc.)? |

B. **De** may mean *in the capacity of*, and in this sense, corresponds to the English *as*.

| | |
|---|---|
| Está en París de cónsul. | He is in Paris as a consul. |
| Trabaja de secretaria. | She works as a secretary. |
| ¿Puedo servirle de guía? | May I serve as your guide? |

C. **De** frequently refers to the practical purpose of a tool or a device.

| | |
|---|---|
| una máquina de coser | a sewing machine |
| una máquina de escribir | a typewriter |
| herramientas de barrenar | boring tools |

D. It may show the cause of an action or state, and corresponds then to the English *of* or *with*.

| | |
|---|---|
| Me muero de sed. | I'm dying of thirst. |
| Está loco de amor. | He is mad with love. |
| Se matará de trabajo. | He will kill himself with work. |

E. It is used in certain common idiomatic expressions.

| | |
|---|---|
| Está de vacaciones. | He is on vacation. |
| Primero darán de comer al niño. | First they will feed the child. |

F. **De** + infinitive may serve as a substitute for an *if* clause contrary to fact. (Recall 77 E.)

| | |
|---|---|
| De haberle prevenido yo a tiempo, se habría salvado. | If I had warned him on time, he would have been saved. |

## 156. En, sobre, (por) encima de

A. **En** means *in, at, on,* or *upon.*

    1. In the sense of *on* or *upon,* it generally refers to an object that is resting upon or leaning against a surface.

| | |
|---|---|
| **La vajilla ya está en la mesa.** | The silver is already on the table. |
| **Los cuadros están colgados en las paredes.** | The pictures are hanging on the walls. |
| **Está sentado en una butaca.** | He is sitting in an armchair. |

2. **En** also translates the English *to* after an ordinal number, including **último** last.

| | |
|---|---|
| **Fue el primero en salir.** | He was the first to leave. |
| **Seré el último en rendirme.** | I will be the last to surrender. |

B. **Sobre** means *on, upon, about, over.*

1. It means *on* or *upon* in the sense of *on top of.* It refers to an object that is resting on a surface or that is placed above it.

| | |
|---|---|
| **Póngalo sobre** (or **en**) **la mesa.** | Put it on the table. |
| **La espada estaba suspendida sobre su cabeza.** | The sword was suspended over his head. |

2. It may mean *on* or *about* in the sense of *concerning.*

| | |
|---|---|
| **un discurso sobre política** | a speech on (or about) politics |

C. **Encima de** or **por encima de** means *over, above.*

| | |
|---|---|
| **Encima del edificio había un gran letrero.** | Above the building was a large sign. |
| **Volamos por encima de los Andes.** | We flew over the Andes. |

157. **Para** and **por**

A. With **trabajar**

1. **Trabajar para** means *to work for* (*to be employed by*) a company, an individual, etc.

| | |
|---|---|
| **Trabaja para el gobierno.** | He works for the government. |
| **Hace dos años que Ana trabaja para nosotros.** | Anna has been working for us for two years. |

2. **Trabajar por** means *to work on behalf of* (*for the sake* or *benefit of* someone) or *in place of* someone.

| | |
|---|---|
| **Trabajo sólo por ti.** | I work only for your sake. |
| **¿Por qué candidato estás trabajando?** | For which candidate are you working? |

B. In combination with other prepositions

**Por** + preposition accompanies verbs expressing movement.

| | |
|---|---|
| **Pasó por entre las carretas.** | He passed among the carts. |
| **Saltó por encima de la pared.** | He jumped over the wall. |
| **Se escapó por detrás del edificio.** | He escaped in back of the building. |

C. **Por** + noun or adjective

**Por,** followed by a noun or an adjective, may be used in place of a clause. **Ser** is then the implied object of **por.**

| | |
|---|---|
| **Le mandaron a presidio por (ser) falsario.** | They sent him to prison for being (because he was . . .) a counterfeiter. |
| **Ella le desprecia por (ser) pobre.** | She scorns him because he is poor. |

### 158. **Por** vs. **de**   by

**Por** translates *by* when referring to a physical action or motion. **De** is used when referring to a state or condition, or to a mental or emotional attitude.

| | |
|---|---|
| **Fue rodeado por sus admiradores.** | He was surrounded by his admirers. (At that moment they surrounded him.) |
| **Estaba rodeado de sus admiradores.** | He was (already) surrounded by his admirers. |
| **Llegó acompañada por muchos reporteros.** | She arrived accompanied by many reporters. |
| **Llegó acompañada de muchos reporteros.** | She arrived in the company of many reporters. |
| **Fueron rechazados por el público.** | They were rejected by the public. |
| **Eran odiados de todos.** | They were hated by all. |

EJERCICIOS

I. Traducir al español.

You remember the North African campaign, don't you? Well, here is (**aquí tiene Ud.**) a true story that happened to us during one of the worst months of the fighting.

Our men occupied a hill near the abandoned village. The only well in that whole region was in the middle of the hill, and our enemies, who surrounded us, knew it. From their positions, (**a**) some two hundred yards from ours, they could see us drink water. They had very little water left, and the heat of the desert was driving them (**les volvía**) crazy. For them, the situation was desperate. What they didn't realize was that for us it was equally desperate.

They were three hundred and we fifty. And worse than anything, our well was almost dry and our only hope was the relief column that was supposed to arrive at the village any day (**de un día a otro**). But they didn't know this. And so, although they were sure that a direct assault on the hill would cost them at least half of their men, they decided that they would have to attack us and take our position as soon as possible.

Hour after hour, the tension mounted. The next day, we had (**no nos quedaba**) no water left, but to deceive them we pretended to be drinking almost all the time. At the same time, we shouted to them through a megaphone to surrender, promising them all the water they wanted. They couldn't see that there was nothing in our canteens and thought that the well was still full. This made them even more desperate (**los desesperó**) and they attacked with the fury of despair.

We repulsed the assault, but our ammunition almost ran out (**se nos acabaron**). Another attack would have finished us. But they did not try again. They came toward us without arms, their hands raised, and carrying a white flag, because they preferred to be prisoners and drink our water rather than (**antes que**) die of thirst in the desert. This was one victory that was won by psychology, and not by force. But that wasn't the end. There still were difficulties to overcome. . . .

II. Composición.

  1. La conclusión de este episodio
  2. ¿Debe haber reglas de conducta en la guerra? ¿Cuáles? ¿Por qué?

# RELATIVES AND CONJUNCTIONS

||||||||||||||||||||||||||||||||||||||||||||||||||||||||||||||||||||||||||||||||||||||||||||||||||||||||||||||||||||||||||||||

Adaptado de

## EL ESPECTADOR

Bogotá, 1º de marzo de 1964

## Enlace de Carlos Hugo e Irene

**Londres.** Los buenos cuentos de amor terminan con una frase que dice: "y se casaron y fueron felices para siempre". Los mejores cuentos de amor tienen príncipes y princesas, carrozas doradas y coronas de perlas. Todo el mundo quiere que el idilio de la princesa Irene sea así. Se trata de la princesa Irene de Holanda, segunda en la sucesión del trono, quien se enamoró de un príncipe español que pilotea aviones y en cuyo país impera un régimen que no es ni monarquía ni república ni nada que tenga definición concreta.

Los tulipanes pintarán la tierra de color cuando los novios reales digan que sí en una ceremonia religiosa católica. Sin embargo, en Holanda hay los que creen (y la reina Juliana entre ellos) que el príncipe Carlos no es el que puede hacer feliz a Irene. Y el sentimiento no tiene nada que ver con la cuestión religiosa. Tampoco tiene que ver con el hecho de que la familia de él no tenga mayores medios económicos y la de ella posea una cuantiosa fortuna. Algunos piensan que el matrimonio sólo le interesa al príncipe Carlos como medio de fortalecer sus aspiraciones al trono. Además, muchos holandeses están resentidos de que el príncipe Javier, padre de Carlos, haya hecho el anuncio del noviazgo por su cuenta, lo cual indica que considera a su familia más noble y más antigua que la que está gobernando a Holanda. El príncipe Javier, quien ha cumplido ya 74 años, voló a La Haya para asistir a las ceremonias de compromiso, durante las cuales los tórtolos estaban tan acaramelados que un técnico de televisión tuvo que toser para que prestaran algo de atención. La princesa dijo que lamentaba tener que irse a vivir fuera de Holanda, pero que eso no era decir "adiós", sino "hasta pronto".

La historia de los idilios reales está llena de cosas parecidas. El emperador Hirohito del Japón tuvo que romper con todas las tradiciones para aprobar el casamiento de su hijo Akihito con una plebeya. El Conde de Harewood, primo de la reina Isabel de Inglaterra se casó con la hija de un violinista refugiado. También se recuerda el caso de la princesa Isabel de Yugoeslavia, hija del ex-regente Pablo, la que contrajo matrimonio con un fabricante norteamericano y de la princesa Sandra Torlonia, nieta del rey Alfonso XIII de España, la que se casó con un plebeyo. El padre la desheredó, pero después la familia la aceptó de nuevo cuando tuvo el primer hijo.

Siempre pasa lo mismo. Las familias reales, doloridas, piensan en su historia y sus glorias pasadas, pero después se rinden ante el presente.

## PREGUNTAS

1. ¿Cómo terminan los buenos cuentos de amor?
2. ¿De quiénes se trata ahora?
3. ¿Qué régimen impera en la patria del príncipe Carlos?
4. ¿Qué temen la reina Juliana y otros holandeses?
5. ¿Qué diferencia hay en la posición económica de las dos familias?
6. Según algunos, ¿qué le interesa más a Carlos?
7. ¿Por qué están resentidos muchos holandeses?
8. ¿Qué dijo la princesa durante las ceremonias de compromiso?
9. ¿Qué otros casos parecidos se encuentran en la historia reciente?
10. ¿Cómo se resolvió el caso de la nieta de Alfonso XIII?

## CONVERSACIÓN

1. ¿Le interesa a Ud. la vida personal de las familias reales? ¿Cree Ud. que la existencia de una clase noble presta dignidad al país? ¿Por qué?
2. ¿Le gustaría a Ud. ser príncipe, princesa, monarca, etc.? ¿Cree Ud. que un príncipe tiene derecho a una vida privada? ¿Tiene el derecho de casarse con quien desee, a pesar de la opinión general del público?
3. ¿Qué le parece a Ud. el sistema monárquico constitucional de Inglaterra? ¿Cree Ud. que la monarquía absoluta tiene su razón de ser todavía en los países subdesarrollados? Si Ud. fuera rey de un país, ¿preferiría ser un monarca de poderes limitados o titulares, o uno que tuviera la responsabilidad de gobernar?

## PART A

The main function of relatives and conjunctions is essentially similar: they both serve to join one clause with another. Their meanings, however, and their uses are very different. Relative pronouns and their functions are treated in **159** through **164**, conjunctions in **165** through **167**.

### 159. Que

**Que** is the most frequently used of the relative pronouns. It means *who, that,* or *which,* and, as direct object of a verb, *whom.* It refers to both persons and things, singular and plural, and its form is invariable.

| | |
|---|---|
| **El hombre que vino a cenar...** | The man who came to dinner . . . |
| **Los muebles que compramos el año pasado...** | The furniture that (or which) we bought last year . . . |
| **El muchacho que vieron corriendo calle abajo...** | The child whom they saw running down the street . . . |

### 160. Quien, quienes

**Quien(es)** means *who, whom,* and occasionally *the one(s) who.* It refers only to persons and has singular and plural forms. There is no special feminine form.

A. **Quien(es)** is used when a person (or persons) is object of a preposition. Its meaning in such cases is always *whom.*

| | |
|---|---|
| **Mamá, ésta es la muchacha de quien te he hablado tanto.** | Mom, this is the girl about whom I have spoken to you so much. |
| **Esos señores con quienes viajamos son famosos estadistas europeos.** | Those gentlemen with whom we traveled are famous European statesmen. |

B. It also appears frequently when the relative *who* is separated from the main clause by a comma, or when a distinction must be made between a person and a thing.

| | |
|---|---|
| **El general Díaz, quien encabezó las fuerzas revolucionarias, ha sido elegido presidente.** | General Diaz, who headed the revolutionary forces, has been elected president. |
| **El propietario de la hacienda Dos Robles, quien también es alcalde del pueblo...** | The proprietor of Two Oaks Ranch, who is also mayor of the town . . . |

EJERCICIOS

A. Cambie:

1. **El señor** que vive en la casa de al lado...
   (La familia, los niños, el perro)
2. **La película** que vimos ayer...
   (El cuadro, los policías, las modelos, los ejemplos)
3. El joven **de** quien hablo...
   (con, a, por, ante)
4. **La señora** con quien vivía...
   (La familia, los muchachos, los tíos, las primas)

B. Traduzca al español:

1. Have you seen the beautiful coffee pot that they bought in San Juan? 2. The couple with whom (*pl.*) we took the trip are newlyweds. 3. The little girl who goes to school with mine has the measles. 4. Mr. Alonso, who has a chain of shoestores in the city, will open another one here. 5. The contemporary author that I like best is Delibes. —Who?

## 161. El cual, la cual, los cuales, las cuales

These forms are used under certain conditions instead of **que** or **quien(es)** to mean *who, which,* or *whom.* The following are the circumstances in which they appear:

A. To clarify, in case of ambiguity

| | |
|---|---|
| **La hermana de Miguel, la cual sale mañana, llamará a nuestros amigos en París.** | Michael's sister, who is leaving tomorrow, will call our friends in Paris. |

NOTE: If Michael were going, the relative would be **el cual,** or frequently **que** or **quien,** since one would assume that the relative referred to the last named person.[1]

B. To translate *which,* after prepositions of two or more syllables, and after **por,**[2] **sin,** and all other prepositions which would normally form a conjunction by the addition of **que**

[1] Ambiguity still exists, of course, if both persons are of the same gender and if the relative *who* refers to the first. **Aquél**—*the former*—or some explanatory clause, may then be necessary.

[2] Obviously, **por + que,** especially in oral use, would give the immediate impression of *because* and would obliterate completely the real meaning of the sentence. **Sin que, después de que, antes de que,** etc., also would convey the idea of conjunctions.

| | |
|---|---|
| **De pronto, descorrió la cortina detrás de la cual estaba el ladrón.** | Suddenly, he opened the curtain behind which the thief was standing. |
| **La ventana por la cual había entrado todavía estaba abierta.** | The window through which he had entered was still open. |
| **He perdido mis gafas, sin las cuales no puedo ver casi nada.** | I have lost my eyeglasses, without which I can hardly see anything. |

### 162. El que, la que, los que, las que

A. **El que,** etc., means *he who, those who, the one(s) who.*

| | |
|---|---|
| **Los que no pudieron asistir a la boda pusieron telegramas.** | Those who couldn't attend the wedding sent telegrams. |
| **El que gritó no fue la víctima, sino un transeúnte.** | The one who shouted was not the victim, but a passerby. |

B. These forms also have the same uses as **el cual** (cf. **161**).

| | |
|---|---|
| **La hermana de Miguel, la que sale...** | Michael's sister, who is leaving . . . |
| **La cortina detrás de la que...** | The curtain behind which . . . |
| **Mis gafas, sin las que...** | My eyeglasses, without which . . . |

### EJERCICIO

Póngase el pronombre relativo apropiado:

1. Las señoras _____ vinieron con mi tía son hermanas. 2. La mujer de _____ le estuve hablando es parienta mía. 3. La botella por _____ subí al desván estaba rota. 4. El libro _____ me trajo Juan es poco interesante. 5. _____ mucho habla, mucho yerra. 6. El guía con _____ fuimos a Toledo acaba de llamarme. 7. La tía de Roque, a _____ le gustan mucho los collares de perlas, se compró uno muy bonito. 8. Los otros libros, sin _____ no puedo preparar el examen, no han llegado todavía. 9. _____ estaban allí sabrán la respuesta. 10. La hija del juez, _____ (*f.*) es una persona simpatiquísima, le rogó que perdonara al ladrón. 11. La esposa del general, _____ (*f.*) ha escrito dos obras importantísimas, nos hablará mañana. 12. _____ te dijo eso mentía. 13. El hijo de mi vecina, _____ (*m.*) se va a graduar en junio, ya tiene un puesto maravilloso.

### 163. Lo que and lo cual

A. **Lo que** (not **lo cual**) corresponds to the English relative pronoun *what.*

| | |
|---|---|
| **Amigo mío, bien sé lo que quieres.** | My friend, I know very well what you want. |
| **Lo que hace es distinto a lo que dice.** | What he does is different from what he says. |

B. **Lo que** and **lo cual** may be used interchangeably to translate *which*, when referring back to a whole idea, not to a specific noun.

| | |
|---|---|
| **Anita baila bien, lo que (lo cual) la hace muy popular.** | Ann dances well, which makes her very popular. |
| **No le gustan nada las mujeres, lo que (lo cual) quiere decir que no te dará el empleo.** | He doesn't like women at all, which means that he won't hire you. |

## EJERCICIO

Diga en español:

1. What she wants is impossible. 2. Those who took part in the fight told us what happened. 3. What are you looking at? —That. —I still don't know what you mean. 4. First we had breakfast, after which we went for a walk. 5. He still hasn't returned, which worries us a little. 6. Which do you prefer? —The one that I already have.

## 164. The Relative Possessive **cuyo**

**Cuyo, cuya, cuyos, cuyas,** an adjective meaning *whose*, is never used as an interrogative. It always agrees in gender and number with the noun it modifies.

| | |
|---|---|
| **El artista cuyos cuadros vimos ...** | The artist whose paintings we saw ... |
| **Éste es el muchacho cuyo ensayo ganó el premio.** | This is the boy whose essay won the prize. |
| *But:* | |
| **¿De quién son estos libros?** | Whose books are these? |

## EJERCICIOS

A. Cambie:

1. Mi amigo, cuyo **primo** vive cerca, vendrá con **él** esta tarde.
   (novia, tíos, primas)
2. Este es el Sr. Cárdenas, cuya primera **novela** se acaba de editar.
   (obras, drama, ensayos)

B. Diga en español:

1. Are you the gentleman whose daughter is getting married today? —Yes, but who are you? —Your son-in-law. 2. This staircase, whose second step is broken, was the cause of the accident. 3. Whose (!) house is that? 4. Even Professor González, whose patience has no limits, got angry with him today.

**165.** Conjunctions

A. **Y, e**   and

**Y** becomes **e** before a noun that begins with **i** or **hi**.

| | |
|---|---|
| **Este semestre estudiamos historia y geografía.** | This term we are studying history and geography. |
| **El semestre que viene estudiaremos geografía e historia.** | Next term we shall study geography and history. |

Notice, however, that **y** remains before the diphthong **hie**.

**plomo y hierro**   lead and iron      **vino y hielo**   wine and ice

B. **O, u**   or

1. **O** becomes **u** before a noun that begins with **o** or **ho**.

| | |
|---|---|
| **Cualquier hombre o mujer de mediana inteligencia sabe eso.** | Any man or woman of average intelligence knows that. |
| **Esa mina dará plata u oro.** | That mine will produce silver or gold. |

2. **O... o** means *either . . . or*.

| | |
|---|---|
| **O sigues mi consejo, o lo sentirás mucho.** | Either you follow my advice, or you'll be sorry. |
| **Toma (o) té o café, pero nunca leche.** | He takes either tea or coffee, but never milk. |

3. **Ni... ni** means *neither . . . nor* (or *not . . . either . . . or*).

| | |
|---|---|
| **No tengo ni tiempo ni paciencia para eso.** | I have neither time nor patience for that. |
| **El pobre chiquito no tiene ni padre ni madre.** | The poor boy doesn't have either a father or a mother. |

## C. **Pero, sino**  but

**Sino** is used for *but* only when the first part of the sentence is negative, and the second part contradicts it. In all other cases, **pero** is used.

| | |
|---|---|
| **Es listo, pero no saca buenas notas.** | He is smart, but he doesn't get good grades. (First part is affirmative.) |
| **No es rico, sino pobre.** | He is not rich, but poor. (First part is negative; second part contradicts it.) |
| **No es rico, pero le gusta dar limosna.** | He is not rich, but he likes to give alms. (First part negative, but *no* contradiction.) |

**Sino que** generally replaces **sino** to introduce a clause.

| | |
|---|---|
| **No lo compró, sino que lo pidió prestado.** | He didn't buy it, but he borrowed it. |

EJERCICIOS

A. Cambie según las indicaciones:

1. Pronto vendrán Marta y **Elvira.** (Inés) 2. Tengo unos seis o **siete.** (ocho) 3. ¿Se han casado ya Carlos e **Irene?** (Sofía) 4. ¿Es de plata o **platino** el broche? (oro) 5. ¿Me puede prestar aguja y **tela?** (hilo) 6. Lo harán de cobre y **bronce.** (hierro) 7. Cualquier sanatorio o **clínica** la admitirá. (hospital)

B. Conteste negativamente las preguntas siguientes: (**ni... ni**)

1. ¿Es Ud. el mejor o el peor estudiante de la clase? (**No soy ni...**) 2. ¿Hace mucho calor o muchísimo frío hoy? 3. ¿Está alegre o triste en este momento? 4. ¿Me lo vas a dar o prestar? 5. ¿Estudias ambas filosofía y psicología este semestre? 6. ¿Sois riquísimos o pobres? 7. ¿Son jóvenes o viejos sus padres?

C. Diga en español:

1. He isn't smart, but lucky. 2. She is not only intelligent, but beautiful. 3. John isn't a good student, but he is very handsome. 4. We aren't brilliant, but we're not the worst in the class. 5. They have always worked hard, but they're still very poor. 6. There aren't a hundred, but about fifty. 7. He didn't steal the money, but he found it.

**166.** Formation of Conjunctions from Prepositions

Many conjunctions that serve to introduce subordinate clauses are derived by adding **que** to a preposition.

**hasta, hasta que**   until
**después de, después de que**   after
**antes de, antes de que**   before
**sin, sin que**   without

Remember always that only a relative pronoun or a conjunction can ever introduce a subordinate clause. *A preposition can not!*

| | |
|---|---|
| **Esperamos hasta las ocho.** | We waited until eight o'clock. |
| **Esperamos hasta que volvió.** | We waited until he returned. |

**167.** Position of the Subordinate Clause Verb After Conjunctions

The verb of the subordinate clause is usually placed immediately after the conjunction, and its subject then follows.

| | |
|---|---|
| **Vámonos antes de que vuelvan tus padres.** | Let's leave before your parents come back. |
| **Limpió toda la casa sin que se lo dijera nadie.** | She cleaned the whole house without anyone's telling her to. |

## EJERCICIO DE REPASO

1. Everyone hopes that the love story of Charles and Irene will end happily like the old tales of princes and princesses.
2. This time it is a question of Princess Irene of Holland, who fell in love with a Spanish prince but whose family is opposed to their marriage.
3. At first they decided to wait until both families consented to the marriage, but then they realized that it was impossible.
4. There are those in Holland who doubt that Charles is the one who can make her happy.
5. They say that it has nothing to do with the fact that her family may be much richer than his.
6. Charles' father announced the engagement on his own, which also offended many of the Dutch.
7. Prince Xavier, who is more than seventy years old, attended the engagement party, during which the young lovers seemed completely absorbed in each other.
8. The princess said that she was not saying goodbye, but "so long".
9. There have been many other similar cases in royal families, among which we recall that of Princess Isabel of Yugoslavia.
10. Also there is the famous example of Alphonse XIII's granddaughter, who married a commoner and was at first expelled from the family.

REPASO DE VERBOS

Estudie los verbos **traer** y **caer** y después diga en español:

She fell down. Did you (**Uds.**) bring it? He told us to bring them (*f.*). Don't fall! (**tú, vosotros, Ud., Uds.**) I'm bringing it. They didn't fall.

# PART B

**168.** Uses of **que**

A. In nonrestrictive clauses

Current usage, especially in the spoken language, tends more and more to use **que** instead of **quien, el cual,** or **el que** as subject of a clause set off by commas.

| | |
|---|---|
| **Ese señor, que es muy buen amigo mío, va a invitarle a la fiesta.** | That gentleman, who is a very good friend of mine, is going to invite you to the party. |
| **La Sra. Castro, que es argentina...** | Mrs. Castro, who is an Argentinian... |

B. To translate *whom* after the preposition **de**

Although **quien** is regularly used to translate *whom* after a preposition, **que** may also be found after the preposition **de**.

| | |
|---|---|
| **Voy a ver al pintor de que les hablé ayer.** | I'm going to see the painter about whom I spoke to you yesterday. |

C. Before **sí** and **no**

When **sí** or **no** are not direct answers, but are incorporated into another statement, they must be preceded by **que**.

| | |
|---|---|
| **Dijo que no.** | He said no. |
| **Creo que sí.** | I think so. (I think "yes.") |
| **¿Qué decidieron?** | What did they decide? |
| **—Que no.** | —No. |

**169.** Que vs. de que

After a noun, when the relative pronoun *that* means *stating that, to the effect that, consisting in that,* etc., it is translated by **de que**.

| | |
|---|---|
| **No nos gusta la idea de que venga tan temprano.** | We don't like the idea that he's coming so early. |
| **No creí la mentira de que tú lo hubieses dicho.** | I didn't believe the lie that *you* had said it. |
| **Acaba de recibir la noticia de que su padre ha muerto.** | He has just received the news that his father has died. |

When *that* means *which* or can be omitted in English, **que** is used.

| | |
|---|---|
| **No nos gusta la idea que propuso.** | We don't like the idea he advanced. |
| **No creí la mentira que dijo.** | I didn't believe the lie (that) he told. |
| **Acaba de recibir el mensaje que le dejaste.** | He has just received the message you left him. |

## 170. Quien as a Compound Relative

A. The pronoun **quien** may be used to mean *the one who, he who, whoever*. In this sense, it is synonymous with **el que**.

| | |
|---|---|
| **Quien te dijo eso mentía.** | The one who (whoever) told you that was lying. |
| **Quienes le conocían le amaban.** | Those who knew him loved him. |
| o | or |
| **Quien le conocía le amaba.** | Whoever knew him loved him. |

This usage occurs very frequently in proverbs.

| | |
|---|---|
| **Quien no se atreve no pasa la mar.** | Faint heart never won fair lady. (Literally: He who doesn't dare doesn't cross the sea.) |
| **Quien ríe después ríe más.** | He who laughs last laughs best. |
| **Quien mucho habla mucho yerra.** | He who talks much errs much. |

B. **Quien** followed by the subjunctive, means *anyone who*.

| | |
|---|---|
| **Quien no haya visto Sevilla no ha visto maravilla.** | Anyone who hasn't seen Sevilla hasn't seen a marvelous thing. |

**El que** may also appear in this construction.

| | |
|---|---|
| **El que se mueva morirá.** | Anyone who moves will die. |

## 171. Cuanto

**Cuanto** (**a, os, as**) means *all that* (*which*), *all those who* (or *which*). It is an exact synonym for **todo lo que, todos los que,** etc.

| | |
|---|---|
| **Sabe cuanto (o todo lo que) hay que saber.** | He knows all there is to know. |
| **Cuantos (o todos los que) lo vieron tuvieron la misma impresión.** | All those who saw it had the same impression. |

## 172. **Donde** as a Relative

**Donde, en donde,** and **por donde** may be used as relative pronouns in place of **en que, por el cual,** etc.

| | |
|---|---|
| **La tienda donde compro mis libros...** | The store in which (or where) I buy my books ... |
| **La escalera de salvamento por donde huyó el ladrón...** | The fire escape by which the thief escaped ... |

## 173. Agreement of the Subordinate Clause Verb

A. When **quien** is subject of the subordinate clause and its antecedent is a personal pronoun (was it *you who* . . . ? etc.), the verb of the subordinate clause generally agrees with the personal pronoun in gender and number.

| | |
|---|---|
| **¿Fuiste tú quien lo hiciste?** | Was it you who did it? |
| **Fui yo quien le vi.** | It was I who saw him. |
| **Somos nosotros quienes lo dijimos primero.** | We are the ones who said so first. |

B. When **el que** is used instead of **quien** in the above situation, the *third* person is preferred.

| | |
|---|---|
| **¿Eres tú el que lo hizo?** | Was it you who did it? |
| **Fui yo el que le vio.** | It was I who saw him. |
| **Somos nosotros los que lo dijeron.** | We are the ones who said so. (It was we who . . .) |

## 174. **El que** as Object of a Preposition

When **el que, la que,** etc., is object of a preposition, the preposition must precede the relative pronoun.

| | |
|---|---|
| **De lo que yo quisiera hablar es...** | What I should like to talk about is ... |
| **Al que no le guste, que se vaya.** | Let anyone who doesn't like it leave. |

**175.** Special Use of **cuyo**

Occasionally, **cuyo** is used like the English adjective *which*.

| | |
|---|---|
| **Es posible que venga esta noche, en cuyo caso iremos juntos.** | It is possible that he will come tonight, in which case we'll go together. |
| **Salió del cuarto, en cuyo momento se oyó un tiro.** | He left the room, at which moment a shot was heard. |

**176.** Use of **que** in a Quasi-Prepositional Function

**Que** appears at times before an infinitive. Its actual function is to give a passive meaning to the infinitive: *to be done, seen,* etc. This usage is especially common after the impersonal **hay** and after **tener**.

| | |
|---|---|
| **Hay mucho que analizar en este libro.** | There is a great deal to analyze (to be analyzed) in this book. |
| **Tiene algo que confesar.** | He has something to confess (to be confessed). |
| **Esto deja mucho que desear.** | This leaves much to be desired. |

**177. Por que** and **para que** + Subjunctive

A. The conjunction **por que,** followed by the subjunctive, emphasizes the motive or reason for which an action is done. The outcome of the action is in doubt at the time of its initiation.

| | |
|---|---|
| **Se mata de trabajo por que su esposa pueda tener un abrigo de pieles.** | He is killing himself with work so that (in the hope that) his wife may have a fur coat. |

B. **Para que,** which is always followed by the subjunctive, merely indicates purpose. The result is viewed as the logical consequence of the action.

| | |
|---|---|
| **Lo hará para que su familia pueda ir al campo.** | He will do it so that his family may go to the country. |

EJERCICIOS

I. Tradúzcase al español.

The professor whom we liked most was our professor of history. It was he who awakened our interest in the Middle Ages and who showed us how important that period is in the history of Western Europe. His wife, who was a very intelligent woman, always received us with her charming smiles when we visited him.

The little house in which he lived was situated at the other end (**al otro extremo**) of town. It was one of those old cottages which had been in fashion at the end of the last century, but which were no longer built when I went to college. The professor had a daughter, a pretty girl of eighteen, who from time to time joined us in our discussions.

Once, in September, we gathered at his house at about five in the afternoon. A long discussion on politics began almost at once and continued for several hours. We did not notice the heavy rain which began a little after seven, and when we were ready to leave, the storm had turned into a hurricane.

The hurricane continued until early morning (**hasta la madrugada**) and we could not leave the professor's house until after eight o'clock. Ann, his daughter, who had stayed up chatting with us all night, made breakfast. It was perfectly delicious. I think that all of us who were (**todos los que estábamos**) there fell in love with her then.

"And what happened?"

"I was the one whom she married."

"What luck! And does she still cook so well?"

"Cook? Never! In fact, I make my own breakfast, and sometimes, hers too. But I must admit, it's worth the trouble. She still is the prettiest woman I know. And what she knows about politics and medieval history!"

II. Composición.

Mi concepto de una mujer (o de un hombre) ideal

# PARTICIPLES AND INFINITIVES

||||||||||||||||||||||||||||||||||||||||||||||||||||||||||||||||||||||||||||||||||||||||||||||||||||||||||||||

Adaptado de

**EL TIEMPO**

Bogotá, 27 de enero de 1964

## Aprenda a Dibujar
## ¡En Su Casa Por Correo!
## Historietas  Caricaturas  Publicidad
## Dibujos Animados
## ¡No Importa Su Edad!

Conociendo los secretos de nuestro acreditado método de instrucción, cualquier persona —hombre, mujer, o niño— puede, sin estudios cansadores y sin perder tiempo, dinero, ni energías, aprender a dibujar toda clase de historietas, caricaturas, dibujos animados, figuras femeninas, etc. Al terminar nuestro curso, queda Ud. preparado para gozar de brillantes posibilidades de éxito inmediato.

### PUBLICIDAD

El comercio y la industria del mundo entero necesitan cada vez más dibujantes para la preparación de anuncios publicitarios, catálogos, carteles, y material gráfico en general. Este campo ofrece maravillosas oportunidades para personas de ambición y talento.

### DIBUJOS ANIMADOS

Especializarse en esta profesión significa prepararse para una carrera de creciente desarrollo e ilimitadas perspectivas. El advenimiento de la televisión ha intensificado la demanda de buenos animadores.

### INSTÁLESE POR SU CUENTA

Haga como muchos de nuestros alumnos que se han instalado por su propia cuenta y ahora ganan mucho dinero creando historietas y colaborando desde su propia casa con diarios y revistas de todo el mundo.

Complementando su aprendizaje, recibe desde el primer mes valiosas instrucciones especiales con "Ideas para Ganar Dinero", donde se describen infinidad de fáciles tareas para realizar en su tiempo libre mientras estudia, y que venderá a buen precio. Nosotros le indicaremos cómo hacerlo, a quién venderlo, y cuánto cobrar por su trabajo.

### VIAJE GRATIS A ESTADOS UNIDOS

Venga a los Estados Unidos y sea huésped de nuestra escuela. Conozca y vea cómo se filma una película, conozca personalmente a los astros y estrellas que Ud. tanto admira en la pantalla. Conozca los fabulosos clubes nocturnos de Hollywood. Diviértase sin que le cueste un sólo centavo. ¡¡¡GRATIS!!! Si quiere más información, escriba a:

ESCUELA CONTINENTAL, S.A.
Carrera 8a No. 17-50.
Bogotá, Columbia

Nombre ————————————————— Edad ————

Dirección —————————————————————————

Ciudad o Pueblo ————————————————————

Provincia, Departamento, o Estado ——————————————

## PREGUNTAS

1. ¿Qué puede hacer cualquier persona conociendo los secretos de este método?
2. ¿Para qué está preparado el estudiante al terminar el curso?
3. ¿Qué necesitan cada vez más el comercio y la industria?
4. ¿Qué significa especializarse en la profesión de los dibujos animados?
5. ¿Qué ha hecho el advenimiento de la televisión?
6. ¿Qué han hecho muchos alumnos de esta escuela?
7. ¿Con quiénes colaboran desde su propia casa?
8. ¿Qué más recibe el alumno complementando su aprendizaje?
9. ¿Qué le indicarán en el folleto?
10. ¿Qué más le ofrece al alumno la Escuela Continental?

CONVERSACIÓN

1. ¿Qué piensa Ud. de este anuncio comercial? ¿Hasta qué punto cree Ud. que dice la verdad? ¿Qué aspectos no cree Ud.? ¿Cómo se compara este anuncio con los que aparecen regularmente en los periódicos y revistas de los Estados Unidos?
2. ¿Cuál es el anuncio más cómico que haya visto Ud.? ¿Cómo era? ¿Cuál es el más ofensivo que recuerde Ud.? ¿Y el mejor?
3. ¿Sabe Ud. dibujar? ¿Le interesa a Ud. el arte? ¿Quiénes son sus artistas favoritos? ¿Cuáles le gustan menos? ¿Por qué?

# PART A

**178.** The Past Participle

A. Irregular past participles

The following common verbs have irregular past participles:

| | | | |
|---|---|---|---|
| **abrir, abierto** opened | | **morir, muerto** dead | |
| **decir, dicho** said, told | | **poner, puesto** put | |
| **escribir, escrito** written | | **ver, visto** seen | |
| **hacer, hecho** done | | **volver, vuelto** (re)turned | |

B. Uses of the past participle

1. To form compound tenses

   Recall that the past participle does not change its ending when it is used with **haber.**

   | | |
   |---|---|
   | **Hemos vuelto.** | We have returned. |
   | **Las muchachas lo habían leído.** | The girls had read it. |
   | **Uds. habrán terminado.** | You will have finished. |

2. In the passive voice, after **ser**

   The past participle must agree with the subject in this construction.

   | | |
   |---|---|
   | **Fue calumniado por la prensa.** | He was libeled by the press. |
   | **Las tropas serán mandadas al frente.** | The troops will be ordered to the front. |

3. As an adjective

Most past participles may be used as adjectives, if the meaning permits.

**un orador apasionado**   an impassioned orator
**una niña cansada**   a tired little girl
**horas perdidas**   wasted hours

4. With **estar** or **quedar,** to describe the resultant state of an action

| | |
|---|---|
| **Están sentados.** | They are seated. |
| **Ya estaba muerto.** | He was already dead. |
| **Quedamos aturdidos por la noticia.** | We were (left) stunned by the news. |

5. In place of a clause

The past participle may be used independently to take the place of a clause beginning with *when, as soon as,* or *after* when referring to a completed action. It agrees with the noun or pronoun subject of the implied clause.

| | |
|---|---|
| **Vendida la casa, tendremos para el viaje.** | When the house is sold, we'll have enough for the trip. |
| **(Apenas) llegados al aeropuerto, fueron a telefonear.** | As soon as they reached the airport, they went to telephone. |
| **Sentados a la mesa, pidieron el menú.** | After they were seated at the table, they asked for the menu. |

## EJERCICIOS

A. Cambie:
   1. Fueron **perseguidos** por la policía.
      (detener, registrar, encontrar, socorrer)
   2. Quedé muy **sorprendida** al verle.
      (agitar, asustar, impresionar, emocionar)
   3. El niño no ha **hecho** nada.
      (decir, escribir, devolver, romper, abrir)

B. Cambie las oraciones siguientes según el modelo:
   Cuando hubieron llegado a Bogotá...   **Llegados a Bogotá...**

   1. Así que terminaron la comida... **(Terminada...)** 2. En cuanto hubieron comprado las entradas... 3. Después de echar las cartas... 4. Después de hacer las maletas... 4. Habiendo pintado las paredes... 5. Habiendo muerto el Sr. García...

C. Traduzca al español:

1. It had happened on repeated occasions. 2. This building wasn't (**estar**) finished when I left the city. 3. As soon as the letter was written, he went to the post office. 4. The children, led by the oldest brother, were discovered hiding (hidden) in the forest. 5. When the East coast was conquered, the explorers headed West. 6. Have you taken off those soiled clothes? I have found others to (**que**) give you.

**179.** The Present Participle (Gerund)

The present participle, also called the gerund, has several important functions:

A. The progressive tense

The present participle, used after **estar, seguir,** or a verb of motion, gives a more graphic picture of an action in its progress at a given moment.

| | |
|---|---|
| **Estábamos leyendo cuando se apagaron las luces.** | We were reading when the lights went out. |
| **Siguió comiendo como si no hubiera pasado nada.** | He continued eating as if nothing had happened. |

**Ir** and **venir** imply motion away from or toward the speaker.

| | |
|---|---|
| **Iban hablando.** | They were (walking along) talking. |
| **El niño venía cantando.** | The child was (coming toward us) singing. |

B. Independent usage

    1. Used alone, the present participle may mean *by* (*doing something*).

| | |
|---|---|
| **Hablando se entiende la gente.** | By speaking, people understand each other. |
| **Leyendo mucho, aprenderás a hablar.** | By reading a great deal, you'll learn to speak. |

    2. It may also replace a clause beginning with *when, since,* or *while,* when referring to a continuing action.

| | |
|---|---|
| **Conociéndole ya, no quise prestárselo.** | Since I knew how he was, I wouldn't lend it to him. |
| **Estando en la Florida, decidieron ir a San Juan.** | While (when, since) they were in Florida, they decided to go to San Juan. |

IMPORTANT: The present participle is never used as a noun or an adjective[1] in Spanish.

| | |
|---|---|
| **El cantar me alegra el corazón.** | Singing gladdens my heart. |
| **La bella durmiente...** | Sleeping beauty . . . |

## EJERCICIOS

A. Substituya las palabras subrayadas por una construcción con el gerundio:

1. Me **seguían** los chicos. 2. ¡**Mientes**! 3. **Comen** ahora. 4. **Arreglaba** las flores en el florero. 5. **Porque es** un alumno aprovechado, saldrá bien. 6. **Si hay** turistas, habrá quien nos compre estas baratijas. 7.**Cuando nos acercamos** a la valla, pudimos ver los toros. 8. **Porque me encontraba** solo, me puse a gritar. 9. **Ya que vivían** cerca, nos vinieron a visitar. 10. **Si trabajas mucho,** lo terminarás a tiempo.

B. Diga en español:

1. By eating too much and sleeping very little, he got sick. 2. Since he was an experienced actor, he applied for the role. 3. They were crossing the street when the siren sounded. 4. The child came running. 5. Having said it, he refused to retract. 6. What were you doing when the storm began? —I was sleeping.

## 180. The Infinitive

The infinitive has a variety of very important functions. These are the most salient.

A. As object of a verb

Just as in English, an infinitive that depends on a verb acts somewhat as object of that verb.

| | |
|---|---|
| **Quiero ir.** | I want to go. |
| **Puede caminar ahora.** | He can walk now. |
| **Sabe hacerlo.** | He knows how to do it. |

B. After prepositions

All prepositions are regularly followed by the infinitive. This is contrary to English usage, which generally employs the present participle.

**después de salir**   after leaving

**antes de detenerlos**   before arresting them

**sin quitarse el sombrero**   without taking off his hat

---

[1] Except for these two words: **ardiendo**   *burning*; **hirviendo**   *boiling*.

### C. As a noun

The infinitive is the only part of a verb that can ever be used as a noun. It appears frequently as a subject, object, or after **ser**. This, too, is contrary to the English, which uses the present participle.

| | |
|---|---|
| **El hacer bien a otros es su propia recompensa.** | Doing good unto others is its own reward. |
| **Escuchaba el cantar de los pájaros.** | He was listening to the singing of the birds. |
| **Ver es creer.** | Seeing is believing. (To see is to believe.) |

### D. After verbs referring to the senses

| | |
|---|---|
| **¿Has oído cantar a Tomás?** | Have you heard Tom sing? |
| **Los vi morir.** | I saw them die. |
| **Le sentían acercarse.** | They felt him approaching. |

### E. After verbs of ordering, forcing, permitting, preventing

| | |
|---|---|
| **Le mandaron salir.** | They ordered him to leave. |
| **Déjame comprarlo.** | Let me buy it. |
| **Les hicimos volver.** | We made them return. |
| **No deben impedirle casarse.** | They shouldn't prevent him from marrying. |

A clause containing the subjunctive may also follow these verbs, but after **mandar, hacer,** and **dejar,** the infinitive is more common.

### F. Al + Infinitive = Upon (doing something), When (+ clause)

| | |
|---|---|
| **Al ver lo que pasaba, se asustó.** | Upon seeing what was happening, he got frightened. (When he saw . . .) |

### EJERCICIO

Conteste en español:

1. ¿Qué hará Ud. primero al volver a casa esta tarde? 2. ¿Cuáles fueron sus primeras impresiones al entrar en esta universidad? 3. ¿Han cambiado esas primeras impresiones? 4. ¿Cree Ud. que el fumar mucho daña la salud? ¿Fuma Ud.? 5. ¿Ha oído cantar o tocar recientemente a un buen artista musical? ¿Quién fue? 6. ¿Qué piensa Ud. hacer cuando termine todos sus estudios? 7. ¿Sabe Ud. tocar un instrumento musical? 8. ¿Sabe Ud. dibujar

bien? 9. ¿Le gustaría aprender a hablar otra lengua extranjera? 10. ¿Le gustaría terminar este ejercicio ahora mismo? ... Muy bien.

## EJERCICIO DE REPASO

1. By using our method of instruction, any person can learn how to draw well and without tiring studies.
2. Upon finishing our course, you will be prepared to enjoy a brilliant career and marvelous opportunities.
3. Specializing in this field means preparing oneself for a constantly growing perspective.
4. The advent of television has intensified the demand for animators, cartoonists, and artists of all kinds.
5. Many of our students have gone out on their own and are making large sums of money by collaborating with magazines all over the world.
6. Complementing your apprenticeship, you will receive a valuable booklet with ideas for earning money.
7. We shall tell you also how to make (**sacar**) profit from your free time and how much to charge for your work.
8. Knowing how to draw is important also in your personal and social life.
9. Our best students are invited every year to go to the United States and meet famous movie stars.
10. If you want further information, write to us without wasting one more moment. If you hurry, the future is yours.

## REPASO DE VERBOS

Estudie **oír, construir, leer** y otros verbos parecidos, y después diga en español:

I don't hear you. Are they building it already? They built it last year? He read it in the paper. Don't destroy anything. When are they concluding? She wants us to read her poem. He fled with the money. She begged him not to flee. Listen. (**tú, vosotros, Ud., Uds.**) Don't build it there. (**tú, vosotros, Ud., Uds.**)

# PART B

**181.** The Past Participle

A. With verbs other than **estar** to indicate a state or condition

A number of verbs, such as **tener, verse, hallarse, sentirse,**

**encontrarse,** are used with the past participle to lend a more subjective tone to the description of a state or condition.

| | |
|---|---|
| **Tengo pintada de rojo la mesa.** | My table is painted red. (I have it painted red.) |
| **Se vio obligado a salir.** | He was (found, or felt himself) obliged to leave. |
| **Nos hallábamos muy ocupados.** | We were very busy. |
| **Se sienten avergonzados.** | They are (feel) ashamed. |

B. To translate an English present participle

When the present participle in English refers to a state or condition, and not to an action in its progress at a given moment, the past participle must be used in Spanish.

| | |
|---|---|
| **Estaban sentados alrededor de la hoguera.** | They were sitting around the bonfire. |
| **La encontramos arrodillada ante el altar.** | We found her kneeling before the altar. |
| **Me saludó tendido en la cama.** | He greeted me (while) lying on the bed. |
| **El ladrón estaba escondido debajo del sofá.** | The thief was hiding (hidden) under the sofa. |

In all the examples above the use of the present participle in Spanish would mean *in the act of* (being seated, kneeling down, etc.). The verb then would be reflexive.

**182.** The Present Participle

A. After the preposition **en**

The only preposition that may precede a present participle in Spanish is **en.** However, this construction, which is synonymous with **al** + infinitive, is used rather infrequently.

| | |
|---|---|
| **En volviendo a casa, me eché en un sillón.** | Upon returning home, I threw myself into a big chair. |
| **En saliendo del cuarto se cayó de bruces.** | Upon leaving the room, he fell down headlong. |

B. To describe a resulting or accompanying action

In written or formal Spanish, the present participle, without any preposition, is often used to indicate an action that accompanies or results from another action or situation. It is similar to an English construction that is often prefaced by *with* or *there*.

| | |
|---|---|
| **Ayer hubo tres accidentes resultando dos muertos y cuatro heridos.** | Yesterday there were three accidents, with two (being) killed and four injured. |
| **Las elecciones se celebraron en diciembre, siendo elegido el candidato liberal.** | The elections were held in December, with the liberal candidate being elected (there being elected . . .). |

C. Spanish translations of English present participles used as adjectives

    1. The only present participles that may be used as adjectives in Spanish are **ardiendo** and **hirviendo.**

        **agua hirviendo**  boiling water
        **una casa ardiendo**  a burning house

    2. Spanish has many adjectives ending in **-dor** or **-ante, -iente** (gerundive forms) that correspond to a present participle in English.

        **un pájaro hablador**  a talking bird
        **un sermón inspirador**  an inspiring sermon
        **agua corriente**  running water
        **un caballero andante**  a knight errant (wandering)

    3. When there is no corresponding adjective in Spanish, a clause must be used.

        **Tomamos el camino que conducía al castillo.**  We took the road leading to the castle.

**183.** The Infinitive with Passive Force

The infinitive is employed with passive force in the following situations.

A. After **mandar, dejar, hacer**

| | |
|---|---|
| **Nos mandaron encarcelar.** | They ordered us (to be) imprisoned. |
| **Se deja llevar de su entusiasmo.** | He lets himself be carried away by his enthusiasm. |
| **Hice pintar las paredes.** | I had the walls painted. |

B. After **ser de**

   1. In certain impersonal expressions

| | |
|---|---|
| **Es de esperar que se mejore de salud.** | It is to be hoped that his health improves. |
| **Es de suponer que no lo consentirán.** | It is to be assumed that they will not permit it. |
| **Es de notar que...** | It is to be noted that . . . |
| **Era de verse...** | It was worth seeing . . . (You should have seen . . .) |

   2. When **ser... de** is preceded by an expressed or implied subject.

| | |
|---|---|
| **Esa pieza es fácil de tocar.** | That piece is easy to play (to be played). |
| **El chocolate era imposible de obtener durante la guerra.** | Chocolate was impossible to get (to be gotten) during the war. |
| **Es difícil de explicar.** | It is difficult to explain (to be explained). |

But, when the infinitive that follows **ser** is really its subject, the passive force is lost and **de** is omitted.

| | |
|---|---|
| **Es fácil tocar esa pieza.** | It is easy to play that piece. |
| **Era imposible obtener chocolate.** | It was impossible to get chocolate. |
| **Es difícil explicarlo.** | It's difficult to explain it. |

**184.** Infinitive Substitutes for a Clause

A. **Al** + infinitive is often used as a substitute for a clause beginning with *when*.

| | |
|---|---|
| **Al entrar ella en el cuarto, la saludamos todos.** | When she entered the room, we all greeted her. |
| **Al acercarse cualquier forastero, el perro empezaba a ladrar.** | When any stranger approached, the dog began to bark. |

Notice that the subject of the implied clause follows the infinitive.

B. **De** + infinitive may serve as a substitute for an *if*-clause contrary to fact, especially in the compound tenses.

| | |
|---|---|
| **De haberla visto antes, se lo habría advertido.** | If I had seen her sooner, I would have warned her. |

C. Other prepositions + infinitive may also be substituted.

**Hasta, sin,** and certain other prepositions may be followed by the infinitive, whether or not there is a change of subject. Thus, they often replace subordinate clauses. Recall that the subject of the omitted clause must then *follow* the infinitive.

| | |
|---|---|
| **Se fueron sin saberlo nadie.** | They went away without anyone's knowing it. |
| **No lo deje hasta acabarlo.** | Don't leave it until you finish it. |

**185.** The Infinitive as an Imperative

As we have noted, this usage occurs mainly in short sentences that serve as written directions or public notices.

| | |
|---|---|
| **No Fumar** | No Smoking; DO NOT SMOKE |
| **Traducir al español las frases siguientes.** | Translate the following sentences into Spanish. |

**186.** The Infinitive to Translate an English Past Participle

When a past participle in English is preceded by the prefix *un,* Spanish generally uses **sin,** or at times **por,** followed by the infinitive.

| | |
|---|---|
| **El piso está todavía sin** (or **por**) **pintar.** | The apartment is still unpainted. |
| **Potros sin domar...** | Untamed horses . . . |

## EJERCICIOS

I. Traducir al español.

Most of the students in our class used to study only for approaching final exams, and never paid any attention to the professor all semester. I don't know why, because he was really an inspired man, and inspiring too. For example, he would repeat to us constantly, "Only by studying does one learn." Or then, he would add, "Besides, studying is necessary for the mind." Wasn't that brilliant? On certain days, when he felt especially moving, he would remind us, "Only by working all the time can one achieve success. Without working, the mind is like a plant without water."

I decided to follow his advice, and I spent the rest of the year studying every night until my eyes closed (**se me cerraban los ojos**) with fatigue. One day, since I was so tired from all that studying, it was impossible for me to resist the lulling rhythm of his voice. I fell asleep in class. Suddenly, I heard someone shout into my ear (**al oído**), "Sleeping students don't pass courses."

When the course was finished, I knew that I deserved the D that I received. Today I realize more than ever that the professor was right; for I have learned that only by working and studying all the time without playing, without resting, can one find true happiness—if not in this world, certainly in the other!

II. Composición.

Mi concepto de un buen profesor
El profesor que me gustó más (o menos)
Por qué quiero (o no quiero) ser profesor

# REFERENCE GUIDES

# WHAT'S THE DIFFERENCE BETWEEN . . . ?

"What's the Difference Between . . . ?" contains an analysis of one hundred and fifty common English words whose varied translation(s) in Spanish often cause confusion. Use the word list below to help you find "the difference between." The Spanish words and expressions are treated in the section that follows, on pages 247 through 313; the numbers beside each of the words (below) indicate the paragraph(s) in which they appear.

aquí tiene Ud., 55b
arder, 22
arreglar, 43
arriba, 2
arrojar, 132
así, 115, 144
así así, 37
asistir a, 13
asunto, 72
atender a, 13
atrás, 18
atrasado, 18
aun, 120
aún, 35, 120
ayudar, 13

bajar, 50
bajo, 95, 110, 137
barca, 20
barco, 20
bastante, 64
(el) bien, 105
blanco, 37
bocacalle, 28
botar, 132
bote, 21
breve, 110
broma, 118
bufete, 82
buque, 21
buscar, 70, 76

calidad, 93
cálido, 58
caliente, 60, 142
calientito, 142
caluroso, 58, 142
callado, 95, 120
camino, 144
camino de, 144
campo, 29
cargo, 82, 91
cariñoso, 142
cerca de, 1
cita, 10, 31
citarse, 31

claro, 37
clínica, 82
colección, 109
colgar, 52
colocar, 92
cómico, 47
¡cómo!, 59a, 144
¿cómo? 59b
componer, 43
comprender, 138
compromiso, 10, 31
confianza, 27
confidencia, 27
conocer, 64, 76
conque, 115
consulta, 82
consultorio, 82
contador, 26
contento, 53
convenir en, 6
convertirse en, 16
corto, 110
creer, 131
criar, 96
cualidad, 93
cualquier persona, 8
cualquiera, 8
¡cuánto!, 59a
cuestión, 94
cultivar, 96
curioso, 47

chocar, 57

Da lo mismo, 72
dar con, 76
dar hambre, sed, 73
dar un paso, 128a
dar un paseo, 128a
dar vuelta, 136
darse cuenta, 99
darse prisa, 60
de, 1, 24, 46
de al lado, 81
de esta manera, 144
de este modo, 144

de manera que, 115
de modo que, 115
de nuevo, 5
de prisa, 60
debajo, 19
debajo de, 19, 137
deber, 79
deber (de), 79
debido a, 15
dejar, 66, 67
dejar de, 36, 121
delante de, 7, 17
demasiado, 134
dependiente, 26
deporte, 48, 118
derecho, 105, 122
descanso, 103
desconocer, 61
desconocido, 123
descubrir, 42
desde, 46, 112
desde que, 112
desear, 141, 146
desperdiciar, 143
después, 4, 129
después de, 4
después de que, 4
destrozar, 32
destruir, 32
detener, 121
detenerse, 121
detrás de, 18
devolver, 104
dirección, 144
disfrutar, 34
divertido, 47
divertirse, 34, 133
doblar, 136
dormir, 113
dormirse, 113

echar, 132
echar a perder, 143
echar de menos, 78
educar, 96
efectivo, 3

**1. about**

**sobre, acerca de**   about, concerning, dealing with (usually a topic)
**Sobre** is used somewhat more frequently.

**Es un libro sobre (acerca de) la**   It is a book about the French
**revolución francesa.**   Revolution.

**de**   about, concerning (usually, though not necessarily, concerning a person)

| | |
|---|---|
| **He oído hablar mucho de él.** | I have heard a great deal about him. |
| **No sé nada de su familia.** | I don't know anything about his family. |
| **No hablemos de eso.** | Let's not talk about that. |

**a eso de**   about, approximately (used before a number, and generally refers to time of day)

| | |
|---|---|
| **Llegaron a eso de las once y media.** | They arrived about 11:30. |

**Sobre** is often used colloquially in this sense.

| | |
|---|---|
| **Nos veremos sobre las ocho, ¿eh?** | We'll meet around eight, OK? |

**cerca de**   about, nearly, almost (used primarily with numbers or hours of the day)

| | |
|---|---|
| **La China tiene cerca de setecientos millones de habitantes.** | China has about (close to) seven hundred million inhabitants. |

**unos**   about, approximately (used before numbers, but not to express time of day)

| | |
|---|---|
| **Mi tía tiene unos cincuenta años.** | My aunt is about fifty years old. |

**más o menos**   more or less; may also be translated *about*

| | |
|---|---|
| **Tiene cincuenta años, más o menos.** | He is about fifty years old. |

**2.** above

**arriba** (*adv.*)   above, overhead (unlimited, not necessarily relative to the position of another object) OPPOSITE: **abajo** below

| | |
|---|---|
| **Arriba, un cielo nublado y tormentoso; abajo, un torbellino de aguas turbulentas.** | Above, a cloudy, stormy sky; below, a whirlpool of turbulent waters. |

**encima** (*adv.*)   above, on top (usually relative to the position of another object) OPPOSITE: **debajo** underneath

| | |
|---|---|
| **Primero pondrás el ungüento, y encima, la venda.** | First you'll apply the ointment, and on top (above), the bandage. |
| **Se me cayó encima.** | It fell right on top of me. |
| **Debajo hay miles de corrientes; encima no se ve nada.** | Underneath there are thousands of currents; on top (above), nothing is visible. |

**encima de** (*prep.*)  (piled) on top of; suspended above

| | |
|---|---|
| **Lo puse encima del armario.** | I put it on top of the wardrobe. |
| **¿Por qué no lo colgamos encima del sofá?** | Why don't we hang it above the sofa? |

**sobre** (*prep.*)  above, over: on top of

**Sobre,** though essentially synonymous with **encima de,** implies a closer position to the object, a feeling often of almost touching, resting upon it. Also, **sobre** may be used figuratively.

| | |
|---|---|
| **Sobre todo, cuide de no ofenderlos nunca.** | Above all, take care never to offend them. |

3. actual(ly)

The English word *actual* has two meanings: (1) real (2) present, current.

**actual**  present, current, contemporary

| | |
|---|---|
| **La situación actual de la economía peruana...** | The present situation of the Peruvian economy ... |
| **El presidente actual es el Sr. Domínguez.** | The current president is Mr. Domínguez. |

**verdadero, real, efectivo**  actual (in the sense of real or true)

| | |
|---|---|
| **El jefe verdadero (real** or **efectivo) es García.** | The actual (real) leader is García. |
| **La razón verdadera fue...** | The actual (real) reason was ... |

**en la actualidad, actualmente**  nowadays, currently at present

| | |
|---|---|
| **En la actualidad vive en Chile.** | At present, he is living in Chile. |

**en realidad, a decir verdad**  actually, really, truthfully

| | |
|---|---|
| **En realidad, ella no era su madre.** | Actually, she wasn't his mother. |
| **A decir verdad, no sabía la respuesta; la adiviné.** | Actually (to tell the truth), I didn't know the answer; I guessed it. |

4. after

**después de** (*prep.*)  after (in sense of time)

| | |
|---|---|
| **Después de poner la mesa, metió las chuletas en el horno.** | After setting the table, she put the chops in the oven. |

**tras** (*prep.*)  after (in a sequence or series); after, right behind (location)

| | |
|---|---|
| **Día tras día, hora tras hora...** | Day after day, hour after hour ... |
| **Corrió tras él.** | She ran after him. |

**después de que** (*conj.*)   after (introduces a clause referring to time)

**Después de que se gradúe su hermano mayor, Pepe asistirá también a la universidad.**   After his older brother graduates, Joe will attend college too.

**después** (*adv.*)   afterwards, later, then

**Primero, llamó a la policía. Después, salió en busca de los ladrones él mismo.**   First, he called the police. Then he went out in search of the thieves himself.

5. again

**otra vez**   again, another time (as before)

**Repita otra vez.**   Repeat again.

**¿No quieres cantármela otra vez?**   Won't you sing it for me again?

**de nuevo**   again, anew (from a fresh start), all over again

**Hágalo de nuevo.**   Do it over again.

**Cinco minutos después se presentó de nuevo con otra demanda.**   Five minutes later he turned up again with another demand.

**una vez más**   one more time, once again

**Por favor, diga una vez más: *perro, perro*...**   Please, say once more: *perro, perro . . .*

**volver a** (+ *infinitive*)   to do (something) again

**Me volvió a llamar a medianoche. ¿Qué te crees?**   He called me again at midnight. How about that?

6. (to) agree

**estar de acuerdo**   to be in agreement on an issue; to agree with someone

**En eso estamos de acuerdo todos.**   On that we all agree.

**Pues yo no estoy de acuerdo con Uds.**   Well, I don't agree with you.

**estar conforme**   to agree to something; to go along with

**Creo que debiéramos invitarlos. —Estoy conforme.**   I think that we ought to invite them. —I agree. (It's all right with me.)

**convenir en, quedar en**   to agree to do something

| | |
|---|---|
| **Convinieron en reunirse todos los martes.** | They agreed to meet every Tuesday. |
| **Quedamos en vernos al día siguiente.** | We agreed to see each other on the following day. |

**7.** ahead

**adelante** (*adv.*)  up ahead, farther on; onward, forward  OPPOSITE: **atrás**

| | |
|---|---|
| **No importa. Seguiremos adelante.** | It doesn't matter. We'll keep going ahead. |
| **Los encontrarás un poco más adelante.** | You'll find them a little farther up ahead. |

**adelantado** (*adj.*)  ahead, advanced

| | |
|---|---|
| **Mi reloj anda algo adelantado.** | My watch is running a little ahead (fast). |
| **Está muy adelantada para su edad.** | She is far ahead for her age. |

**más adelantado que, más adelante que, delante de**   ahead of

| | |
|---|---|
| **Este niño está más adelantado que (más adelante que, delante de) los demás de su clase.** | This boy is ahead of the other pupils in his class. |

**8.** anyone

**cualquiera, cualquier persona**   anyone (at all)

| | |
|---|---|
| **Cualquiera (Cualquier persona) podría hacer eso.** | Anyone at all could do that. |

**alguien**   anyone (in a question), someone

| | |
|---|---|
| **¿Hay alguien que me pueda ayudar?** | Is there anyone (someone) who can help me? |

**nadie**   anyone (after a negative)

| | |
|---|---|
| **No hay nadie hoy.** | There isn't anyone here today. |

**9.** anyway

**en fin**   well, to sum up, anyway, so

| | |
|---|---|
| **En fin, decidió ir con nosotros al campo.** | Anyway he decided to go with us to the country. |

**en todo caso**   anyway, in any case or event

| | |
|---|---|
| **En todo caso partirán antes del quince.** | Anyway (in any event) they'll leave before the fifteenth. |

**a pesar de todo, de todos modos**   anyway, despite everything

| | |
|---|---|
| **A pesar de todo (De todos modos), nos tendrá que pagar.** | He'll have to pay us anyway. |

**10.** appointment

**cita**   a date—a social, or (less frequently) business, appointment

| | |
|---|---|
| **¿Tienes cita con Juan el sábado?** | Do you have an appointment (date) with John Saturday? |

**compromiso**   an appointment—sometimes social, often business or professional

| | |
|---|---|
| **No hay tiempo para más compromisos hoy.** | There is no time for more appointments today. |

**hora**   a doctor's appointment

| | |
|---|---|
| **¿Me puede dar hora mañana el Dr. Ulcera?** | Can Dr. Ulcera give me an appointment tomorrow? |

**nombramiento**   appointment (to a position)

| | |
|---|---|
| **¿Quién conseguirá el nombramiento ante las Naciones Unidas?** | Who will get the appointment to the United Nations? |

**11.** around

**alrededor** (*adv.*)   round about, all around, on all sides

| | |
|---|---|
| **Alrededor había fuentes y árboles y hermosas flores.** | All around were fountains and trees and beautiful flowers. |

**alrededor de** (*prep.*)   around, in a circle about

| | |
|---|---|
| **Formaron un círculo alrededor del campeón.** | They formed a circle around the champion. |

**por** (*prep.*)   around, in the vicinity of, through the general area of

| | |
|---|---|
| **Tiene que estar por aquí.** | It has to be around here. |
| **¿Por qué no damos una vueltecita por el parque?** | Why don't we take a little turn around (in) the park? |

**a eso de, sobre**   around (referring to time of day) (*see* about, p. 248)

**unos, más o menos**   around, about, approximately (*see* about, p. 248)

**12.** (to) ask

**pedir**   to ask for (to ask to be given something, etc.); to make a request to someone

| | |
|---|---|
| **No le pediré nada aunque me muera de hambre.** | I won't ask him for anything even if I starve to death. |
| **Pídale que vuelva.** | Ask him to come back. |

**preguntar**   to ask (a question), to inquire

| | |
|---|---|
| **Pregúntale cuándo volverá.** | Ask him when he'll come back. |

**hacer una pregunta**   to ask a question

| | |
|---|---|
| **No me hagas tantas preguntas.** | Don't ask me so many questions. |

**preguntar por**   to ask for (about), to inquire about

| | |
|---|---|
| **Acabo de ver a Carmen y ella preguntó por ti.** | I have just seen Carmen and she asked for you. |

• at   **en, a** (*see* **154** D, p. 209)

**13.** (to) attend

**atender a**   to attend to (a matter, a person, etc.)

| | |
|---|---|
| **Atiende a sus propios asuntos sin interesarse por otra persona.** | He attends to his own affairs without taking an interest in anyone else. |
| **La dependienta está atendiendo a su primer cliente.** | The clerk is attending to her first customer. |

**asistir a**   to attend (a school, a function, etc.)

| | |
|---|---|
| **Asistimos al Instituto.** | We attend the Institute. |

IMPORTANT:   **Asistir** does not normally mean *to assist, help*. **Ayudar** is used in this sense.

| | |
|---|---|
| **Ayuda a su padre en el negocio.** | He assists his father in the business. |

NOTE:

| | |
|---|---|
| **Los asistentes...** | Those in attendance . . . |
| **El ayudante del general...** | The assistant (aide) to the general . . . |

• (to) be   (*see* **ser-estar**, Chap. X)

**14.** (to) be cold

**hacer frío**   to be cold (refers to climate, weather, or room temperature)

| | |
|---|---|
| **Hace mucho frío, ¿no?** | It's very cold (out here, or in here), isn't it? |

**tener** or **sentir frío**   to be cold (describes a person's reaction to cold). **Sentir** implies a sudden chill.

| | |
|---|---|
| **Tengo (siento) frío. —Y yo siempre tengo calor.** | I am (feel) cold. —And I am always warm. |

**ser frío**   to be cold (depicts a characteristic of a person or thing); to be
distant, aloof, impassive

| | |
|---|---|
| **No me gusta ese hombre.** | I don't like that man. He's too |
| **Es demasiado frío.** | cold (distant, frigid). |
| **La nieve es fría.** | Snow is cold. |

**estar frío**   to be in a cold state or condition

| | |
|---|---|
| **Lo olla ya está fría.** | The pot is already cold. |
| **Mi sopa está fría.** | My soup is cold. |

**15.** because

**porque** (*conj.*)   because (+ *clause*)

| | |
|---|---|
| **No le interesa porque no lo entiende.** | It doesn't interest him because he doesn't understand it. |
| **No van a comer de eso porque no les gusta.** | They won't eat that because they don't like it. |

**a causa de** (*prep.*)   because of, due to (+ *a noun or pronoun*)

| | |
|---|---|
| **A causa del aumento de los precios, se trasladarán a otra ciudad.** | Because of the increase in prices, they will move to another city. |
| **No pudimos acabarlo a causa de él.** | We couldn't finish it because of him. |

**debido a** (*prep.*)   because of, due to (+ *a noun*)

**Debido a** is synonymous with **a causa de,** except that it usually
refers only to nonpersonal nouns.

| | |
|---|---|
| **Debido a circunstancias fuera de nuestro control....** | Due to circumstances beyond our control . . . |

**por** (*prep.*)   because of, for the sake of; out of, motivated by

| | |
|---|---|
| **Trabaja sólo por ella.** | He works only for her sake (because of her). |
| **Lo hizo por miedo.** | He did it because of (out of) fear. |

**16.** (to) become

**llegar a ser**   to become (something—usually as the culmination of a
series of events)

| | |
|---|---|
| **Después de diez y ocho años en el Senado llegó a ser presidente.** | After eighteen years in the Senate, he became president. |

**hacerse**  to become (usually a member of a profession or trade); to become (rich); to change into

| | |
|---|---|
| **Su hijo se ha hecho cura.** | His son has become a priest. |
| **El agua se hace hielo a los treinta y dos grados.** | Water becomes ice at 32°. |

**ponerse** (+ *adj.*)  to become (to adopt, acquire, assume, take on a certain condition or state—usually a person)

| | |
|---|---|
| **Si no te cuidas, te pondrás enfermo.** | If you don't take care of yourself, you'll get sick. |
| **Se puso pálido (rojo, enojado).** | He became pale (red, angry). |

Frequently, a transitive verb used reflexively conveys the same meaning as **ponerse** (+ adjective).

| | |
|---|---|
| **Se enojó, se enfadó.** | He became angry. |
| **Se alegrará cuando oiga las noticias.** | He will be (become) happy when he hears the news. |

**volverse**  to become (as by a sudden change); to turn (into)

| | |
|---|---|
| **El pobre se ha vuelto loco.** | The poor fellow has become (gone, turned) crazy. |

**convertirse en**  to become, turn into, change into (a physical change)

| | |
|---|---|
| **La cera se convierte en sustancias gaseosas cuando se quema.** | Wax turns into (becomes) gaseous matter when it burns. |
| **De noche, el ilustre Doctor Jekyll se convertía en (o se hacía) un monstruo diabólico.** | At night, the illustrious Dr. Jekyll became a diabolical monster. |

**meterse a**  to become, to set one's mind on a new course of activity or plunge into a new endeavour. **Meterse a** often has somewhat derogatory implications or connotations of impermanence.

| | |
|---|---|
| **Ahora se ha metido a pintor. ¿En qué va a pensar después?** | Now he has become a painter (taken up painting). What will he think of next? |

**ser de, hacerse de**  to become of, to happen to

| | |
|---|---|
| **¿Qué será de mí?** | What will become of me? |
| **¿Qué se ha hecho de Felipe?** | What has become of Phil? |

**quedarse**  to become, be left in a certain condition (usually a thing)

| | |
|---|---|
| **La casa se ha quedado muy sucia.** | The house has become very dirty. |

**17.** before

**antes de** (*prep.*)   before (referring to time)

| | |
|---|---|
| **Antes de ponerte la nueva camisa, no dejes de quitarle todos los alfileres.** | Before putting on your new shirt, be sure to take out all the pins. |

**antes** (*adv.*)   before (in time), first

| | |
|---|---|
| **El cantó antes, ella después.** | He sang first, she afterwards. |

**antes de que** (*conj.*)   before (introduces a clause referring to time, and is always followed by the subjunctive)

| | |
|---|---|
| **Vámonos ahora mismo antes de que llueva.** | Let's go right now, before it rains. |

**antes que** (*prep.*)   before, rather than (does not stress time)

| | |
|---|---|
| **Se dejaría echar a la calle antes que pedir prestado a nadie.** | He would let himself be thrown out into the street rather than borrow from anyone. |

**delante de**   before, in front of, ahead of (refers to location, not time)

| | |
|---|---|
| **Tiene una labor tremenda delante de ella.** | She has a tremendous job before her. |
| **Estaban sentados delante del hogar.** | They were seated in front of (before) the fireplace. |

**ante**   before, in front of (a person, an altar, a court, etc.)
**Ante** usually implies some relation of deference.

| | |
|---|---|
| **Se arrodilló ante el altar** (**el rey, el juez, etc.**) | He kneeled before the altar (the king, the judge, etc.) |
| **Hay que quitarse el sombrero ante una señora.** | One must remove his hat before a lady. |

**18.** behind

**detrás de** (*prep.*)   behind, in back of (something)   OPPOSITE: **delante de**

| | |
|---|---|
| **Los niños estaban escondidos detrás del sofá.** | The children were hiding behind the sofa. |

**tras** (*prep.*)   behind, following, after

| | |
|---|---|
| **Pedrito se fue corriendo, y tras él, todos los demás muchachos.** | Little Pete went off running, and behind him, all the other children. |

**atrás** (*adv.*)   behind, in back (not specifically relative to the position of
another object)   OPPOSITE: **adelante**

| | |
|---|---|
| **Los heridos se han quedado atrás.** | The wounded have remained behind. |
| **Dio tres pasos hacia atrás.** | He took three steps back(wards). |

**atrasado** (*adj.*)   behind, backward

| | |
|---|---|
| **El proyecto anda un poco atrasado.** | The project is a little behind (schedule). |
| **El reloj está atrasado.** | The clock is behind (slow). |

**19.** below

**abajo** (*adv.*)   below, underneath (not relative to the position of something else)   OPPOSITE: **arriba**

| | |
|---|---|
| **Abajo corría una corriente tumultuosa.** | Below there ran a tumultuous current. |
| **No mire nunca hacia abajo; siempre, hacia arriba.** | Don't ever look below (down); always look up. |

**debajo** (*adv.*)   below, under (with respect to something else) OPPOSITE:
**encima**

| | |
|---|---|
| **Ahí lo puso debajo.** | He put it there underneath. |
| **Encima se veía una cara sonriente; debajo, una mueca terrible.** | On the surface one saw a smiling face; below, a terrible grimace. |

**debajo de, bajo** (*prep.*)   under, below, underneath (*see* under, **137,**
p. 308)

| | |
|---|---|
| **Debajo de la superficie hay valiosas minas de plata.** | Below the surface there are valuable silver mines. |

**20.** beside(s)

**además de**   beside, aside from

| | |
|---|---|
| **Además de su mucho trabajo en casa, estudia de noche.** | Beside the great amount of work she does at home, she studies at night. |

**al lado de, a su lado**   beside, next to, at one's side (location)

| | |
|---|---|
| **Joaquín está al lado de su madre.** | Jack is beside his mother. |
| **A su lado estaban todos sus hijos y nietos.** | Beside him were all his children and grandchildren. |

**además**   besides, moreover, furthermore

**Además, nunca había salido de su pueblecito.**   Besides, he had never left his village.

21. boat

**barco, buque**   large boat, ship

**un barco (buque) de guerra**   a warship

**vapor**   steamship, boat, steamer

**El vapor entrará en muelle a las siete.**   The steamship will dock at 7 o'clock.

**bote**   a small boat, usually a rowboat

**Se metieron los dos en el bote y empezaron a remar.**   The two got into the boat and began to row.

**barca**   a fairly small ship, used for fishing, etc.

**La barca abandonada había servido para llevar contrabando.**   The abandoned boat had been used for carrying contraband.

**lancha**   a small boat (often with a motor), launch

**Fuimos conducidos a tierra en lanchas.**   We were taken ashore in launches (boats).

**ir por mar** or **en barco**   to travel by boat or ship

**¿Iréis en avión o por mar (en barco)?**   Will you go by plane or by boat?

22. (to) burn

**arder**   to be on fire, to be burning

**La casa estaba ardiendo.**   The house was burning.

**quemar**   to burn, scorch, sear (something or someone); to destroy by fire

**¡Ay, por Dios! Me he quemado los dedos.**   Ouch! I have burnt my fingers.

**La quemaron viva.**   They burnt her alive.

**quemarse** (*intransitive*)   to burn down (or up)

**Se quemó el establo.**   The stable burned down.

**pegar (o poner) fuego a**   to set on fire, burn down

**El loco pegó (o puso) fuego a la barraca.**   The madman set fire to (burned) the cabin.

**23.** but

**sino**   but, on the contrary

**Sino** is used only when the first part of a sentence is negative, and the second part contradicts it. **Sino que** introduces a clause.

| | |
|---|---|
| **No es valiente, sino cobarde.** | He is not brave, but cowardly. |
| **No estudia, sino que pasa el tiempo jugando.** | He doesn't study, but spends his time playing. |

**pero**   but (in all its uses except that noted for **sino**)

| | |
|---|---|
| **Es cobarde, pero todos creen que es valiente.** | He is a coward, but every one thinks he is brave. |

**Mas** is a literary synonym for **pero**.

**menos**   but, except

| | |
|---|---|
| **Nadie lo sabe menos yo.** | No one knows but I. |

**si no fuera por**   but for, except for, if it weren't for

| | |
|---|---|
| **Si no fuera por él, todos habrían muerto.** | But for him, they would all have died. |

**24.** by

**por**   by (an agent); by means of (in which the physical nature of the action itself is stressed)

| | |
|---|---|
| **Las velas fueron apagadas por el viento.** | The candles were blown out by the wind. |
| **Nos llamó por teléfono.** | He called us by (on the) telephone. |

**de**   by (an agent or accompanying factor)   **De** implies an emotional or mental attitude, or a physical state already achieved.

| | |
|---|---|
| **Era muy amado de sus empleados.** | He was very much loved by his employees. |
| **Está rodeada de amigos y parientes.** | She is surrounded by friends and relatives. |

**en**   by (a means of transportation, but referring almost exclusively to persons)

| | |
|---|---|
| **Iremos en avión, no en barco.** | We'll go by plane, not by ship. |
| *But:* **Mandaron la carta por avión.** | They sent the letter by (via) airmail. |

**para**   by a future time

| | |
|---|---|
| **Para mañana deben terminarlo.** | They ought to finish by tomorrow. |

**25.** can

    **poder**   can (to be able, physically capable); may, can (colloquial English—to be allowed)

| | |
|---|---|
| **Puedes hacerlo si quieres.** | You can do it if you want to. |
| **No puedo levantarlo.** | I can't lift it up. |
| **Mi madre dice que puedo ir.** | My mother says that I can (may) go. |

    **saber**   can (in the sense of *to know how to*)

| | |
|---|---|
| **Sabe hablar siete lenguas.** | He can speak seven languages. |
| **¿Sabe Ud. tocar el piano?** | Can you play the piano? |

**26.** clerk

    **dependiente, dependienta**   generally a salesclerk
    **contador**   a bank clerk; bookkeeper
    **empleado**   usually a nonselling clerk; an employee of a store, office, etc.

| | |
|---|---|
| **Le expliqué el caso al empleado de Correos.** | I explained the case to the postal clerk. |

    **escribano**   a clerical worker; court clerk

| | |
|---|---|
| **El escribano apuntará su nombre y dirección.** | The clerk will take down your name and address. |

    **mozo**   a general helper (grocery clerk, etc.)

**27.** confidence

    **confianza**   confidence, faith, reliance, trust

| | |
|---|---|
| **Tengo la mayor confianza en Uds.** | I have the greatest confidence in you. |

    **confidencia**   a confidence, something that is being confided; confidence, secrecy

| | |
|---|---|
| **Me lo dijo en confidencia.** | He told me it in confidence. |
| **Nunca se debe revelar una confidencia.** | One should never reveal a confidence. |

**28.** corner

    **esquina**   street corner (sidewalk); an outside corner

| | |
|---|---|
| **Te esperaremos en la esquina, ¿está bien?** | We'll wait for you on the corner, all right? |

    **rincón** (*m.*)   (an inside) corner; nook

| | |
|---|---|
| **La mesa nueva cabrá ahí en el rincón.** | The new table will fit there in the corner. |

**bocacalle** (*f.*)   street corner (intersection, in the road)

| | |
|---|---|
| **El policía dirigía el tránsito en la bocacalle.** | The policeman was directing traffic on the corner. |

**29.** country

**país**   country, nation

| | |
|---|---|
| **Hay muchos países que no tienen puertos de mar.** | There are many countries that don't have seaports. |

**campo**   the country (as opposed to the city)

| | |
|---|---|
| **Pasamos el verano en el campo.** | We spent the summer in the country. |

**patria**   country, fatherland, homeland (often emotional or poetic)

| | |
|---|---|
| **Murió por su patria.** | He died for his country. |

**tierra**   native land, home province, etc.

**Tierra** is also used figuratively to mean *the land, earth, world,* etc.

| | |
|---|---|
| **Mi tierra es Andalucía.** | My land is Andalucía. |

**terreno**   country, lay of the land, topography, terrain

| | |
|---|---|
| **El terreno era áspero y escabroso.** | The country was rough and rugged. |

**30.** dark

**oscuro**   dark (in color); not lighted

| | |
|---|---|
| **Mi nuevo traje es de un verde oscuro.** | My new suit is dark green. |
| **Vive en una calle oscura.** | He lives on a dark street. |

**a oscuras**   (in the) dark, with the lights out (**a oscuras** is also used figuratively)

| | |
|---|---|
| **El cuarto estaba a oscuras.** | The room was dark. |
| **Están tanteando a oscuras.** | They're groping in the dark. |

**31.** date

**fecha**   a date of the month or year

| | |
|---|---|
| **No se sabe la fecha exacta de su nacimiento.** | The exact date of his birth is not known. |
| **¿Qué fecha es hoy?** | What is today's date? |

The idioms **¿A cuántos del mes estamos?** and **¿Qué fecha tenemos?** also ask: What is today's date?

**cita**   a date, an appointment to meet somebody (usually socially)

| | |
|---|---|
| **Tengo una cita con él mañana.** | I have a date with him tomorrow. |

**compromiso**   a date, an appointment, an engagement (either social or business)

| | |
|---|---|
| **Ya tiene compromiso para esta tarde.** | He already has an appointment for this afternoon. |

**citarse**   to make a date

| | |
|---|---|
| **Nos citamos para hoy.** | We made a date for today. |

**32.** (to) destroy

**destruir**   to destroy completely, to annihilate

| | |
|---|---|
| **No se puede destruir nunca el alma del hombre.** | Man's soul can never be destroyed. |

**destrozar**   to destroy, ruin, devastate

| | |
|---|---|
| **La tormenta destrozó gran parte del edificio.** | The storm destroyed (wrecked) a large part of the building. |

**33.** ear

**oído**   (inner) ear; hearing

| | |
|---|---|
| **Tiene una herida en el oído.** | He has an injury in his ear. |
| **Me lo susurró al oído.** | He whispered it into my ear. |

**oreja**   (outer) ear

| | |
|---|---|
| **Le cortaron una oreja.** | They cut off his ear. |
| **Tenía vendada la oreja derecha.** | His right ear was bandaged. |

**34.** (to) enjoy

**divertirse, pasarlo bien**   to enjoy, amuse oneself, to have a good time

| | |
|---|---|
| **Nos divertimos mucho en el club.** | We enjoy ourselves very much at the Club. |
| **Lo pasé muy bien anoche.** | I had a very good time last night. |

**gozar de**   to enjoy, take pleasure or pride in, reap satisfaction from; to enjoy the benefits of (good health, etc.)

| | |
|---|---|
| **Siempre ha gozado de buena salud.** | He has always enjoyed good health. |
| **Goza de sus nietos.** | She enjoys her grandsons. |
| **Gozan de mucha fama en su pueblo.** | They enjoy a great reputation in their home town. |

**disfrutar (de)**   to enjoy, take pleasure and advantage from

| | |
|---|---|
| **Disfruta de la vida.** | He enjoys life. |

**gustarle (mucho) a uno**   to enjoy (a book, show, etc.)

| | |
|---|---|
| **¿Qué tal le gustó el concierto?** | How did you enjoy the concert? |
| **No me ha gustado nunca su compañía.** | I have never enjoyed his company. |

**35.** even

**hasta, aun, incluso** (*adv.* and *prep.*)   even, furthermore (surprisingly); in addition; including

Although these are usually interchangeable, **aun** is less emphatic than **hasta** or **incluso,** and **incluso** is less frequent as an adverb.

| | |
|---|---|
| **Hasta (Aun) sabe leer y escribir japonés.** | He even knows how to read and write Japanese. |
| **Hasta (Aun, Incluso) los niños iban armados por las calles.** | Even the children went about armed in the streets. |
| **Todos han aprobado el examen, incluso tú.** | Everyone passed the exam, even (including) you. |

**(ni) siquiera**   (not) even

| | |
|---|---|
| **No tiene (ni) siquiera un amigo.** | He doesn't have even one friend. |
| **Ni siquiera gasta para la comida.** | He doesn't even spend for food. |

**par** (*adj.*)   even (of a number)

| | |
|---|---|
| **Primero vamos a decir los números pares.** | First let's say the even numbers. |

**justo, exacto, igual**   even (in quantity, size, etc.)

| | |
|---|---|
| **Córtelo en pedazos iguales (justos), ¿está bien?** | Cut it into even pieces, all right? |
| **Quedó exacto por todos lados.** | It came out even on all sides. |

**36.** (to) fail

**fracasar**   to fail, not to succeed, to make a fiasco

| | |
|---|---|
| **Esta vez no voy a fracasar.** | This time I won't fail. |

**suspender**   to fail (somebody in a course)

| | |
|---|---|
| **Le suspendieron por haber faltado al examen final.** | He was failed for having missed the final exam. |

**ser (quedar) suspendido**   to fail (a course)

| | |
|---|---|
| **Han sido (o quedado) suspendidos sólo dos estudiantes este año.** | Only two students have failed this year. |

**Fracasar** is also used in the sense of to fail a course:

**El único que fracasó fue Miguel.**     Mike was the only one who failed.

**dejar de**   to fail to (do something)

**No dejes de cerrar la puerta cuando salgas.**     Don't fail to shut the door when you go out.

**faltar (a)**   to fail, disappoint, deceive (somebody); to fail in

**Yo no te faltaré nunca.**     I'll never fail you.

**Te lo prometo.**     I promise you.

**No debes faltar a tus obligaciones.**     You shouldn't fail in your obligations.

The preterite of almost any verb may translate *failed to* when the English implies merely a simple past action.

**Prometió venir, pero no se presentó.**     He promised to come, but he failed to appear.

37. fair

**justo**   fair, just

**Eso no es justo.**     That's not fair.

**mediano, regular; así así**   fair, so-so, average

**Carlos es un estudiante mediano (regular).**     Charles is a fair student.

**¿Cómo estás hoy? —Regular. (Así así.)**     How are you today? —Fair. (O.K., So-so.)

**claro**   fair, light in color

**Elda tenía unos ojos clarísimos.**     Elda had very light (fair) eyes.

**blanco**   fair (skin)

**Su cutis blanco contrastaba con el pelo oscuro.**     Her fair skin contrasted with the dark hair.

**rubio**   fair (haired and/or skinned)

**A él le gustan sólo las mujeres rubias.**     He likes only fair women.

38. fear

**temor** (*m.*)   (a specific) fear, or (plural) fears

**Todos sus temores resultaron infundados.**     All his fears turned out unfounded.

**Le estremeció un temor repentino.**     A sudden fear shook him.

**miedo**   fear (as an abstraction)

| | |
|---|---|
| **El miedo representa un peligro en sí.** | Fear represents a danger in itself. |
| **Lo hizo por miedo.** | He did it out of fear. |

Notice that **miedo** is never plural.

**tener miedo de** or **a (una persona)**   to be afraid of, to be in fear of

| | |
|---|---|
| **No tengas miedo. Ese perro no muerde... ¡Ay! Disculpa.** | Don't be afraid. That dog doesn't bite . . . Oh, my! I'm sorry. |

**temer**   to fear; to be concerned or worried   (**temer** is usually less emphatic, less emotional than **tener miedo**)

| | |
|---|---|
| **Teme las consecuencias de su acción.** | He fears the consequences of his action. |
| **El niño temía (tenía miedo a) su padrastro.** | The boy feared (was afraid of) his stepfather. |
| **Temo que llueva mañana.** | I'm afraid it will rain tomorrow. |

**39.** (to) feel

**sentir**   to feel (something); to feel (to sense, to believe) that . . .

| | |
|---|---|
| **No le sentimos ninguna compasión.** | We don't feel any compassion for him. |
| **Sentía su presencia en todas partes.** | He felt her presence everywhere. |
| **Siento que todo va a salir bien.** | I feel that everything will turn out all right. |

**sentirse** (+ *adj.*)   to feel (in a certain condition or state)

| | |
|---|---|
| **Me siento honrado...** | I feel honored . . . |
| **Se sintió avergonzado delante de sus parientes y amigos.** | He felt ashamed in front of his relatives and friends. |

**40.** few

**pocos**   few, not many   (**Pocos** always has a negative implication)

| | |
|---|---|
| **Ese tiene pocos amigos.** | That fellow has few friends. |

**unos pocos, unos cuantos**   a few, several, some (positive implication)

| | |
|---|---|
| **¿Cuadernos? Sí, quedan unos pocos (unos cuantos).** | Notebooks? Yes, there are a few left. |

**41.** finally

**al fin**   finally, at last, in the end

| | |
|---|---|
| **Al fin, decidimos telefonearles.** | Finally, we decided to telephone them. |

**por fin**   finally, at (long) last

**Por fin** is more exclamatory than **al fin,** and implies a feeling of relief.

| | |
|---|---|
| **Por fin lo han acabado.** | At last, they have finished it! (They have finally finished it.) |

**en fin**   finally, in short, to sum up

| | |
|---|---|
| **En fin, recobraron lo perdido y se acabó el asunto.** | Finally (in short), they recovered what had been lost and the matter was concluded. |

**42.** (to) find

**hallar, encontrar**   to find, locate (someone or something)

| | |
|---|---|
| **Lo hallamos (encontramos) en su casa.** | We found it in his house. |
| **La hallaron (encontraron) dormida en el bosque.** | They found her asleep in the woods. |

**descubrir**   to find, discover, uncover (usually a physical object, a territory, etc.)

| | |
|---|---|
| **Han descubierto un tesoro de diamantes y perlas.** | They have found (discovered) a treasure of diamonds and pearls. |

**hallarse, encontrarse**   to be (to find oneself)

**Hallarse** is more frequent when the verb is followed by an adjective.

| | |
|---|---|
| **Al día siguiente, se hallaban (encontraban) en Sevilla.** | On the following day, they were in Seville. |
| **Me hallo obligado a advertirles que...** | I am obliged to advise you that . . . |

**43.** fix

**arreglar, componer**   to fix (an apparatus, etc.); arrange

| | |
|---|---|
| **¿Han arreglado (compuesto) ya el televisor?** | Have they fixed the television set yet? |
| **No te preocupes. Yo te lo arreglaré todo.** | Don't worry, I'll fix everything for you. |

**fijar**   to affix, to fix, fasten, make fast

| | |
|---|---|
| **Fijen bien la araña para que no se caiga, ¿está bien?** | Fix the chandelier so that it won't fall, all right? |

**44.** (to) fly

**ir en avión**   to fly, take a flight, go by air

| | |
|---|---|
| **¿Cómo iréis? —En avión.** | How will you go? —We'll fly. |

**volar**   to be in flight; to fly (over some place, etc.)
    **Volamos sobre los Andes.**    We flew over the Andes.

**pilotear (un avión)**   to fly (a plane)

**tripular**   to fly (pilot) a commercial plane, head the crew

| | |
|---|---|
| **Mi sobrino pilotea su propia avioneta.** | My nephew flies his own little plane. |
| **Hacía años que tripulaba aviones de chorro.** | He had been piloting jets for years. |

**45.** free

    **libre**   free, independent; open, accessible

| | |
|---|---|
| **Garantizan el libre acceso a la frontera.** | They guarantee free access to the border. |
| **Así debe actuar un hombre libre.** | That's how a free man should act. |

    **gratis** (*adv.*)   free, without demanding payment

| | |
|---|---|
| **¿Cuánto te cobró? —Nada. Me lo dio gratis.** | How much did you pay? —Nothing. He gave it to me free. |

    **gratuito** (*adj.*)   free of charge

| | |
|---|---|
| **Esta tarde habrá un número de entradas gratuitas para la ópera.** | This afternoon there will be a number of free admissions to the opera. |

**46.** from

    **de**   from (emanating from a place, person, etc.); from (a point in time or space)

| | |
|---|---|
| **El humo proviene de las muchas fábricas.** | The smoke comes from the many factories. |
| **La carta es de mi hermano.** | The letter is from my brother. |
| **De aquí a Nueva York hay 100 millas.** | It is 100 miles from here to New York. |

**desde**   from, since (a certain point in time); from (a certain place)

    **Desde** places greater emphasis on location or position in time or space. Frequently, it is followed by **hasta**   until.

| | |
|---|---|
| **Nos gritó desde la colina.** | He shouted to us from the hill. |
| **Vive con nosotros desde el primero de marzo.** | He has been living with us since the first of March. |
| **Estarán aquí desde junio hasta septiembre (o de junio a septiembre).** | They will be here from June to September. |

**47.** funny

>**gracioso**   funny, comical; witty, charming
>
>| | |
>|---|---|
>| **Un chiste muy gracioso** | A very funny joke |
>| **Su marido es tan gracioso.** | Her husband is so funny (witty). |
>
>**hacerle gracia a uno**   to strike someone as being funny
>
>| | |
>|---|---|
>| **No sé por qué, pero eso siempre me hace gracia.** | I don't know why, but that always strikes me funny. |
>
>**tener gracia**   to be funny, humorous, witty (applied especially to ideas, etc.)
>
>| | |
>|---|---|
>| **Todo lo que dice tiene mucha gracia ¿no?** | Everything he says is very funny (witty), don't you think so? |
>
>**divertido**   funny, amusing, witty (persons, situations, etc.)
>
>| | |
>|---|---|
>| **La comedia es divertida en extremo.** | The play is extremely funny. |
>
>**cómico**   comical, laughworthy
>
>| | |
>|---|---|
>| **No veo nada cómico en eso.** | I don't see anything funny in that. |
>
>**curioso, extraño, sorprendente**   funny (strange, odd, curious, surprising)
>
>| | |
>|---|---|
>| **Es curioso que lo dijera *ella*, y no *él*.** | It's funny that *she* should say it, and not *he*. |

**48.** game

>**juego**   a type of game; gaming, gambling; play
>
>| | |
>|---|---|
>| **Han popularizado un nuevo juego de naipes.** | They have popularized a new card game. |
>| **Un juego de palabras** | A play on words |
>
>**partido**   a specific performance of a game, a contest, match
>
>| | |
>|---|---|
>| **El partido se celebra a las tres.** | The game starts at three o'clock. |
>
>**deporte** (*m.*)   a sport, an athletic game (*not* contest)
>
>| | |
>|---|---|
>| **Mi deporte favorito es el fútbol.** | My favorite sport is soccer. |

**49.** glance

>**mirada**   a glance (at someone or something); a way of looking
>
>| | |
>|---|---|
>| **Me echó una mirada curiosa.** | He gave me a curious glance. |
>| **Con una mirada tal, se podría enfriar el sol.** | With a look like that, the sun could freeze over. |

**ojeada**   a glance (through a book, etc.), a rapid perusal

| | |
|---|---|
| **Hoy le puedo dar sólo una ojeada rápida.** | Today I can give it only a quick glance. |

**50.** (to) go

**ir**   to go

| | |
|---|---|
| **Voy a verle mañana.** | I am going to see him tomorrow. |
| **Va con nosotros.** | He is going with us. |

**irse, marcharse**   to go away

| | |
|---|---|
| **Ya se ha ido (marchado).** | He has already gone away. You |
| **Llegaste tarde.** | came too late. |

**salir (de)**   to leave, to go out (of)

| | |
|---|---|
| **Salió hace media hora.** | He went out half an hour ago. |
| **Saldrán del edificio al medio-día.** | They will leave (go out of) the building at noon. |

**salir a**   to go out into (the street, the hall, etc.)

| | |
|---|---|
| **Acaba de salir a la calle.** | He has just gone out into the street. |

**salir para**   to leave for, to go away to

| | |
|---|---|
| **Salimos para la capital mañana.** | We are leaving for the capital tomorrow. |

**bajar**  to go down

| | |
|---|---|
| **No bajes la escalera tan aprisa.** | Don't go down the stairs so rapidly. |

**subir (a)**   to go up or aboard

| | |
|---|---|
| **Ha subido a su cuarto.** | He has gone up to his room. |
| **Subieron al tren.** | They went aboard the train. |

**entrar en**   to go into (in Spanish America, **entrar a**)

| | |
|---|---|
| **Entraron en (or a) aquella tienda.** | They went into that store. |

**51.** half

**medio** (*adj.* and *adv.*)   half

| | |
|---|---|
| **Son las cinco y media.** | It is half-past five. |
| **Es medio indio, medio blanco.** | He is half Indian, half white. |
| **Está medio loco de hambre.** | He is half-crazy with hunger. |

**mitad** (*n*.)   a half

| | |
|---|---|
| **La dividieron en dos mitades.** | They divided it into two halves. |
| **Una mitad para ti, la otra para mí.** | Half for you, the other half for me. |

52. (to) hang

**colgar**   to hang up (something)

| | |
|---|---|
| **Colgaron su retrato en el salón.** | They hung his portrait in the living room. |

**estar colgado**   to be hanging (up)

| | |
|---|---|
| **El nuevo abrigo estaba colgado de un gancho.** | The new coat was hanging on a hook. |

**pender**   to be hanging or suspended (from something); to be pending

| | |
|---|---|
| **La espada pendía de un solo hilo de seda.** | The sword was hanging from a single thread of silk. |

**ahorcar**   to hang, to execute (someone)

| | |
|---|---|
| **Lo ahorcaron sin darle oportunidad para defenderse.** | They hanged him without giving him a chance to defend himself. |

53. happy

**feliz**   basically happy (a characteristic)

| | |
|---|---|
| **un matrimonio feliz** | a happy marriage or couple |
| **un desenlace feliz** | a happy ending |

**alegre**   happy, gay, joyous, jovial (either a characteristic or a chance state of mind or disposition)

| | |
|---|---|
| **Estuvieron muy alegres anoche.** | They were very gay last night. |

**contento**   happy, satisfied, content, pleased

| | |
|---|---|
| **Estaría muy contenta de pasar toda mi vida allí.** | I would be very happy to spend my whole life there. |
| **¿Quién puede estar contento siempre de sí mismo?** | Who can always be satisfied with himself? |

54. (to) hear

**oír**   to hear (to perceive and recognize sound); listen (in a command)

| | |
|---|---|
| **¿Oyes lo que te digo?** | Do you hear what I'm saying to you? |
| **Oye, Juan...** | Listen, John . . . |

**oír decir que**   to hear (it said) that . . . (as news, a fact, etc.)

| | |
|---|---|
| **He oído decir que el estado va a rebajar los impuestos.** | I have heard that the state is going to lower taxes. |

**oír hablar de**   to hear about (a person, an event, etc.)

| | |
|---|---|
| **Hemos oído hablar de su tío y de su mucha riqueza.** | We have heard about his uncle and his great wealth. |

**escuchar**   to hear, listen to

| | |
|---|---|
| **Me gusta escuchar los programas musicales que se presentan por la tarde.** | I like to listen to (hear) the musical programs that are presented in the afternoon. |
| **¿Me escuchas, hijo?** | Are you listening to me, son? (Do you hear me?) |

**55.** (a) here

**aquí**   here (near me)

| | |
|---|---|
| **Su madre vive aquí cerca.** | His mother lives around here. |

**acá**   here (toward me)

**Acá** is used with verbs of motion, particularly with **venir.**

| | |
|---|---|
| **Ven (para) acá, Manuel.** | Come this way, Manuel. (Come here.) |

(b) here is, here are

**aquí está(n)**   here is, are (located, situated)

| | |
|---|---|
| **Aquí está mi mesa.** | Here is my desk. (It is located in this spot.) |

**aquí tiene Ud.**   here is, are (I am handing you, offering you . . .)

| | |
|---|---|
| **Aquí tiene Ud. su reloj.** | Here is your watch. (Here it is. Take it.) |

**he aquí**   here is, are (behold, witness); this is, these are

**He aquí** appears in a list of names or addresses, in newspaper captions, radio announcements, and in limited literary usage.

| | |
|---|---|
| **He aquí las estrellas que participarán en nuestra próxima presentación...** | Here are (these are) the stars who will take part in our next presentation . . . |

**aquí es**   here is the place (where) . . .

| | |
|---|---|
| **Aquí es donde vivo.** | Here is where I live. |

**56.** (to) hire

**emplear**   to hire, employ (a person)

| | |
|---|---|
| **Dicen que van a emplear dos mil obreros más.** | They say they're going to hire 2000 more workers. |

**alquilar**   to hire, rent (a car, hall, apartment, etc.)

| | |
|---|---|
| **En Cali alquilaremos un coche.** | In Cali we'll hire a car. |

**57.** hit

**pegar**   to hit, strike (someone)

| | |
|---|---|
| **No lo pegues, por favor.** | Don't hit him, please. |

**golpear, abofetear**   to hit, beat (someone)

| | |
|---|---|
| **Los golpearon (abofetearon) hasta que quedaron sin sentido.** | They hit (beat) them until they were unconscious. |

**acertar**   to hit (the mark); get the right answer, get the point, etc.

| | |
|---|---|
| **La bala le acertó en el muslo izquierdo.** | The bullet hit him in the left thigh. |
| **¡Felicitaciones! Has acertado otra vez.** | Congratulations! You've done it again. |

**chocar**   to hit, crash into, collide with

| | |
|---|---|
| **El automóvil chocó con un árbol.** | The car hit a tree. |


**58.** hot

**caliente**   hot; warm (**caliente** refers to the temperature of objects, liquids, etc., not to persons)

| | |
|---|---|
| **No hay agua caliente hoy.** | There's no hot water today. |
| **Vive en un clima caliente.** | He lives in a hot (warm) climate. |

**cálido**   hot (and often humid or moist)

| | |
|---|---|
| **En los países cálidos, la vida es más difícil.** | In hot (humid) countries, life is more difficult. |

**caluroso**   hot (giving off heat, as the weather, a day, etc.); ardent, warm (figurative)

| | |
|---|---|
| **Hemos sufrido unos días calurosísimos este verano.** | We've had some very hot days this summer. |
| **Me dio un saludo caluroso.** | He gave me a warm greeting. |

**acalorado**   hot, heated, impassioned, enthusiastic (a discussion, fans, etc.)

| | |
|---|---|
| **Parece que interrumpíamos una discusión acalorada.** | It seems we were interrupting a heated argument. |

**picante**   hot, spicy (food)

| | |
|---|---|
| **La comida mejicana es más picante que la española.** | Mexican food is hotter than Spanish. |

*But:* **hacer calor**   to be hot out

| | |
|---|---|
| **Ayer hizo mucho calor, ¿verdad?** | It was very hot yesterday, wasn't it? |

**tener calor**   to be (feel) hot (a person)

| | |
|---|---|
| **¿Tienes calor? —No, estoy bien.** | Are you hot? —No, I'm all right. |

**59.** (a) how!

**¡cómo!**   how, how well, how badly! (describes the manner in which something is done)

| | |
|---|---|
| **¡Cómo canta! ¡Cómo baila!** | How she sings! How she dances! |

**¡cuánto!** how, how much!

| | |
|---|---|
| **¡Cuánto te quiero!** | How (much) I love you! |

**¡qué** (+ *adj.* or *adv.*)   how (good, bad, smart, tired, fast, etc.)

| | |
|---|---|
| **¡Qué amable es!** | How nice he is! |
| **¡Qué bien recita!** | How well he recites! |

(b) how?

**¿cómo?**   how, in what way or manner?

| | |
|---|---|
| **¿Cómo puedo explicártelo?** | How can I explain it to you? |
| **¿Cómo te gusta el café —con crema o con leche?** | How do you like coffee—with cream or with milk? |

**¿qué tal?**   how, what do you think of?

**¿Qué tal?** asks for an evaluation.

| | |
|---|---|
| **¿Qué tal estuvo la charla?** | How was the talk? |
| **Hola. ¿Qué tal?** | Hello. How goes it? |

**60.** (to) hurry

**tener prisa, estar de prisa**   to be in a hurry

| | |
|---|---|
| **No te puedo hablar más ahora.** | I can't talk to you any more now. |
| **Tengo mucha prisa. (Estoy de prisa.)** | I'm in a real hurry. |

**darse prisa, apresurarse; apurarse** (in Spanish America)   to hurry up

| | |
|---|---|
| **¡Date prisa! (¡Apresúrate! ¡Apúrate!) No hay tiempo que perder.** | Hurry up! There's no time to waste. |

**de prisa, aprisa**   in a hurry, hurriedly

| | |
|---|---|
| **Resultó mal porque lo hizo de prisa (aprisa).** | It turned out badly because he did it in a hurry. |

**61.** (to) ignore

**no hacer caso de** or **a** (a person)   to ignore, not to pay attention to (something or what someone is saying or doing)

| | |
|---|---|
| **No le hagas caso.** | Ignore him. (Don't pay any attention to him.) |

**pasar por alto**   to ignore, overlook (usually a statement or an action)

| | |
|---|---|
| **Sí, lo dijo, pero yo lo pasé por alto.** | Yes, he said it, but I ignored it. |

**desconocer**   to ignore (someone)

| | |
|---|---|
| **Le saludé, pero me desconoció.** | I greeted him, but he ignored me. |

**ignorar**   not to know, to be ignorant or unaware of

| | |
|---|---|
| **Se ignora la verdadera causa del accidente.** | The real cause of the accident is not known. |

**62.** (to) introduce

**introducir**   to introduce (a new subject, etc.), to bring in(to) or up

| | |
|---|---|
| **Introdujo la nueva resolución en el Senado.** | He introduced the new resolution in the Senate. |

**presentar**   to introduce (somebody to someone)

| | |
|---|---|
| **¿Quieres presentarme a tu prima?** | Will you introduce me to your cousin? |

**63.** just

**justo**   just, fair; exactly right, fitting or enough.

| | |
|---|---|
| **Hay que ser justo siempre.** | One must always be just. |
| **Lo midieron tan bien que salió justo.** | They measured so well that it came out just right. |

**sólo**   just, only

| | |
|---|---|
| **Te pido sólo un día más.** | I ask you for just one more day. |
| **¿Quién vive aquí? —Sólo mi hermano y yo.** | Who lives here? —Just my brother and I. |

**64.** (to) know

**saber**   to know (something, a fact, etc.); to know by heart or thoroughly; to know how to do something

| | |
|---|---|
| **No sé si ha vuelto todavía.** | I don't know whether he has come back yet. |
| **¿Sabe Ud. este poema?** | Do you know this poem (by heart or thoroughly)? |
| **Sabe tocar la guitarra.** | He knows how to play the guitar. |

**conocer**   to know (a person, a city, etc.); to be acquainted or familiar with

| | |
|---|---|
| **¿Conoce Ud. a mi hermano?** | Do you know my brother? |
| **No conozco ese poema.** | I don't know (am not familiar with) that poem. |

**65.** last

**último**   last, final one (of a series); last (month) (*business*)

| | |
|---|---|
| **El último rey borbónico...** | The last Bourbon king . . . |
| **Ahora cursamos el último año del bachillerato.** | Now we are in our last year of college. |
| **Su favor del último...** | Yours of last month . . . |

**pasado**   last, recently past (the series is still continuing)

| | |
|---|---|
| **la semana pasada** | last week |
| **el semestre pasado** | last semester |

*But:* **anoche**   last night

| | |
|---|---|
| **Nos telefoneó anoche.** | He phoned us last night. |

**66.** (to) leave

**salir (de)**   to leave (a place), to go out (of), depart (from)

| | |
|---|---|
| **Salió de la Habana en el "Emperatriz de Egipto."** | He left Havana on the *Empress of Egypt*. |
| **¿A qué hora sales?** | At what time are you leaving? |

**salir para**   to leave for (a destination)

| | |
|---|---|
| **Saldrán para la capital el viernes que viene.** | They will leave for the capital next Friday. |

**dejar**   to leave (something or someone) behind (either on purpose or through an oversight)

| | |
|---|---|
| **Lo dejé olvidado en casa.** | I left it (forgotten) at home. |
| **Raúl, no me dejes sola.** | Ralph, don't leave me alone. |

Recall: **Dejar** also means *to let, allow, permit.*

| | |
|---|---|
| **No le dejarán hacerlo.** | They won't let him do it. |

**abandonar**   to leave (something or someone) behind (intentionally), to abandon

| | |
|---|---|
| **Tuvieron que abandonar el coche en medio del camino.** | They had to leave the car in the middle of the road. |

**67.** (to) let

**dejar**   to let, allow, permit

| | |
|---|---|
| **Déjale ir, si quiere.** | Let him go, if he wants to. |

In the sentence above, one person is requesting permission of another.

| | |
|---|---|
| **No nos dejarán verla.** | They won't let us see her. |

**Vamos a** (+ *inf.* or 1*st pers. pl. pres. subj.*)   Let's (do, go, buy, see, etc.)

This is a direct command involving *you* and *me*.

| | |
|---|---|
| **Vamos a ver.** | Let's see. |
| **Sentémonos aquí.** | Let's sit down here. |
| **Vamos a sentarnos aquí.** | |

**que** (+ 3*rd pers. pres. subj.*)   let (permit, allow)

This is an indirect command, in which one person expresses his will that someone else do something. There is no implied request for permission.

| | |
|---|---|
| **Que lo haga Jorge.** | Let George do it. (I want George to do it.) |
| **Que se diviertan mientras puedan.** | Let them enjoy themselves while they can. (May they enjoy themselves, I want them to . . .) |

**68.** (to) like

**gustarle a uno**   to find pleasing, to have certain inclination toward (persons, things, activities)

| | |
|---|---|
| **Me gusta viajar.** | I like to travel. |
| **¿Le gustó la película?** | Did you like the film? |
| **No nos gustan nada esos hombres.** | We don't like those men at all. |

**querer**   to like (a person, or at times, an animal), to feel affection for

| | |
|---|---|
| **Quiero mucho a Juanito.** | I like Johnny very much. |

**69.** little

**pequeño**   little, small in size

| | |
|---|---|
| **Una casa pequeña** | A little house |

**poco** (*adj.*)   little (in amount), not much; (*pl.*) few, not many

| | |
|---|---|
| **Tiene poca astucia.** | He has little shrewdness. |
| **Es hombre de pocas palabras.** | He is a man of few words. |

**poco** (*adv.*)   little, not much

| | |
|---|---|
| **Come poco para su edad.** | He eats little for his age. |

**un poco de** (*n.*)   a little (bit of)

| | |
|---|---|
| **Con un poco de paciencia, se alcanza lo imposible.** | With a little (bit of) patience, one can achieve the impossible. |

**70.** (to) look

> **parecer**   to look, appear, seem to be, resemble
>> **Pareces cansado hoy.**          You look tired today.
>> **Parece no estar conforme.**     He seems to disapprove.

> **estar**   to look, seem, be
>> **Estar** gives a more subjective evaluation than does **ser** to the quality described by the adjective. However, it still retains its primary sense of *to be* and is not wholly synonymous with **parecer**.
>> **Estás muy bonita esta noche.**   You look (are) very pretty tonight.
>> **Parecer** could not be used in this sentence.

> **mirar**   to look at
>> **Me miró con verdadero odio.**   He looked at me with real hatred.

> **buscar**   to look for
>> **Busco a mi marido. ¿Le ha visto Ud.?**   I'm looking for my husband. Have you seen him?
>> Notice that the English *for* is included within the meaning of **buscar**, and so Spanish uses no preposition.

> **parecerse a**   to look like, resemble
>> **Se parece a su padre.**   He looks like his father.

> **ver**   to see, occasionally means *to look at*
>> **Debieras verle con los ojos, no con el corazón.**   You should look at him (see him) with your eyes, not your heart.

> **tener buena (mala) cara, verse (mal)**   to look well (bad)
>> **Tiene Ud. muy mala cara hoy.**   You look very bad today.
>> **Se ve muy mal hoy.**

**71.** (to) love

> **querer**   to love (a person or, occasionally, an animal)
>> **Querer** includes most of the concepts of *to love*.
>> **Te quiero con toda el alma.**   I love you with all my heart.

> **amar**   to love (with great affection or passion)
>> **Amar** is somewhat more ardent than **querer**.
>> **No podré amar nunca a otro.**   I will never be able to love any other man.
>> **Ama a sus padres.**   He loves his parents.

**enamorarse de**   to fall in love with

| | |
|---|---|
| **Se ha enamorado locamente de su profesor de historia.** | She has fallen madly in love with her history teacher. |

**enamorar**   to make someone fall in love with one, to court

| | |
|---|---|
| **A don Juan le gustaba enamorar a las mujeres sólo para abandonarlas después.** | Don Juan liked to make women fall in love with him just to abandon them afterwards. |

**72.** matter

**materia**   substance, (physical) matter

| | |
|---|---|
| **La materia no se puede destruir; toma otra forma.** | Matter cannot be destroyed; it takes another form. |

**asunto**   (a) matter, question (at hand)

| | |
|---|---|
| **¿Por qué no hablamos primero de otro asunto?** | Why don't we talk first about another matter? |

**Se trata de...**   It is a matter of... This matter deals with...

| | |
|---|---|
| **Ahora se trata de una princesa que se quiere casar con...** | Now it is a matter (question) of a princess who wants to marry... |

**Da lo mismo.**   It doesn't matter. (Either way is equally all right.)

| | |
|---|---|
| **¿Quieres ir al cine o al teatro esta noche? —(Me) da lo mismo.** | Do you want to go to the movies or to the theater tonight? —It doesn't matter. (I like both.) |

**No importa.**   It doesn't matter. (It's not important, nothing to be concerned about.)

| | |
|---|---|
| **¿Sabes? Se me olvidó traer la pluma que me prestaste. —No importa.** | You know? I forgot to bring the pen you lent me. —It doesn't matter. |
| **¿Qué tienes? ¿Qué te pasa?** | What's the matter (What's wrong) with you? |
| **¿Qué pasa?** | What's up? (What's going on? What's the matter?) |

**73.** (to) make

**hacer**   to make (something); **hacer** (+ *infinitive*)   to make (someone) do something; have something done

| | |
|---|---|
| **Te haré pasar todo el día en tu cuarto.** | I'll make you stay in your room all day long. |
| **La hicieron construir en el mismo sitio.** | They had it built on the same site. |

**dar (hambre, sed, miedo, etc.)** to make (someone) hungry, thirsty, afraid, etc.

| | |
|---|---|
| **El aroma que sale de esa olla me da un hambre feroz.** | The smell that's coming from that pot is making me ravenously hungry. |
| **Ese hombre nos da miedo.** | That man scares us. |

**74.** may

**poder** may

**Poder** is used to translate *may* when the meaning indicates *to be allowed to* or *able to*.

| | |
|---|---|
| **Puedes irte ahora, si quieres.** | You may go now, if you want to. |

Notice that the indicative of **poder** is used, since **poder** is the main verb of a principal clause.

**Poder** may also be used to indicate uncertainty, either in a main clause or after an expression of belief. Notice again that the indicative of **poder** is used in these circumstances.

| | |
|---|---|
| **Pueden tener razón.** | They *may* be right. |
| **Admitió que podía estar equivocado.** | He admitted that he *might* (could) be mistaken. |
| **Creo que puede ser él.** | I think it *may* be he. |

The subjunctive of any verb is used to translate *may* after conjunctions indicating uncertainty or indefiniteness. *May* then has the meaning *to be possible, but not certain.*

| | |
|---|---|
| **Aunque le vea, no hablaré con él.** | Although I may see him, I won't speak to him. |

**Puede que, Es posible que** may

**Puede que** or **Es posible que** is used in a main clause to translate *may* meaning possibility or uncertainty and must be followed by the subjunctive.

| | |
|---|---|
| **Puede que vengan.** | They *may* come. |
| **Es posible que vengan.** | |

**75.** (to) mean

**significar** to mean (as a word, etc.); to have the meaning, or significance

| | |
|---|---|
| **¿Qué significa esta palabra?** | What does that word mean? |
| **Eso significa que pronto llegarán a un acuerdo.** | That means that soon they'll come to an agreement. |

**querer decir**   to mean (to say); to signify

Notice that although **querer decir** is often synonymous with **significar**, only **querer decir** can have a personal subject.

| | |
|---|---|
| **¿Qué quiere decir (significa) eso?** | What does that mean? |
| **Iremos en seguida... quiero decir, tan pronto como sea posible.** | We'll go at once ... I mean, as soon as it's possible. |
| **¿Qué quiso decir el profesor?** | What did the professor mean? |

**76.** (to) meet

**encontrar (a)**   to meet (someone or something), either by appointment or by chance

| | |
|---|---|
| **Vamos a encontrar el barco en Gibraltar.** | We're going to meet the ship at Gibraltar. |
| **Encontré a tu amiga Clara en el centro hoy.** | I met your friend Claire downtown today. |

**conocer**   to meet (someone) for the first time, to be introduced to

| | |
|---|---|
| **Conocí a tu cuñado ayer.** | I met (was introduced to) your brother-in-law yesterday. |

**verse con**   to meet by appointment, to have a meeting with

| | |
|---|---|
| **Me veo con él mañana por la mañana para discutirlo.** | I'm meeting him tomorrow morning to discuss it. |

**dar con, tropezar con, encontrarse con**   to meet (by accident), to happen upon, "bump into," come across

| | |
|---|---|
| **Di con ellas en el tren.** | I met them (bumped into them) on the train. |
| **Tropezamos con el autor de esta novela cuando estábamos en Cádiz.** | We met (came upon) the author of this novel when we were in Cadiz. |

If **conocimos** were used in the last sentence above, it would mean *we were introduced to, made the acquaintance of* . . .

**reunirse**   to meet (as a group, a club, etc.)

| | |
|---|---|
| **El Centro Hispano se reúne todos los viernes a las dos.** | The Spanish club meets every Friday at two o'clock. |

**buscar**   to go to meet (someone at a station, etc.)

| | |
|---|---|
| **Tengo que buscarle en el aeropuerto.** | I have to meet him at the airport. |

**77.** middle

**medio** (*n.*) (the) middle; (*adj.*) middle, average

| | |
|---|---|
| **Estamos en el medio de la página 179.** | We are in the middle of page 179. |
| **La clase media es la que domina.** | The middle class is the one that rules. |

**a mediados de** around the middle of (a month, century, etc.)

| | |
|---|---|
| **Volverán a mediados de agosto.** | They'll return around the middle of August. |

**en medio de** in the midst of, surrounded by

| | |
|---|---|
| **No puedo ahora. Estoy en medio de un montón de trabajo.** | I can't now. I'm in the middle of a pile of work. |

**mediano** (approximately) middle; average, mediocre

| | |
|---|---|
| **Es de edad mediana.** | He is middle-aged. |
| **Poseía una inteligencia mediana.** | He had an average (mediocre) intelligence. |

**78.** (to) miss

**perder** to miss (a train, etc.)

| | |
|---|---|
| **Escucha, querida. Vendré un poco tarde. Acabo de perder el tren.** | Listen, dear. I'll be a little late. I've just missed the train. |
| **No pierdas la ocasión de hablar con él.** | Don't miss the chance to talk with him. |

**echar de menos, extrañar** to miss, to long for the presence of (someone or something)

| | |
|---|---|
| **Parece echar más de menos (o extrañar más) a su perro que a sus padres.** | He seems to miss his dog more than his parents. |

**faltar a** to miss (a class, lecture, performance, etc.), not to be present at a specified occasion

| | |
|---|---|
| **Faltó a la clase dos veces la semana pasada.** | He missed class twice last week. |

**errar el tiro** to miss (a target)

| | |
|---|---|
| **Apuntó con cuidado, pero erró el tiro.** | He aimed carefully, but missed. |

**no coger** to miss, to fail to catch (a train, a ball, etc.), to fail to meet

| | |
|---|---|
| **Me tiró la pelota, pero no la cogí.** | He threw me the ball, but I missed it. |

**no encontrar**   to miss, fail to catch (a person)

| | |
|---|---|
| **Pasé por su oficina, pero no le encontré.** | I went to his office, but I missed him. |

## 79. must

**hay que**   one must (impersonal)

| | |
|---|---|
| **Hay que tener cuidado siempre.** | One must always be careful. |

**tener que**   to have to (indicates strong personal necessity or compulsion)

| | |
|---|---|
| **Tuve que dárselo.** | I had to give it to him. |

**deber**   should (moral obligation)

At times **deber** acquires the force of *must*.

| | |
|---|---|
| **Debo ir con ellos.** | I should (must, have to) go with them. |

**deber (de)**   must (in the sense of probability); the **de** is not required, however.

| | |
|---|---|
| **Debe (de) haber cantado ya.** | He must have sung already. |

*Future of probability*   must (in the sense of conjecture or probability)

| | |
|---|---|
| **Será Juanita.** | It must be (probably is) Joan. |

## 80. neither

**ni... ni**   neither . . . nor

**Ni,** when used alone, means *nor* or *not* (even).

| | |
|---|---|
| **Ni él ni su hermano han sido bautizados.** | Neither he nor his brother has been baptized. |
| **Ni siquiera ella lo sabe.** | Not even she knows. |
| **¡Ni por pienso! ¡Ni mucho menos!** | Not by any means! |

**tampoco**   neither (also . . . not), either (in negative sentences)

| | |
|---|---|
| **Yo no voy tampoco.** | I'm not going either. (I also am not going.) |
| **Ni nosotros tampoco.** | Nor we either. (We too aren't going.) |

## 81. next

**siguiente**   next, immediately following

| | |
|---|---|
| **Al día siguiente, se hallaban en París.** | (On) the next day, they were in Paris. |

**próximo**   next (though not necessarily immediately following), future

**La próxima vez que te vea**      The next time I see you do it, I'll
**hacerlo, llamaré a tu madre.**   call your mother.

**que viene**   next, forthcoming (usually refers to periods of time—weeks,
months, etc.)

**Le veremos la semana que**      We shall see him next week.
**viene.**

**junto a**   next to, adjacent to

**Estaba sentado junto al hogar.**   He was sitting next to the fire-
place.

**de al lado, contiguo**   next to, adjoining (as a house)

**Viven en la casa de al lado.**      They live in the house next door.

82. Office

**oficio**   office, position (public, professional, etc.), occupation, trade
(viewed as an abstract entity)

**No le considero calificado para**   I don't consider him qualified for
**el oficio.**                         the office.

**El oficio de sacristán...**      The office of sexton . . .

**Cargo** is used frequently when referring to a specific office or position:
**el cargo de subdirector**   the job (office) of assistant manager.

**oficina**   office, place of doing business, government office, etc. (now in
general usage for almost all types of office)

**No me gustaría trabajar en una**   I wouldn't like to work in an
**oficina.**                          office.

**La oficina del Ministerio de la**   The office of the Ministry of War.
**Guerra.**

**bufete**   a lawyer's office

**Mi marido piensa abrir bufete**   My husband is planning to open
**en Barcelona.**                    an office in Barcelona.

**consulta, sala de consulta**   doctor's office

**La sala de consulta estaba llena**   The doctor's office was full of
**de gente.**                          people.

**Horas de consulta: 9 a 12:30**   Office hours: 9 to 12:30

**clínica**   dentist's or doctor's office

**Mi dentista tiene su clínica en la**   My dentist has his office on
**calle Armando.**                      Armando Street.

**Gabinete** is also used in this sense.

**83.** (a) old

**viejo**   old (applied to persons or things); when placed before the noun, it may mean *long-standing*

| | |
|---|---|
| **un profesor viejo** | an old (elderly) professor |
| **un viejo amigo** | an old (long-standing) friend |

**antiguo**   old, ancient, antique

Recall: **antigüedades** antiques. When it is placed before the noun, **antiguo** may mean *former*. This adjective is generally not applied to persons, except when it means *ancient, former,* or *long-standing*.

| | |
|---|---|
| **una silla antigua** | an old (antique) chair |
| **los antiguos iberos** | the ancient Iberians |
| **el antiguo Ministro de Hacienda** | the former Secretary of the Treasury |
| **un antiguo amigo mío** | an old friend of mine |

**anciano**   old, of very advanced age (applies only to persons and lends a rather poetic or affectionate connotation)

| | |
|---|---|
| **El anciano estaba sentado junto al hogar.** | The old man was sitting by the fireplace. |

(b) older

**mayor**   older (establishes a comparative relationship between two persons, regardless of whether they are young or old)

| | |
|---|---|
| **Es mayor que yo. Tiene unos veinticinco años.** | He is older than I. He is about twenty-five. |

**más viejo**   older, more aged (compares the adjective *old*)

| | |
|---|---|
| **Es más viejo que Matusalén.** | He is older than Methuselah (both are old!). |

**más antiguo**   more ancient, most ancient

| | |
|---|---|
| **La catedral más antigua del Nuevo Mundo.** | The oldest cathedral in the New World. |

**84.** on

**en**   on, resting upon or leaning against

| | |
|---|---|
| **Su retrato estaba colgado en la pared.** | His portrait was hanging on the wall. |
| **La vajilla ya está en la mesa.** | The silverware is already on the table. |

**sobre**   upon, on top of, resting upon or suspended above

| | |
|---|---|
| **Sobre su cabeza apareció una aureola de luz.** | Over his head there appeared a halo of light. |
| **La puso sobre la vitrina.** | She put it on the showcase. |

NOTE: **En la vitrina** might imply *in* the showcase.

**85.** only

**sólo, solamente** (*adv.*)   only (applies to persons, things, numbers, etc.)

Notice that the accent mark on **sólo** differentiates it from the adjective **solo**   alone.

| | |
|---|---|
| **Sólo él y yo lo sabemos.** | Only he and I know. |
| **Habla sólo (solamente) con sus amigos.** | He speaks only with his friends. |
| **Nos quedan sólo cinco dólares.** | We have only five dollars left. |
| *But:* **Estaba solo.** | He was alone. |

**no... más que** (*adv.*)   only; (to do, have, etc.) nothing but

| | |
|---|---|
| **No tiene más que diez dólares.** | He has only ten dollars. |
| **No hace más que llorar.** | She does nothing but cry. |
| **No me dejes. No tengo más que a ti.** | Don't leave me. I have only (nothing but) you. |

**único** (*adj.*)   only (one), single, unique

| | |
|---|---|
| **Un hijo único es un hijo consentido.** | An only child is a spoiled child. |
| **Es la única esperanza que le queda.** | It's the only hope he has left. |

**Solo** also appears in this sense.

**86.** (a) order (*n.*)

**la orden**   order, command; also, a religious or military order

| | |
|---|---|
| **Dio la orden de retirarse.** | He gave the order to withdraw. |
| **Las órdenes dominicana y franciscana...** | The Dominican and Franciscan orders . . . |

**el orden**   order, orderliness, system, arrangement

| | |
|---|---|
| **El gobierno ha restablecido el orden.** | The government has reestablished order. |
| **Todo está en perfecto orden.** | Everything is in perfect order. |

**pedido**   business order

(b) (to) order

**mandar**   to order (someone to do something)

| | |
|---|---|
| **Le mandó darnos la llave.** | He ordered him to give us the key. |

**pedir**   to order (something in a restaurant, store, etc.)

| | |
|---|---|
| **¿Qué vas a pedir? —Un bisté.** | What are you going to order? —A steak. |

**hacer un pedido**   to order, place an order (for merchandise)

| | |
|---|---|
| **Le haremos un pedido si rebaja el precio.** | We'll give you an order if you lower the price. |

**encargar**   to order (merchandise)

| | |
|---|---|
| **Se lo encargaremos a otra firma.** | We shall order it from another company. |

87. (to) pay

**pagar**   to pay somebody; to settle an account; to pay for

| | |
|---|---|
| **¿Pagaste al médico?** | Did you pay the doctor? |
| **Ya pagué el alquiler.** | I already paid the rent. |
| **Nos pagará lo que hizo ayer.** | He will pay us for what he did yesterday. |

Notice that Spanish requires no preposition to translate *for*, unless the amount is mentioned or implied.

**pagar... por**   to pay (a certain amount of money) for something

| | |
|---|---|
| **Pagó diez dólares por esa corbata. —¡Qué barbaridad!** | He paid ten dollars for that tie. —How awful! |

**hacer una visita**   to pay a visit

| | |
|---|---|
| **Mañana haré una visita a mi tía Clara.** | Tomorrow I shall visit my Aunt Claire. |

**prestar atención**   to pay attention, to fix one's mind on

| | |
|---|---|
| **No prestábamos atención a lo que decía el orador.** | We weren't paying attention to what the speaker was saying. |

**hacer caso de** (or **a**)   to pay attention to; to heed, listen to

The preposition **a** is more frequent than **de** when referring to a person.

| | |
|---|---|
| **No le haga caso. No sabe nada.** | Don't pay any attention to him. He doesn't know anything. |

**88.** people

**gente**   people (in general—as an abstraction or as a group)

NOTE: **La gente** is a collective noun.

| | |
|---|---|
| **La plaza estaba llena de gente.** | The square was filled with people. |
| **Hablando se entiende la gente.** | By speaking, people understand each other. |

**personas**   people (as individuals), persons

Only **personas** can be used with specific numbers.

| | |
|---|---|
| **Hay muchas personas que no saben leer.** | There are many people who don't know how to read. |
| **Caben setenta personas en ese café.** | That cafe holds seventy people. |

**gentes**   people (as a group, but with some implication of their individual identities within the whole)

**Gentes** is not used as frequently as **gente** or **personas.**

| | |
|---|---|
| **Las gentes se arremolinaban fuera del palacio.** | The people were milling outside the palace. |

**pueblo**   the people, the masses; a people, a race, a nation

| | |
|---|---|
| **Los pueblos de Asia.** | The peoples of Asia. |
| **El pueblo no lo consentiría nunca.** | The people would never consent to it. |

**público**   the people, the public

| | |
|---|---|
| **Está tratando de engañar al público.** | He is trying to deceive the public (people). |
| **Eso no se debe hacer en público.** | That shouldn't be done in public. |

**89.** (a) plan (*n.*)

**plan** (*m.*)   a plan, scheme

| | |
|---|---|
| **Se me ocurre un plan maravilloso.** | I've just thought of a great plan. |

**plano**   plan, sketch, diagram (of a house, etc.)

| | |
|---|---|
| **¿Nos deja ver el plano de la casa?** | Will you let us see the plan of the house? |

(b) (to) plan

**planear**   to plan, make plans or designs for

| | |
|---|---|
| **En el futuro planeamos para este sitio un nuevo sanatario.** | In the future we're planning a new sanatarium on this site. |

**pensar** (+ *infinitive*)   to plan (to do something), intend

¿**Adónde piensas ir este verano?**   Where are you planning to go this summer?

**90.** (to) play

**jugar**   to play (a game, sport, etc.)

| | |
|---|---|
| **jugar a las cartas** | to play cards |
| **jugar al tenis** | to play tennis |

**tocar**   to play (an instrument)

¿**Sabe Ud. tocar el violín?**   Do you know how to play the violin?

**91.** position

**posición**   physical position; relative position (social, business, etc.), stature, status; condition

**La posición del satélite indica que muy pronto va a agotarse.**   The position of the satellite indicates that it will expend itself very soon.

**Quiso mejorar su posición social, pero sólo se creó enemigos.**   He tried to improve his social position, but he only made enemies.

**Estamos en una posición poco envidiable.**   We are in an unenviable position.

**puesto, cargo**   a position, post, situation, job

**Van a ofrecerle un puesto (cargo) importantísimo.**   They are going to offer him a very important position.

**92.** (to) put

**poner**   to put or place (in almost all senses)

**Puso una moneda en el mostrador.**   He put a coin on the counter.

**ponerse**   to put on (an article of clothing, etc.)

**Se puso el sombrero y salió sin más ni más.**   He put on his hat and left without further ado.

**meter**   to put within or inside of

**Se metió la mano en el bolsillo y sacó la cartera.**   He put his hand in his pocket and took out his wallet.

**colocar**   to put, to place, to arrange (in a specific order, position, or location)

**Colocó la vasija de modo que todos pudieran verlo al entrar.**   She placed the vase in such a way that everyone could see it upon entering.

**93.** quality

**cualidad**   a quality (of character, etc.)

| | |
|---|---|
| **Tiene muchas buenas cualidades.** | He has many good qualities. |

**calidad**   quality (of merchandise, etc.)

| | |
|---|---|
| **Esta tela es de la mejor calidad.** | This cloth is of the finest quality. |

The plural **calidades** may be used synonymously with **cualidades** in referring to moral traits, etc.

**94.** question

**pregunta**   a question, an inquiry

| | |
|---|---|
| **Me hizo muchas preguntas personales que no quise contestar.** | He asked me many personal questions that I refused to answer. |

**cuestión**   a question, an issue, a matter

| | |
|---|---|
| **La cuestión que tenemos que decidir es si es culpable o inocente el acusado.** | The question (issue) that we must decide is whether the accused is guilty or innocent. |

**tratarse de**   to be a question or matter of, to concern

| | |
|---|---|
| **Se trata del derecho de los estudiantes a protestar.** | It is a question of (concerns) the student's right to protest. |

**95.** quiet

**callado**   quiet, silent, hushed, not speaking; laconic (with **ser**)

| | |
|---|---|
| **¿Quién puede quedarse callado cuando oye tantos disparates?** | Who can remain quiet when he hears so much nonsense? |

**quieto**   quiet, unmoving, still

| | |
|---|---|
| **Todo estaba quieto, como si el mundo hubiera dejado de respirar.** | Everything was quiet, as if the world had stopped breathing. |

**sereno, tranquilo**   quiet, peaceful, serene

| | |
|---|---|
| **Era una noche serena (tranquila), llena de paz y de amor.** | It was a quiet night, filled with peace and love. |

**poco hablador**   quiet, laconic, reserved, unaccustomed to talking much

| | |
|---|---|
| **Mi hermano es muy poco hablador (muy callado) pero inteligentísimo.** | My brother is quiet (doesn't talk much) but very intelligent. |

**bajo**   quiet, soft, not loud

| | |
|---|---|
| **Hablen en voz más baja, por favor.** | Speak more quietly, please. |

**96.** (to) raise

**levantar**   to lift up, pick up

| | |
|---|---|
| **Levanten la mano derecha.** | Raise your right hands. |
| **La levantó en sus brazos.** | He picked her up in his arms. |

**subir**   to raise, carry, bring or take up; raise (price, quality, etc.)

| | |
|---|---|
| **Tengo que subir un poco esta falda. Me queda muy larga.** | I have to raise this skirt a little. It's very long on me. |
| **¿Me hace el favor de subir la celosía?** | Will you please raise the blind? |
| **Ese siempre sube los precios.** | That fellow always raises his prices. |

**criar**   to raise (a baby or child); to raise animals

| | |
|---|---|
| **Lo crió desde niño y ahora no la reconoce siquiera.** | She raised him from a child and now he doesn't even recognize her. |
| **Criamos ovejas y cabras.** | We raise sheep and goats. |

**educar**   to raise, bring up, educate (in courtesy, etc.), rear

| | |
|---|---|
| **Ese niño está muy mal educado.** | That boy is very badly raised. |

**cultivar**   to raise (crops)

| | |
|---|---|
| **Por aquí cultivan trigo y maíz.** | Here they raise wheat and corn. |

**97.** rather

**algo**   rather, somewhat, a bit

| | |
|---|---|
| **Creo que el examen será algo difícil para ellos.** | I think the exam will be rather difficult for them. |

**bastante**   rather, quite, considerable, considerably

| | |
|---|---|
| **Hace bastante calor en junio.** | It is rather (quite) warm in June. |

**más bien**   rather, instead

| | |
|---|---|
| **Yo diría más bien la evolución, no la revolución tecnológica.** | I would say rather (instead) the technological evolution, not revolution. |

**antes que**   rather than

| | |
|---|---|
| **Decidieron morir luchando antes que rendirse.** | They decided to die fighting rather than surrender. |

**preferir, gustarle más a uno**   prefer, would rather

**Preferiría (me gustaría más)**     I would rather take a chance with
**arriesgarme con ellos que**         them than wait for them at home.
**esperarlos en casa.**

**Antes... que** may also be used in this case.

**Antes que esperarlos en casa**
**me arriesgaría con ellos.**

**98.** (to) reach

**llegar a**   to reach, arrive at (a certain point or destination)

**Llegamos a Córdoba por la**      We reached Cordoba in the
**mañana.**                         morning.

**alcanzar**   to attain; to reach for; catch up with

**Salieron temprano pero los**       They left early, but we'll reach
**alcanzaremos para mediodía.**       them by noon.

**Ha alcanzado un nuevo nivel**      He has reached a new level of
**de perfección.**                    perfection.

**¿Me puedes alcanzar aquella**      Can you reach that little box for
**cajita?**                           me?

**99.** (to) realize

**realizar**   to realize, make real, fulfill, put into effect

**Nadie puede realizar todos sus**    Nobody can realize all his dreams.
**sueños.**

**darse cuenta de**        to realize (a fact, etc.), to become aware of, to take
                           into account

**No se daba cuenta de las**          He didn't realize the
**consecuencias de su conducta.**      consequences of his behavior.

**100.** (to) refuse

**negarse a**   to refuse to do something

**Se negó a hincarse de rodillas**    He refused to kneel before the
**ante el rey.**                       king.

**no querer** (*pret.*)   to refuse, to be unwilling to do something

**No quiso ir con nosotros.**         He refused (didn't want) to go
                                      with us.

**rechazar**   to refuse (an offer, a suitor, etc.)

**No debes rechazar una**             You shouldn't refuse an
**oportunidad como ésa.**             opportunity like that.

**rehusar**   to refuse (something), to refuse to do (something)

| | |
|---|---|
| **Rehusó la oferta.** | He refused the offer. |
| **Se lo pidieron, pero rehusó.** | They asked him, but he refused. |

**101.** (to) remain

**quedar**   to remain (in a certain state or condition); to be remaining or left over

| | |
|---|---|
| **Quedó pasmado por la noticia.** | He remained shocked by the news. |
| **Quedan unos cuantos libros de poesía.** | A few books of poetry remain (are left). |

**quedarse**   to remain, stay on or behind

| | |
|---|---|
| **Se quedó todo el día en la cama.** | He stayed (remained) in bed all day. |
| **¿Cuánto tiempo te quedarás allí?** | How long will you remain there? |

**102.** respect

**respeto**   respect, deference, admiration

| | |
|---|---|
| **Le tratábamos siempre con el mayor respeto.** | We always treated him with the greatest respect. |

**respecto**   respect, aspect, sense

| | |
|---|---|
| **A este respecto, es un perfecto ignorante.** | In this respect, he is a total ignoramus. |

**103.** rest

**el resto, lo demás**   the rest, remainder, balance, what is left over (applied to objects, ideas, etc., rather than to persons)

| | |
|---|---|
| **El resto (lo demás) será para Uds., si quieren.** | The rest will be for you, if you wish. |

Note, however: **los restos**   the (mortal) remains.

**los demás**   the rest, the others (both persons and things)

| | |
|---|---|
| **Los demás han quedado en volver mañana.** | The others (the rest) have agreed to return tomorrow. |

**descanso**   rest, respite from fatigue

| | |
|---|---|
| **Lo que necesitas más que nada es descanso.** | What you need more than anything else is rest. |

**104.** (to) return

> **volver**   to return, come back
>
> > ¿**Cuándo piensan volver sus padres?**
> >
> > When do your parents intend to return?
>
> **devolver**   to return (something)
>
> > ¡**Ay de mí! Se me olvidó devolverle el dinero que me prestó.**
> >
> > Oh my! I forgot to return the money he lent me.

**105.** right

> **el derecho**   right (lawful, moral), privilege
>
> > **Tengo el derecho de hacer lo que me dé la gana.**
> >
> > I have the right to do anything I feel like doing.
> >
> > NOTE: **El derecho** also means *law*.
>
> **el bien, lo bueno**   (what is) right
>
> > **Hay gente que no sabe distinguir entre el bien y el mal (lo bueno y lo malo).**
> >
> > There are people who can't distinguish between right and wrong.
>
> **derecho** (*adj.*)   right (direction); (*adv.*)   right, straight (to)
>
> > **a la derecha**
> >
> > on the right
> >
> > **el pie derecho**
> >
> > the right foot
> >
> > **Se fue derecho al alcalde.**
> >
> > He went right to the mayor.
>
> **recto** (*adj.*)   right (angle); right (as opposed to evil)
>
> > **Tracemos un ángulo recto.**
> >
> > Let's draw a right angle.
> >
> > **Hay que seguir el camino recto.**
> >
> > One must follow the right (good) road.
>
> **tener razón**   to be right (to have reason or logic on one's side)
>
> > NOTE: This idiom applies only to persons.
> >
> > **Tu papá tiene razón.**
> >
> > Your father is right.
>
> **ser justo, estar bien**   to be right, just, fair (referring to actions, statements, etc.)
>
> > **Eso no es justo.**
> > **Eso no está bien.**
> >
> > That isn't right.
> >
> > **No está bien lo que hizo.**
> >
> > What he did isn't right.
>
> **ser correcto**   to be right, correct (as a calculation, answer, piece of information, etc.); to be correct, proper
>
> > **Su respuesta no es correcta (no está bien).**
> >
> > Your answer is not right.
> >
> > **No es correcto comer con las manos.**
> >
> > It is not right (correct, proper) to eat with one's hands.

**106.** same

Mismo and **igual** are synonymous when they mean *just like*. Only mismo may be used to mean *one and the same.*

| | |
|---|---|
| **Yo tengo los mismos aretes.** | I have the same earrings. |
| **Yo tengo unos aretes iguales.** | |
| **Tienen la misma cantidad (igual cantidad) que nosotros.** | They have the same (equal) quantity as we. |
| **Vive todavía en la misma casa.** | He still lives in the same house. |
| **¿El mismo profesor enseña las dos materias?** | The same professor teaches both subjects? |

**107.** (to) save

**salvar**   to save, rescue

| | |
|---|---|
| **Le salvaron la vida, pero no se mostró nada agradecido.** | They saved his life, but he didn't act at all grateful. |

**ahorrar**   to save (money, time, trouble, etc.), to hoard

| | |
|---|---|
| **Ahorra todo su dinero como si pudiera gastarlo allá en el otro mundo.** | He saves all his money as if he could spend it in the other world. |
| **A ver si puedo ahorrarte la molestia.** | Let's see whether I can save you the trouble. |

**108.** season

**estación**   season of the year

| | |
|---|---|
| **La estación del año que me gusta más es el verano.** | The season of the year that I like best is summer. |

**temporada**   season, period of time in which certain events, etc., take place

| | |
|---|---|
| **La temporada de las carreras coincide con nuestras vacaciones este año.** | The racing season coincides with our vacation this year. |

**sazón**   season, point of maturity

| | |
|---|---|
| **Los melones no están en sazón ahora.** | Melons aren't in season now. |

**109.** set

**juego**   a set (of furniture, tools, etc.)

**Juego** usually refers to a set of physical, though nonmechanical objects, often of household or personal use, and comprehends most groups of objects that have a joint function.

| | |
|---|---|
| **¡Liquidación!** <br> **Juegos de cocina.** <br> **Juegos de salón.** | Sale! <br> Kitchen sets. <br> Living room sets. |

**un juego de botones**   a set of buttons

**aparato**   a mechanical or electrical set (television, air conditioning, etc.)

**El aparato no funciona.**          The set isn't working.

However, specific words have come into use for most appliances: **televisor, televisión**   television set.

**servicio**   a set (of dishes or tableware)

**Buscamos un nuevo servicio de porcelana.**          We are looking for a new set of china.

**colección**   a set (of books)

**una colección de las obras de Dickens**          a set of Dickens' works

**terno**   a set (often of three objects, such as jewelry, clothes, etc.)

**Me regaló un terno de aretes, pulsera y collar de perlas.**          He gave me a set of pearl earrings, bracelet, and necklace.

**110.** short

**bajo**   short (in height)

**Es un hombre bajo pero fuerte.**          He is a short, but powerful man.

**corto**   short (in length)

**Esas cortinas quedan un poco cortas.**          Those curtains are a little short.

**Vive a corta (poca) distancia de aquí.**          He lives a short distance from here.

**breve**   short, brief, succinct

**Nos escribió una carta muy breve** (or **corta**).          He wrote us a very short letter.

**Estuvo muy breve aquella noche.**          He was very short (brief) that night.

**111.** (to) sign

**señal**   a sign, distinguishing mark, marker (not in writing); an indication; a signal

| | |
|---|---|
| **Cuando llegue a la cima, deje una señal en una piedra.** | When you get to the top, leave a sign on a rock. |
| **Te lo doy en señal de nuestra amistad.** | I am giving it to you as a sign of our friendship. |
| **Hizo la señal de la cruz.** | He made the sign of the cross. |

**muestra, indicio**   a sign, an indication, evidence

| | |
|---|---|
| **¿Qué muestra puede darnos de su lealtad?** | What sign (evidence) can he give us of his loyalty? |
| **Esto es un indicio de su gran conocimiento del campo.** | This is an indication (a sign) of his great knowledge of the field. |

**seña**   a sign, indication; a signal; a distinguishing mark or characteristic (often of a person)

| | |
|---|---|
| **Daba señas de gran impaciencia.** | He gave signs of great impatience. |
| **Descríbale. ¿Qué señas tenía?** | Describe him. What did he look like? (What distinguishing signs did he have?) |
| **Le hacía señas desde lejos.** | He would make signs to him from afar. |

**signo**   a sign, signal; an indication; a mathematical sign

| | |
|---|---|
| **el signo** × | the sign × |

**letrero**   a written or printed sign

| | |
|---|---|
| **El letrero rezaba:** | The sign said: |
| **Está prohibido fumar.** | Smoking forbidden. |

**huella**   a sign, trace, vestige, clue

| | |
|---|---|
| **Desapareció sin dejar huella.** | He disappeared without leaving a sign. |

**firmar**   to sign

| | |
|---|---|
| **Firmó el documento.** | He signed the document. |

**112.** since

**desde** (*prep.*)   since (a certain time)

| | |
|---|---|
| **Estamos casados desde abril.** | We've been married since April. |

**desde que** (*conj.*)   since (a certain time) (+ *clause*)

| | |
|---|---|
| **Desde que vive en la ciudad, no conoce a sus parientes.** | Since he has been living in the city, he doesn't know his relatives any more. |

**ya que** (*conj.*)   since, now that

| | |
|---|---|
| **Ya que estás aquí, ¿por qué no te quedas toda la semana?** | Since (now that) you're here, why don't you stay the whole week? |

**puesto que** (*conj.*)   since, because   (**pues** is used synonymously)

| | |
|---|---|
| **No quiere salir del pueblo, puesto que su familia vive allí.** | He doesn't want to leave the town, since his family lives there. |

**113.** (to) sleep

**dormir**   to sleep

| | |
|---|---|
| **No puedo dormir cuando hace calor.** | I can't sleep when it is hot out. |

**estar dormido**   to be sleeping or asleep

| | |
|---|---|
| **¿Puedo hablar con María?** | May I speak to Mary? |
| **—Ahora no. Está dormida.** | —Not now. She is sleeping (or asleep). |

**dormirse**   to fall asleep, to go to sleep

| | |
|---|---|
| **Duérmete, mi nene.** | Go to sleep (fall asleep), my baby. |

**acostarse**   to go to bed, to lie down, to go to sleep (but *not* to fall asleep)

| | |
|---|---|
| **Me acosté a las diez, pero no me dormí hasta las once y media.** | I went to bed at ten, but I didn't fall asleep until half-past eleven. |

**tener sueño**   to be sleepy

| | |
|---|---|
| **¿Qué tienes? —Nada. Tengo sueño.** | What's the matter with you? —Nothing. I'm sleepy. |

**114.** smooth

**suave**   smooth, soft (to the touch, ear, etc.); gentle, suave

| | |
|---|---|
| **Es una tela muy suave.** | It's a very smooth (soft) fabric. |
| **Tiene una voz tan suave que da gusto oírle hablar.** | He has such a smooth (gentle) voice that it's a pleasure to hear him speak. |

**liso**   smooth and shiny (as of a harder surface)

| | |
|---|---|
| **El suelo era tan liso que nos deslizábamos al bailar.** | The floor was so smooth that we slid as we danced. |
| **Tiene el pelo muy liso.** | She has very smooth (and straight) hair. |

**plano**  smooth, flat, level

| | |
|---|---|
| **Hace falta una superficie más plana.** | We need a smoother (more level) surface. |

**115.** so

**tan**  so (tired, tall, busy, slow, quickly, etc.)

**Tan** always modifies an adjective or an adverb, but never modifies **mucho.**

| | |
|---|---|
| **Estamos tan cansados hoy.** | We are so tired today. |
| **Se enoja tan rápidamente que me da miedo.** | He gets angry so quickly that it frightens me. |

**tanto**  so much; (*pl.*)  so many

| | |
|---|---|
| **Riñen tanto con sus vecinos.** | They quarrel so much with their neighbors. |
| **Tengo tantos problemas.** | I have so many problems. |

**así**  so, thus, in this way; so, true

| | |
|---|---|
| **El patrón quiere que lo hagas así.** | The boss wants you to do it so (in this way). |
| **Dime, ¿es así?** | Tell me, is it so? |

**Así** is also used in the colloquial expression **así así**  *so-so.*

**de modo que**  so (that), and so . . ., so you say that . . .

NOTE: **De modo que** always introduces a clause; it may also mean *in order that.*

| | |
|---|---|
| **¿De modo que te despidió sin más ni más?** | So he fired you just like that? |
| **Se arañó la cara de modo que (para que) todos le tuvieran lástima.** | He scratched his face so that everyone would feel sorry for him. |

**De manera que,** which is synonymous with **de modo que,** is used somewhat less frequently.

**para que**  so that, in order that (always indicates purpose)

| | |
|---|---|
| **Lo colocó en el estante más alto para que (de modo que) nadie pudiera tocarlo.** | He placed it on the highest shelf so that nobody could touch it. |

**A fin de que** may be used with the same meaning, but is less common than **para que.**

**en fin, conque, así que**  so, well, to sum up

| | |
|---|---|
| **En fin (Conque, Así que) todo queda resuelto, ¿no?** | So everything is settled, isn't it? |
| **En fin, ¿qué me cuentas?** | So what do you say? |

**116.** some

*Omission of the article:* Spanish indicates the partitive idea *some, any,* by omitting the article.

| | |
|---|---|
| **¿Quieres café?** | Do you want (some) coffee? |
| **No tengo fósforos.** | I don't have any matches. |

**unos**   some, a few, several; some, approximately

| | |
|---|---|
| **Me dio unas (o algunas) ideas muy buenas.** | He gave me some very good ideas. |
| **La compañía tiene unos dos mil quinientos empleados.** | The company has some 2500 employees. |

**algunos**   some, several, a few

**Algunos,** although an indefinite, has a slightly stronger numerical connotation than **unos.** It does not have the meaning *approximately.*

| | |
|---|---|
| **Conocí a algunos amigos tuyos ayer.** | I met some (a few) friends of yours yesterday. |

**unos cuantos, unos pocos**   some, a few, a couple of

| | |
|---|---|
| **¿Te quedan muchos?** | Do you have many left? |
| **—Unos cuantos, nada más.** | —Just a few (some). |

**117.** (to) spend

**gastar**   to spend (money, effort, etc.)

| | |
|---|---|
| **Gastó todo su dinero el primer día de la feria.** | He spent all his money the first day of the fair. |

**pasar**   to spend (time)

| | |
|---|---|
| **Pasamos el verano en el Canadá.** | We spent the summer in Canada. |

**118.** sport

**deporte** *m.*   an athletic sport

| | |
|---|---|
| **¿Qué deporte le gusta más?** | Which sport do you like best? |

**juego, broma**   sport, playfulness, jest

| | |
|---|---|
| **Lo dijo de broma.** | He said it in sport. |

**sport** *adj.*   sport (shirt, etc.) The English word is very frequent in this sense.

| | |
|---|---|
| **una camisa sport** | a sport shirt |

**119.** step

**paso**   a step (in a certain direction); also used figuratively

| | |
|---|---|
| **Dio tres pasos hacia adelante y se paró.** | He took three steps forward and stopped. |
| **Eso sería un paso definitivo.** | That would be a definitive step. |

**medida**   a step, measure, act

| | |
|---|---|
| **Tendrán que tomar unas medidas más fuertes.** | They will have to take some stronger steps (measures). |

**escalón** (*m.*), **peldaño**   step (of a stairway)

| | |
|---|---|
| **Se cayó en el segundo peldaño (escalón).** | He fell on the second step. |

**120.** still

**todavía, aún** (*adv.*)   still; yet, as yet

| | |
|---|---|
| **Todavía (aún) vive con sus padres.** | He is still living with his parents. |
| **No ha hablado todavía (aún) el rector.** | The president hasn't spoken yet. |
| **¿Existe aún (todavía) la catedral?** | Does the cathedral still exist? |

Notice that **aun** without a written accent usually means *even*.

| | |
|---|---|
| **Aun yo lo sé.** | Even I know it. |

**callado** (*adj.*)   still, quiet, not speaking

| | |
|---|---|
| **Permaneció callado durante toda la discusión.** | He remained still during the whole discussion. |

**quieto, sereno, tranquilo**   still, not moving, tranquil

| | |
|---|---|
| **Las aguas quietas (serenas) pueden ser profundas.** | Still waters may be deep. |

**121.** (to) stop

**detener**   to stop (something), to bring to a halt

| | |
|---|---|
| **Detuvo el tren al último momento.** | He stopped the train at the last moment. |

**detenerse**   to stop (amidst an action), to come to a stop

Note that the implication here is one of an action that has been halted temporarily and will be resumed.

| | |
|---|---|
| **Se detuvo en el umbral.** | He stopped on the threshold. |

**parar(se)**   to stop; to come to a rest

Note that **parar** is both transitive and intransitive: to stop (something), to come to a stop; to stop (at a hotel).

| | |
|---|---|
| **Se ha parado el trabajo en todas las fábricas.** | Work has stopped in all factories. |
| **Paramos en el Hotel Caribe.** | We stopped at the Hotel Caribe. |

**dejar de**   to stop (doing something); in the negative, it also means *to fail to*

| | |
|---|---|
| **Deja de preocuparte.** | Stop worrying. |
| **No deje de telefonearle.** | Don't fail to phone him. |

**122.** straight

**recto**   straight (as a line, posture, etc.)

| | |
|---|---|
| **Una línea recta es la distancia más corta entre dos puntos.** | A straight line is the shortest distance between two points. |
| **Siempre se tenía recto.** | He always stood (held himself) straight. |

**derecho**   straight to, right to; straight ahead

| | |
|---|---|
| **Dijo que iría derecho a la policía.** | He said he'd go straight to the police. |
| **Siga derecho hasta llegar al semáforo.** | Go straight until you get to the traffic light. |

**liso**   straight and smooth (as hair, a board, etc.)

| | |
|---|---|
| **Me gusta el pelo liso más que el muy rizado.** | I like straight hair better than the very curly. |

**123.** strange

**extraño**   strange, unusual, curious

| | |
|---|---|
| **Me dirigió una mirada extraña.** | He gave me a strange look. |

**extranjero**   strange, foreign

| | |
|---|---|
| **¡Cuánto me interesaría viajar a países extranjeros!** | How I'd like to travel to strange (foreign) lands! |

**desconocido**   strange, unknown

| | |
|---|---|
| **Se nos acercó un desconocido.** | A strange man approached us. |
| **Van a explorar tierras desconocidas.** | They are going to explore strange (unknown) lands. |

**124.** (to) succeed

**tener éxito**  to be successful, to succeed (in business, in a project, etc.)

| | |
|---|---|
| **Ha tenido tanto éxito en el extranjero que no piensa volver a América.** | He has been so successful abroad that he doesn't intend to return to America. |
| **El plan tendrá éxito, sin duda alguna.** | The plan will succeed, without any doubt. |

**lograr**  to succeed (in doing something); to accomplish, achieve, fulfill

| | |
|---|---|
| **Logró escalar la pared.** | He succeeded in scaling the wall. |
| **Siempre logran todos sus propósitos.** | They always accomplish all their ends. |

**suceder**  to succeed (in order), to follow in succession

| | |
|---|---|
| **Los Borbones sucedieron a los Hapsburgos.** | The Bourbons succeeded the Hapsburgs. |

**125.** such

**tal** (*adj.*)  such a; **tales** (*pl.*)  such

**Tal** is normally used *only* to modify a noun.

| | |
|---|---|
| **Tal libro (un libro tal) debe ser prohibido.** | Such a book should be prohibited. |
| **En tales circunstancias, yo habría hecho lo mismo.** | In such circumstances, I would have done the same. |

**tan** (*adv.*)  such a (used before an adjective)

| | |
|---|---|
| **Es un hombre tan cosmopolita.** | He is such a sophisticated man. |
| **Acabo de leer un cuento tan divertido.** | I have just read such a funny story. |

**126.** suggestion

**sugerencia**  a suggestion, recommendation

| | |
|---|---|
| **Aquí tiene Ud. una sugerencia interesantísima.** | Here is a very interesting suggestion. |

**sugestión**  (the power of) suggestion

| | |
|---|---|
| **La hipnosis obra por medio de la sugestión.** | Hypnosis works by means of suggestion. |

**127.** (to) support

> **sostener**   to support (a family, etc.); to support, sustain (a theory, etc.); to support (in a physical sense)

| | |
|---|---|
| **No puedo sostener a mi familia con tan poco dinero.** | I can't support my family with so little money. |
| **Esto sostiene mi teoría.** | This supports my theory. |
| **Aquellas vigas sostienen el techo.** | Those beams support the roof. |

> **mantener**   to support (a family, etc.), to maintain

| | |
|---|---|
| **Mantiene además a sus padres.** | He also supports his parents. |

> **soportar**   to support (as a column); to tolerate, endure, put up with, stand

| | |
|---|---|
| **Aquellos débiles palitos no podrán soportar tanto peso.** | Those weak little sticks will not be able to support so much weight. |
| **No puede soportar a su mujer.** | He can't stand his wife. |

**128.** (a) (to) take

> **llevar**   to take (a person); to carry from one place to another

| | |
|---|---|
| **Te llevo al museo mañana.** | I'm taking you to the museum tomorrow. |

> **tomar**   to take, seize, grasp; to take (food or drink)

| | |
|---|---|
| **Tomó la carta y la hizo trizas.** | He took the letter and tore it to bits. |
| **¿Qué toma Ud. —café o té?** | What do you take—coffee or tea? |

> **dar un paso**   to take a step

| | |
|---|---|
| **El nene acaba de dar su primer paso.** | The baby has just taken his first step. |

> **dar un paseo (o una vuelta), pasearse**   to take a walk

| | |
|---|---|
| **Demos un paseo esta tarde.** | Let's take a walk this afternoon. |

> **hacer un viaje**   to take a trip

| | |
|---|---|
| **Hicimos un viaje al Oriente el año pasado.** | We took a trip to the Orient last year. |

> **tener lugar**   to take place

| | |
|---|---|
| **La reunión tendrá lugar a las tres.** | The meeting will take place at three o'clock. |

**tardar** (**en**)   to take long (to); to be long; to take (a certain length of time)

| | |
|---|---|
| **No tardes en volver.** | Don't take long to return. |
| **El viaje tarda dos horas.** | The trip takes two hours. |

(b) (to) take away

**quitar**   to take away or off, to remove from (someone or something)

| | |
|---|---|
| **Me quitó un gran peso del alma.** | It took a great burden off my heart (away from me). |
| **No les quiten Uds. lo poco que les queda.** | Don't take away from them the little they have left. |

**llevarse**   to take away with one, to make off with

| | |
|---|---|
| **Se llevó el anillo de oro.** | He took the gold ring (away with him). |

**129.** then

**entonces**   then, at that time; then, so

| | |
|---|---|
| **Vivíamos entonces en la Calle de la Independencia.** | We were living then on Independence Street. |
| **Entonces nos vemos mañana, ¿verdad?** | Then we'll meet tomorrow, right? |

**luego**   then, next

| | |
|---|---|
| **Pensamos pasar la tarde con los niños; luego, iremos al cine.** | We intend to spend the afternoon with the children; then we'll go to the movies. |

**después**   then, next, afterwards, later

| | |
|---|---|
| **¿Y qué hiciste después?** | And what did you do then? |

**en aquel entonces**   then, in those days, in that period, back then

| | |
|---|---|
| **En aquel entonces no había automóviles.** | Then there were no automobiles. |

**pues bien**   well then (no implication of time)

| | |
|---|---|
| **Pues bien, si ya se han decidido Uds...** | Well then, if you have already decided . . . |

**130.** (a) there

**ahí**   there (near you)

**Ahí** corresponds somewhat to the demonstrative **ese**   that.

| | |
|---|---|
| **Ahí está.** | There it is. |

**allí**  (over) there

**Allí** corresponds roughly to **aquel.**

| | |
|---|---|
| **Viven allí desde hace muchos años.** | They have been living there for many years. |

**allá**  (toward) there; yonder, far off

**Allá** is used primarily with verbs of motion, or to indicate remoteness in either time or space.

| | |
|---|---|
| **Se fue para allá.** | He headed off yonder. |
| **Se ha establecido un nuevo pueblecito allá en el bosque.** | A new town has been established way off there in the forest. |

(b) there is, are

**hay**  there is (are), there exist(s)

**Hay** makes *no* reference to location.

| | |
|---|---|
| **Hay mucho que ver en todas partes.** | There is a great deal to see everywhere. |

**allí está, ahí está**  there is (located)

| | |
|---|---|
| **Allí está nuestra casa.** | There is our house. |

**allí es**  there is the place (where)

| | |
|---|---|
| **Allí es donde trabajo.** | There is where I work. |

**131.** (to) think

**creer**  to think, believe

NOTE: **Un creyente**  a believer.

| | |
|---|---|
| **Creo que va a llover.** | I think it is going to rain. |

**pensar**  to think, meditate, use reasoning processes

| | |
|---|---|
| **Hay que pensar antes de hacer cualquier cosa.** | One must think before doing anything. |

**pensar en**  to think about, occupy one's thoughts with

| | |
|---|---|
| **Paso todo el día pensando en ti.** | I spend the whole day thinking of you. |

**pensar de**  to think of, have an opinion of

| | |
|---|---|
| **¿Qué piensa Ud. de mi suegra?** | What do you think of my mother-in-law? |

**pensar** (+ *infinitive*)  to think of (doing something), to intend to, plan to

| | |
|---|---|
| **Pensamos ir a París el año que viene.** | We plan to go (are thinking of going) to Paris next year. |

**132.** (to) throw

> **echar**   to throw (without special effort or strength); to throw out, expel (often a person)
>
> > **Échalo en la cesta, ¿está bien?**   Throw it in the basket, all right?
> >
> > **Lo echaron de casa por haberlos avergonzado.**   They threw him out for having shamed them.
>
> **arrojar, lanzar, tirar**   to throw (with strength, violence, or for distance)   Notice: **el lanzador**   pitcher (baseball)
>
> > **Lo arrojaron (tiraron, etc.) por la ventana.**   They threw it out of the window.
>
> **botar**   to throw out, expel forcibly (often an object)
>
> > **Ya no sirve para nada. Botémoslo.**   It's worthless now. Let's throw it out.

**133.** time

> **tiempo**   a period of time; duration of time; time (as an abstraction)
>
> > **El tiempo vuela.**   Time flies.
> >
> > **¿Tienes tiempo ahora?**   Do you have time now?
> >
> > **No voy a quedarme mucho tiempo allí.**   I won't stay there long.
>
> **hora**   time of day, hour; the proper or appointed time
>
> > **¿Qué hora es?**   What time is it?
> >
> > **Es hora de comer.**   It's time to eat.
>
> **vez**   (a single) time, an instance
>
> > **Me llamó dos veces ayer.**   He called me twice (two times) yesterday.
> >
> > **Lo hemos leído muchas veces.**   We have read it many times.
>
> **ocasión** (*f.*)   time, occasion, opportunity
>
> > **Habrá otra ocasión.**   There will be another time.
>
> **divertirse**   to have a good time
>
> > **Nos divertíamos mucho con ellos.**   We used to have a very good time with them.

**134.** too

> **también**   too, also
>
> > **Yo le vi también.**   I saw him too.

**demasiado**   too (followed by an adjective or adverb); too much;
      **demasiados(as)** (*pl.*)   too many

| | |
|---|---|
| **Es demasiado alto.** | He is too tall. |
| **Ella fuma demasiado.** | She smokes too much. |
| **Tenemos demasiadas deudas.** | We have too many debts. |

**135.** (to) try

    **tratar de, intentar, procurar** (+ *infinitive*)   to try to, attempt

| | |
|---|---|
| **Trataré de acabar a tiempo.** | I'll try to finish on time. |
| **Intentó (Procuró) fugarse, pero lo cogieron.** | He tried to escape, but they caught him. |

    **ensayar**   to try out; rehearse; try, test

| | |
|---|---|
| **Mañana ensayan la comedia nueva.** | Tomorrow they're trying out (rehearsing) the new play. |
| **Ensayemos la máquina, a ver cómo funciona.** | Let's try the machine and see how it works. |

    **probar**   to try out, test; to try on (clothes, etc.)

| | |
|---|---|
| **Pruebe la puerta. Tal vez esté abierta.** | Try the door. Maybe it's open. |
| **¿No te lo vas a probar?** | Aren't you going to try it on? |

The preterite of **querer** (+ *infinitive*) also means *tried to*, but the emphasis falls more on the intention than on the attempt.

| | |
|---|---|
| **Quise llamarte, pero la línea estaba ocupada.** | I tried to call you, but the line was busy. |

**136.** (to) turn

    **volver**   to turn (a page, one's back, the other cheek, etc.); to turn over;
        to turn upside down

| | |
|---|---|
| **No me vuelvas la espalda cuando te hablo.** | Don't turn your back on me when I talk to you. |
| **Ahora vuélvalo al otro lado.** | Now turn it over on the other side. |

    **volverse**   to turn (oneself) around

| | |
|---|---|
| **Oyó el silbido y se volvió en el acto.** | He heard the whistle and turned around immediately. |

    **doblar**   to turn (a corner)

| | |
|---|---|
| **No debes doblar la esquina tan aprisa.** | You shouldn't turn the corner so fast. |

**dar vuelta** (or **doblar**) **a la derecha** (**a la izquierda**)   to turn right
                                                                      (left)

| | |
|---|---|
| **Cuando llegues a la esquina, da vuelta a la derecha.** | When you get to the corner, turn right. |

**apagar**   to turn out (a light, a radio, etc.)

| | |
|---|---|
| **Apagan las luces a medianoche.** | They turn out the lights at midnight. |

**poner**   to turn on (a radio, television set or other apparatus)

| | |
|---|---|
| **¿Se puede poner la radio?** | May I turn on the radio? |

**rechazar**   to turn down, reject (an offer, a suitor, etc.)

| | |
|---|---|
| **Lo rechazó sin pensarlo siquiera.** | He turned it down without even thinking it over. |

**137.** under

**debajo de**   under, below, underneath

| | |
|---|---|
| **Hay ríos que corren debajo de la tierra.** | There are rivers that run under the ground |

**bajo**   under, below, located in a lower position; under (in a figurative sense)

| | |
|---|---|
| **Estaban sentados bajo el árbol.** | They were sitting under the tree. |
| **El pueblo adelantó mucho bajo la dominación islámica.** | The people advanced a great deal under the Islamic domination. |

**138.** (to) understand

**comprender**   to understand (the surface meaning, a word, phrase, a language, etc.)

| | |
|---|---|
| **¿Comprendes italiano?** | Do you understand Italian? |
| **Muy bien. Te comprendo.** | All right. I understand you (what you're saying). |

**entender**   to understand (a language, etc., as **comprender**); to understand the surface meaning and the reason behind it; to be given to understand

| | |
|---|---|
| **Ya te entiendo perfectamente.** | I understand you perfectly (and why you're doing it). |
| **Entiendo que no va a ser candidato en noviembre.** | I (am given to) understand that he won't be a candidate in November. |

**139.** until

    **hasta** (*prep.*)   until (time); until, up to a certain place (used before an infinitive, a noun, or a number)

| | |
|---|---|
| **Esperemos hasta las tres.** | Let's wait until three o'clock. |
| **Le acompañarán hasta la próxima estación.** | They will accompany him until (up to) the next station. |

    **hasta que** (*conj.*)   until (must introduce a clause)

| | |
|---|---|
| **Siga Ud. caminando hasta que llegue a la plaza mayor.** | Keep walking until you reach the central square. |

**140.** (to be) used to

    **soler**   to be used or accustomed to (doing something), to do habitually

    **Soler** is used only in the present and imperfect tenses.

| | |
|---|---|
| **Suelo visitarla todos los domingos.** | I usually go to visit her every Sunday. |
| **Solían cenar a las diez.** | They used to eat at ten. |

The imperfect of **soler** (+ *infinitive*) corresponds to the simple imperfect **(Cenaban a las diez)**, but emphasizes a bit more the habitual nature of the action.

    **acostumbrarse a**   to get used to

| | |
|---|---|
| **No me puedo acostumbrar al calor.** | I can't get used to the heat. |
| **Me he acostumbrado a su mirar.** | I've grown accustomed to her face (look). |

    **estar acostumbrado a**   to be used to, inured to, trained to

| | |
|---|---|
| **Ya están acostumbrados a levantarse a las seis.** | They're now used to getting up at six. |

**141.** (to) want

    **querer**   to want (something or to do something); to wish, will; negative, to refuse

| | |
|---|---|
| **Quiero llevarla conmigo.** | I want to take her with me. |
| **Quiere que le llamemos en seguida.** | He wants us to call him immediately. |
| **Dice que quiere más dinero.** | He says he wants more money. |
| **No quieren aceptarlo.** | They don't want (wish) to accept it. (They refuse to, will not.) |

**desear**   to want, desire, wish

**Desear** is used much less frequently than **querer**. It is somewhat more literary, rhetorical, or impassioned.

| | |
|---|---|
| **Deseamos paz y prosperidad para todos.** | We want peace and prosperity for all. |
| **Les deseo un feliz año nuevo.** | I wish you (desire for you) a happy new year. |
| **La desea por su esposa.** | He desires (wants) her for his wife. |

**142.** warm

**caliente, calientito**   warm, warmish

| | |
|---|---|
| **Tómese un baño caliente (calientito).** | Take a nice warm bath. |

**templado**   warm, temperate (climate)

| | |
|---|---|
| **Prefieren vivir en un clima más templado.** | They prefer to live in a warmer (but not hot) climate. |

**afectuoso, cariñoso, caluroso**   warm, affectionate

| | |
|---|---|
| **Me dio un abrazo cariñoso (afectuoso).** | He gave me a warm embrace. |

**encarecido, expresivo**   warm, heartfelt (thanks, wishes)

| | |
|---|---|
| **Les ruego aceptar mis más encarecidas (expresivas) gracias.** | I beg you to accept my warmest thanks. |

**abrigado**   warm, protected, snug; warm (as clothing)

| | |
|---|---|
| **Busquemos un rincón bien abrigado.** | Let's look for a nice warm corner. |
| **Hoy debes ponerte ropa bien abrigadita.** | Today you should put on good warm clothes. |

**143.** (to) waste

**perder**   to waste (time)

| | |
|---|---|
| **Estoy perdiendo tiempo hablando contigo.** | I'm wasting time talking to you. |

**desperdiciar**   to squander, waste

| | |
|---|---|
| **Desperdició toda su herencia.** | He wasted his whole inheritance. |

**echar a perder**   to waste, spoil, ruin

| | |
|---|---|
| **Echa a perder todas las oportunidades que se le presentan.** | He wastes all the opportunities that are presented to him. |

**144.** way

> **manera, modo**   way, manner, method
>> **Su manera de hablar nos impresionó mucho.**
>> His way of speaking impressed us very much.
>>
>> **Voy a mostrarle un modo más fácil de hacer media.**
>> I'm going to show you an easier way to knit.
>
> **cómo**   how, the way (to do something)
>> **¿Quién sabe cómo se hace?**
>> Who knows the way it's done?
>>
>> **No comprendo cómo lo hicieron.**
>> I don't understand the way (how) they did it.
>
> **así, de este modo, de esta manera**   in this way
>> **Primero, hay que cortarlo así (de esta manera).**
>> First, you must cut it this way.
>>
>> **Así se hace mejor.**
>> It is done best in this way. (This is the way it is done best.)
>
> **camino,**   way, road
>> **Este es el camino de la ciudad.**
>> This is the way to the city
>>
>> **Siga el camino de la virtud.**
>> Follow the way (path) of virtue.
>
> **dirección**   way, direction
>> **¿En qué dirección queda la estación?**
>> Which way is the station?
>>
>> **¿Por dónde se va a la estación?** may also be used.
>
> **camino de**   on the way to
>> **Camino del pueblo, perdieron una llanta.**
>> On the way to the village, they lost a tire.

**145.** why

> **¿Por qué?**   Why? What's the reason?
>> **¿Por qué llama a toda hora?**   Why does he call at all hours?
>
> **¿Para qué?**   Why? What for? What good will it do? To what end?
>> **¿Para qué llorar? Eso no remedia nada.**
>> Why cry? That doesn't help anything
>>
>> **¿Para qué estudias?**
>> What are you studying for?
>>
>> **—Para ingeniero.**
>> —To be an engineer.

**146.** (to) wish

> **desear**   to wish (success, happiness, etc.); to want, wish
>> **Os deseo toda felicidad.**
>> I wish you both every happiness.
>>
>> **Desea ir, pero no puede.**
>> He wants (wishes) to go, but he can't.

¡Ojalá...!   Oh, how I wish (+*subjunctive*)

| | |
|---|---|
| ¡Ojalá (que) **venga pronto!** | How I wish he comes soon! |
| ¡Ojalá (que) **no lo hubiera dicho!** | How I wish he hadn't said it! |

## 147. work

**obra**   a work (of art, etc.); a deed (of charity, creation, etc.)

| | |
|---|---|
| **Las buenas obras perduran siempre.** | Good works last forever. |

**trabajo**   work, labor

| | |
|---|---|
| **El trabajo descansa el alma, si no el cuerpo.** | Work rests the soul, if not the body. |

**labor**   work, labor, effort (generally used in a figurative or poetic sense)

| | |
|---|---|
| **una labor de caridad humana** | a work (an effort, labor of love) of human charity |

## 148. worker

**obrero**   factory worker, skilled or semiskilled worker

| | |
|---|---|
| **Los obreros se han declarado en huelga.** | The workers have declared a strike. |

**trabajador**   worker (more general classification that includes most types); member of the proletariat (in social reference); workman, artisan, craftsman

| | |
|---|---|
| **Sindicato de Trabajadores Metalúrgicos** | Union of Metallurgical Workers |
| **¡Trabajadores del mundo...!** | Workers of the world . . .! |
| **Es muy buen trabajador.** | He is a very good worker (workman, craftsman). |

**jornalero**   day laborer; wage earner, hired hand; proletarian

| | |
|---|---|
| **No hacen falta jornaleros en el invierno.** | There is no lack of workers in the winter. |

**labrador**   farm worker; farm hand

| | |
|---|---|
| **Los labradores segaban bajo un sol calcinante.** | The farm laborers were sowing under a scorching sun. |

## 149. yet

*Yet* has two meanings in English: *still* (which refers to an action or state that is continuing after a certain period of time), and *already*.

**todavía**  still

NOTE: **Todavía** translates the English *yet* most frequently in negative sentences.

| | |
|---|---|
| **Todavía tenemos que hallar alguien que pueda llenar el puesto.** | We have yet to find someone who can fill the position. |
| **¿Han llegado? —Todavía no.** | Have they come? —Not yet (still not). |

**ya**  yet (in the sense of *already*)

| | |
|---|---|
| **¿Ya e stá aquí?** | Is he here yet (already)? |

**ya no**  no longer, not . . . any longer, not . . . any more

| | |
|---|---|
| **Ya no vive con nosotros.** | He doesn't live with us any more. (He no longer lives with us.) |

**por**  yet to be

| | |
|---|---|
| **La nueva carretera está por concluir.** | The new road is yet to be completed. |

**150.** younger

**menor**  younger

**Menor** establishes a comparative relationship between two persons, irrespective of their actual age.

| | |
|---|---|
| **El hermano menor tenía sesenta años; el mayor casi ochenta.** | The youngest brother was sixty; the eldest, almost eighty. |

**más joven**  younger, more youthful (compares the adjective *young*)

| | |
|---|---|
| **Ella es aun más joven que mi mujer.** | She is even younger than my wife (both are young). |

# VERBS

## REGULAR VERBS

### Infinitive

**hablar** to speak   **comer** to eat   **vivir** to live

### Present Participle

**hablando** speaking   **comiendo** eating   **viviendo** living

### Past Participle

**hablado** spoken   **comido** eaten   **vivido** lived

## SIMPLE TENSES

### INDICATIVE MOOD

#### Present

| *I speak, am speaking* | *I eat, am eating* | *I live, am living* |
|---|---|---|
| **hablo** | **como** | **vivo** |
| **hablas** | **comes** | **vives** |
| **habla** | **come** | **vive** |
| **hablamos** | **comemos** | **vivimos** |
| **habláis** | **coméis** | **vivís** |
| **hablan** | **comen** | **viven** |

#### Imperfect

| *I was speaking, used to speak* | *I was eating, used to eat* | *I was living, used to live* |
|---|---|---|
| **hablaba** | **comía** | **vivía** |
| **hablabas** | **comías** | **vivías** |
| **hablaba** | **comía** | **vivía** |
| **hablábamos** | **comíamos** | **vivíamos** |
| **hablabais** | **comíais** | **vivíais** |
| **hablaban** | **comían** | **vivían** |

314

Preterite

| *I spoke, did speak* | *I ate, did eat* | *I lived, did live* |
|---|---|---|
| hablé | comí | viví |
| hablaste | comiste | viviste |
| habló | comió | vivió |
| hablamos | comimos | vivimos |
| hablasteis | comisteis | vivisteis |
| hablaron | comieron | vivieron |

Future

| *I shall (will) speak* | *I shall (will) eat* | *I shall (will) live* |
|---|---|---|
| hablaré | comeré | viviré |
| hablarás | comerás | vivirás |
| hablará | comerá | vivirá |
| hablaremos | comeremos | viviremos |
| hablaréis | comeréis | viviréis |
| hablarán | comerán | vivirán |

Conditional

| *I should (would) speak* | *I should (would) eat* | *I should (would) live* |
|---|---|---|
| hablaría | comería | viviría |
| hablarías | comerías | vivirías |
| hablaría | comería | viriría |
| hablaríamos | comeríamos | viviríamos |
| hablaríais | comeríais | viviríais |
| hablarían | comerían | vivirían |

SUBJUNCTIVE MOOD
Present

| *(that) I (may) speak* | *(that) I (may) eat* | *(that) I (may) live* |
|---|---|---|
| hable | coma | viva |
| hables | comas | vivas |
| hable | coma | viva |
| hablemos | comamos | vivamos |
| habléis | comáis | viváis |
| hablen | coman | vivan |

Imperfect (**-ra** form)

| *(that) I might speak* | *(that) I might eat* | *(that) I might live* |
|---|---|---|
| hablara | comiera | viviera |
| hablaras | comieras | vivieras |
| hablara | comiera | viviera |
| habláramos | comiéramos | viviéramos |
| hablarais | comierais | vivierais |
| hablaran | comieran | vivieran |

## Imperfect (**-se** form)

| *(that) I might speak* | *(that) I might eat* | *(that) I might live* |
|---|---|---|
| hablase | comiese | viviese |
| hablases | comieses | vivieses |
| hablase | comiese | viviese |
| hablásemos | comiésemos | viviésemos |
| hablaseis | comieseis | vivieseis |
| hablasen | comiesen | viviesen |

### IMPERATIVE MOOD

| *speak* | *eat* | *live* |
|---|---|---|
| habla | come | vive |
| hablad | comed | vivid |

# COMPOUND TENSES

| Perfect Infinitive | Perfect Participle |
|---|---|
| *to have spoken,* | *having spoken,* |
| *eaten, lived* | *eaten, lived* |
| haber hablado, | habiendo hablado, |
| comido, vivido | comido, vivido |

### INDICATIVE MOOD

#### Present Perfect

| *I have spoken* | *I have eaten* | *I have lived* |
|---|---|---|
| he hablado | he comido | he vivido |
| has hablado | has comido | has vivido |
| ha hablado | ha comido | ha vivido |
| hemos hablado | hemos comido | hemos vivido |
| habéis hablado | habéis comido | habéis vivido |
| han hablado | han comido | han vivido |

#### Pluperfect

| *I had spoken* | *I had eaten* | *I had lived* |
|---|---|---|
| había hablado | había comido | había vivido |
| habías hablado | habías comido | habías vivido |
| había hablado | había comido | había vivido |
| habíamos hablado | habíamos comido | habíamos vivido |
| habíais hablado | habíais comido | habíais vivido |
| habían hablado | habían comido | habían vivido |

### Future Perfect

| *I shall have spoken* | *I shall have eaten* | *I shall have lived* |
|---|---|---|
| habré hablado | habré comido | habré vivido |
| habrás hablado | habrás comido | habrás vivido |
| habrá hablado | habrá comido | habrá vivido |
| habremos hablado | habremos comido | habremos vivido |
| habréis hablado | habréis comido | habréis vivido |
| habrán hablado | habrán comido | habrán vivido |

### Conditional Perfect

| *I should (would) have spoken* | *I should (would) have eaten* | *I should (would) have lived* |
|---|---|---|
| habría hablado | habría comido | habría vivido |
| habrías hablado | habrías comido | habrías vivido |
| habría hablado | habría comido | habría vivido |
| habríamos hablado | habríamos comido | habríamos vivido |
| habríais hablado | habríais comido | habríais vivido |
| habrían hablado | habrían comido | habrían vivido |

### SUBJUNCTIVE MOOD

#### Present Perfect

| *(that) I (may) have spoken* | *(that) I (may) have eaten* | *(that) I (may) have lived* |
|---|---|---|
| haya hablado | haya comido | haya vivido |
| hayas hablado | hayas comido | hayas vivido |
| haya hablado | haya comido | haya vivido |
| hayamos hablado | hayamos comido | hayamos vivido |
| hayáis hablado | hayáis comido | hayáis vivido |
| hayan hablado | hayan comido | hayan vivido |

#### Pluperfect (**-ra** form)

| *(that) I might have spoken* | *(that) I might have eaten* | *(that) I might have lived* |
|---|---|---|
| hubiera hablado | hubiera comido | hubiera vivido |
| hubieras hablado | hubieras comido | hubieras vivido |
| hubiera hablado | hubiera comido | hubiera vivido |
| hubiéramos hablado | hubiéramos comido | hubiéramos vivido |
| hubierais hablado | hubierais comido | hubierais vivido |
| hubieran hablado | hubieran comido | hubieran vivido |

Pluperfect (**-se** form)

| *(that) I might have spoken* | *(that) I might have eaten* | *(that) I might have lived* |
|---|---|---|
| hubiese hablado | hubiese comido | hubiese vivido |
| hubieses hablado | hubieses comido | hubieses vivido |
| hubiese hablado | hubiese comido | hubiese vivido |
| hubiésemos hablado | hubiésemos comido | hubiésemos vivido |
| hubieseis hablado | hubieseis comido | hubieseis vivido |
| hubiesen hablado | hubiesen comido | hubiesen vivido |

# RADICAL CHANGING VERBS

A radical change means a change in the root (stem) of a verb. Specifically, in Spanish, it refers to a change in the *vowel* of the root.

**1.** The **-ar** and **-er** Radical Changing Verbs

Radical changing verbs that end in **-ar** or **-er** change the stressed vowel **e** to **ie**, the stressed **o** to **ue**.

**-Ar** or **-er** radical changing verbs change *only* in the present indicative and present subjunctive. All other tenses are conjugated regularly. (Recall that the imperative singular is the same as the third person singular of the present indicative.)

PATTERN OF THE PRESENT INDICATIVE

| pensar | perder | contar | mover |
|---|---|---|---|
| pienso | pierdo | cuento | muevo |
| piensas | pierdes | cuentas | mueves |
| piensa | pierde | cuenta | mueve |
| pensamos | perdemos | contamos | movemos |
| pensáis | perdéis | contáis | movéis |
| piensan | pierden | cuentan | mueven |

The present subjunctive follows exactly the same pattern, except that **-a** endings change to **-e**, **-e** endings to **-a**.

COMMON VERBS OF THIS TYPE

| | | |
|---|---|---|
| acordarse | empezar | pensar |
| acostarse | encender | perder |
| atravesar | encontrar | probar |
| comenzar | entender | recordar |
| contar | jugar | mover |
| costar | llover | sentar(se) |
| despertar(se) | negar | volver |

**2.** The **-ir** Radical Changing Verbs

Radical changing verbs that end in **-ir** are of two types:

*Type I:* Those whose stressed **e** changes to **ie,** whose stressed **o** changes to **ue.** Common verbs of this type are

| | | |
|---|---|---|
| advertir | dormir | morir |
| convertir | mentir | sentir |

*Type II:* Those whose stressed **e** changes to **i.** Common verbs of this type are

| | | |
|---|---|---|
| concebir | repetir | servir |
| pedir | seguir | vestir(se) |

**A.** The Present Indicative of **-ir** Radical Changing Verbs

The pattern is exactly the same as that of all other radical changing verbs.

| Type I (**e** > **ie**, **o** > **ue**) | | Type II (**e** > **i**) |
|---|---|---|
| siento | duermo | pido |
| sientes | duermes | pides |
| siente | duerme | pide |
| sentimos | dormimos | pedimos |
| sentís | dormís | pedís |
| sienten | duermen | piden |

**B.** The Present Subjunctive of **-ir** Radical Changing Verbs

The pattern of the present indicative is maintained. But a *second* radical change is added. The *unstressed* **e** of the first and second persons plural becomes **i**; the unstressed **o** becomes **u**:

| | | |
|---|---|---|
| sienta | duerma | pida |
| sientas | duermas | pidas |
| sienta | duerma | pida |
| sintamos | durmamos | pidamos |
| sintáis | durmáis | pidáis |
| sientan | duerman | pidan |

C. The Preterite of **-ir** Radical Changing Verbs

In the third person, singular and plural, the unstressed **e** becomes **i**, the unstressed **o** becomes **u**:

| | | |
|---|---|---|
| sentí | dormí | pedí |
| sentiste | dormiste | pediste |
| sintió | durmió | pidió |
| sentimos | dormimos | pedimos |
| sentisteis | dormisteis | pedisteis |
| sintieron | durmieron | pidieron |

REMEMBER: The preterite of **-ar** and **-er** verbs has no radical change.

D. The Imperfect Subjunctive of **-ir** Radical Changing Verbs

The **e > i, o > u** change governs the entire imperfect subjunctive.

| | | |
|---|---|---|
| sintiera (sintiese) | durmiera(iese) | pidiera(iese) |
| sintieras | durmieras | pidieras |
| sintiera | durmiera | pidiera |
| sintiéramos | durmiéramos | pidiéramos |
| sintierais | durmierais | pidierais |
| sintieran | durmieran | pidieran |

REMEMBER: The imperfect subjunctive of **-ar** and **-er** verbs has no radical change.

The present participle of **-ir** radical changing verbs changes the stem vowel **e > i, o > u: sintiendo, durmiendo, pidiendo.**

# SPELLING CHANGING VERBS

Many verbs undergo a change in spelling in some tenses in order that the sound of the final consonant of the stem or the normal rules of Spanish spelling may be preserved. Recall:

1. **g** before **e** or **i** is pronounced like the Spanish **j**.
2. **g** before **a, o,** or **u** is hard.
3. **g** before **e** or **i** may be kept hard by placing **u** after the consonant.
4. **c** before **e** or **i** is pronounced like the English *th* (throughout Spain, except Andalusia) or like **s** (in Spanish America and Andalusia).
5. **c** before **a, o,** or **u** is pronounced like the English **k.**
6. **c** changes to **qu** before **e** or **i** to keep the sound hard.
7. **z** changes to **c** before an **e** or **i.**
8. Unstressed **i** between vowels changes to **y.**
9. Two consecutive unstressed **i**'s merge into one.
10. Two consecutive **s**'s are reduced to one.
11. A word that begins with a diphthong must be preceded by **h** or the initial **i** of the diphthong changes to **y.**
12. Unstressed **i** before **e** or **o** disappears after **ll, ñ,** and **j.**

The following are important types of verbs that are regular in their conjugation, but undergo necessary changes in spelling.

**1.** Verbs Ending in **-car** Change **c** to **qu** Before **e**

**sacar** to take out

| Preterite | Present Subjunctive |
|-----------|---------------------|
| **saqué** | **saque** |
| **sacaste** | **saques** |
| **sacó** | **saque** |
| etc. | **saquemos** |
| | **saquéis** |
| | **saquen** |

**2.** Verbs Ending in **-gar** Change **g** to **gu** Before **e**

**pagar** to pay

| Preterite | Present Subjunctive |
|-----------|---------------------|
| **pagué** | **pague** |
| **pagaste** | **pagues** |
| **pagó** | **pague** |
| etc. | **paguemos** |
| | **paguéis** |
| | **paguen** |

**3.** Verbs Ending in **-zar** Change **z** to **c** Before **e**

**gozar** to enjoy

| Preterite | Present Subjunctive |
|-----------|---------------------|
| **gocé** | **goce** |
| **gozaste** | **goces** |
| **gozó** | **goce** |
| etc. | **gocemos** |
| | **gocéis** |
| | **gocen** |

**4.** Verbs Ending in **-cer** or **-cir** Preceded by a Consonant Change **c** to **z** Before **o** and **a**

**vencer** to conquer

| Present Indicative | Present Subjunctive |
|--------------------|---------------------|
| **venzo** | **venza** |
| **vences** | **venzas** |
| **vence** | **venza** |
| etc. | **venzamos** |
| | **venzáis** |
| | **venzan** |

**5.** Verbs Ending in **-ger** or **-gir** Change **g** to **j** Before **o** and **a**

**coger**   to catch

| Present Indicative | Present Subjunctive |
|---|---|
| **cojo** | **coja** |
| **coges** | **cojas** |
| **coge** | **coja** |
| etc. | **cojamos** |
|  | **cojáis** |
|  | **cojan** |

**dirigir**   to direct

| Present Indicative | Present Subjunctive |
|---|---|
| **dirijo** | **dirija** |
| **diriges** | **dirijas** |
| **dirige** | **dirija** |
| etc. | **dirijamos** |
|  | **dirijáis** |
|  | **dirijan** |

**6.** Verbs Ending in **-guir** Change **gu** to **g** Before **o** and **a**

**distinguir**   to distinguish

| Present Indicative | Present Subjunctive |
|---|---|
| **distingo** | **distinga** |
| **distingues** | **distingas** |
| **distingue** | **distinga** |
| etc. | **distingamos** |
|  | **distingáis** |
|  | **distingan** |

**7.** Verbs Ending in **-quir** Change **qu** to **c** Before **o** and **a**

**delinquir**   to commit an offense

| Present Indicative | Present Subjunctive |
|---|---|
| **delinco** | **delinca** |
| **delinques** | **delincas** |
| **delinque** | **delinca** |
| etc. | **delincamos** |
|  | **delincáis** |
|  | **delincan** |

**8.** Verbs Ending in **-guar** Change **gu** to **gü** Before **e**

**averiguar**   to ascertain

| Preterite | Present Subjunctive |
|---|---|
| **averigüé** | **averigüe** |
| **averiguaste** | **averigües** |
| **averiguó** | **averigüe** |
| etc. | **averigüemos** |
|  | **averigüéis** |
|  | **averigüen** |

**9.** Verbs Ending in **-eer** Change Unstressed **i** to **y** Between Vowels

**leer**   to read

| Preterite | Imperfect Subjunctive | | Participles: Present, Past |
|---|---|---|---|
| leí | leyera | leyese | leyendo |
| leíste | leyeras | leyeses | leído |
| leyó | leyera | leyese | |
| leímos | etc. | etc. | |
| leísteis | | | |
| leyeron | | | |

**10.** Verbs Ending in **-eír** Are Radical Changing Verbs That Lose One **i** in the Third Person of the Preterite, Imperfect Subjunctive, and Present Participle

**reír**   to laugh

| Present Indicative | Preterite | Imperfect Subjunctive | | Present Participle |
|---|---|---|---|---|
| río | reí | riera | riese | riendo |
| ríes | reíste | rieras | rieses | |
| ríe | rio | riera | riese | |
| reímos | reímos | etc. | etc. | |
| reís | reísteis | | | |
| ríen | rieron | | | |

**11.** Verbs whose Stem Ends in **ll** or **ñ** Drop the **i** of the Diphthongs **ie** and **ió**

**bullir**   to boil

| Preterite | Imperfect Subjunctive | | Present Participle |
|---|---|---|---|
| bullí | bullera | bullese | bullendo |
| bulliste | bulleras | bulleses | |
| bulló | bullera | bullese | |
| bullimos | etc. | etc. | |
| bullisteis | | | |
| bulleron | | | |

**reñir**   to scold (also radical changing)

| Preterite | Imperfect Subjunctive | | Present Participle |
|---|---|---|---|
| reñí | riñera | riñese | riñendo |
| reñiste | riñeras | riñeses | |
| riñó | riñera | riñese | |
| reñimos | etc. | etc. | |
| reñisteis | | | |
| riñeron | | | |

# CHANGES IN ACCENTUATION

**1.** Verbs Ending in **-iar**

Some verbs ending in **-iar** bear a written accent on the **i** in all singular forms and in the third person plural of the present indicative and subjunctive, and in the imperative singular.

**enviar**   to send

| Present Indicative | Present Subjunctive | Imperative |
| --- | --- | --- |
| envío | envíe | |
| envías | envíes | envía |
| envía | envíe | |
| enviamos | enviemos | |
| enviáis | enviéis | enviad |
| envían | envíen | |

**2.** Verbs Ending in **-uar**

Verbs ending in **-uar** (except those ending in **-guar**) bear a written accent on the **u** in the same forms listed above.

**continuar**   to continue

| Present Indicative | Present Subjunctive | Imperative |
| --- | --- | --- |
| continúo | continúe | |
| continúas | continúes | continúa |
| continúa | continúe | |
| continuamos | continuemos | |
| continuáis | continuéis | continuad |
| continúan | continúen | |

# IRREGULAR VERBS

NOTE: Only the tenses containing irregular forms are given. The conjugation of verbs ending in **-ducir** may be found under **conducir;** those ending in a vowel + **cer** or + **cir** are found under **conocer;** and those ending in **-uir** are under **huir.**

**andar**   to walk, go

| | |
| --- | --- |
| Preterite | anduve, anduviste, anduvo, anduvimos, anduvisteis, anduvieron |
| Imperfect Subjunctive | (**-ra**) anduviera, anduvieras, anduviera, anduviéramos, anduvierais, anduvieran |
| | (**-se**) anduviese, anduvieses, anduviese, anduviésemos, anduvieseis, anduviesen |

**asir**   to seize

| | |
| --- | --- |
| Present Indicative | asgo, ases, ase, asimos, asís, asen |
| Present Subjunctive | asga, asgas, asga, asgamos, asgáis, asgan |

**caber**   to be contained in

| | |
|---|---|
| Present Indicative | **quepo, cabes, cabe, cabemos, cabéis, caben** |
| Preterite | **cupe, cupiste, cupo, cupimos, cupisteis, cupieron** |
| Future | **cabré, cabrás, cabrá, cabremos, cabréis, cabrán** |
| Conditional | **cabría, cabrías, cabría, cabríamos, cabríais, cabrían** |
| Present Subjunctive | **quepa, quepas, quepa, quepamos, quepáis, quepan** |
| Imperfect Subjunctive | **(-ra) cupiera, cupieras, cupiera, cupiéramos, cupierais, cupieran** |
| | **(-se) cupiese, cupieses, cupiese, cupiésemos, cupieseis, cupiesen** |

**caer**   to fall

| | |
|---|---|
| Present Indicative | **caigo, caes, cae, caemos, caéis, caen** |
| Preterite | **caí, caíste, cayó, caímos, caísteis, cayeron** |
| Present Subjunctive | **caiga, caigas, caiga, caigamos, caigáis, caigan** |
| Imperfect Subjunctive | **(-ra) cayera, cayeras, cayera, cayéramos, cayerais, cayeran** |
| | **(-se) cayese, cayeses, cayese, cayésemos, cayeseis, cayesen** |
| Present Participle | **cayendo** |
| Past Participle | **caído** |

**conducir**   to conduct (similarly, all verbs ending in **-ducir**)

| | |
|---|---|
| Present Indicative | **conduzco, conduces, conduce, conducimos, conducís, conducen** |
| Preterite | **conduje, condujiste, condujo, condujimos, condujisteis, condujeron** |
| Present Subjunctive | **conduzca, conduzcas, conduzca, conduzcamos, conduzcáis, conduzcan** |
| Imperfect Subjunctive | **(-ra) condujera, condujeras, condujera, condujéramos, condujerais, condujeran** |
| | **(-se) condujese, condujeses, condujese, condujésemos, condujeseis, condujesen** |

**conocer**   to know (similarly, all verbs ending in a vowel + **cer** and + **cir**, except **cocer, hacer, mecer,** and their compounds)

| | |
|---|---|
| Present Indicative | **conozco, conoces, conoce,** etc. |
| Present Subjunctive | **conozca, conozcas, conozca, conozcamos, conozcáis, conozcan** |

**creer**   (*see* **leer,** p. 323)

**dar**  to give

| | |
|---|---|
| Present Indicative | **doy, das, da, damos, dais, dan** |
| Preterite | **di, diste, dio, dimos, disteis, dieron** |
| Present Subjunctive | **dé, des, dé, demos, deis, den** |
| Imperfect Subjunctive | **(-ra) diera, dieras, diera, diéramos, dierais, dieran** |
| | **(-se) diese, dieses, diese, diésemos, dieseis, diesen** |

**decir**  to say, tell

| | |
|---|---|
| Present Indicative | **digo, dices, dice, decimos, decís, dicen** |
| Preterite | **dije, dijiste, dijo, dijimos, dijisteis, dijeron** |
| Future | **diré, dirás, dirá, diremos, diréis, dirán** |
| Conditional | **diría, dirías, diría, diríamos, diríais, dirían** |
| Present Subjunctive | **diga, digas, diga, digamos, digáis, digan** |
| Imperfect Subjunctive | **(-ra) dijera, dijeras, dijera, dijéramos, dijerais, dijeran** |
| | **(-se) dijese, dijeses, dijese, dijésemos dijeseis, dijesen** |
| Present Participle | **diciendo** |
| Past Participle | **dicho** |
| Imperative | **di, decid** |

**errar**  to err

| | |
|---|---|
| Present Indicative | **yerro, yerras, yerra, erramos, erráis, yerran** |
| Present Subjunctive | **yerre, yerres, yerre, erremos, erréis, yerren** |
| Imperative | **yerra, errad** |

**estar**  to be

| | |
|---|---|
| Present Indicative | **estoy, estás, está, estamos, estáis, están** |
| Preterite | **estuve, estuviste, estuvo, estuvimos, estuvisteis, estuvieron** |
| Present Subjunctive | **esté, estés, esté, estemos, estéis, estén** |
| Imperfect Subjunctive | **(-ra) estuviera, estuvieras, estuviera, estuviéramos, estuvierais, estuvieran** |
| | **(-se) estuviese, estuvieses, estuviese, estuviésemos, estuvieseis, estuviesen** |
| Imperative | **está, estad** |

**haber**  to have

| | |
|---|---|
| Present Indicative | **he, has, ha, hemos, habéis, han** |
| Preterite | **hube, hubiste, hubo, hubimos, hubisteis, hubieron** |
| Future | **habré, habrás, habrá, habremos, habréis, habrán** |

| Conditional | habría, habrías, habría, habríamos, habríais, habrían |
| Present Subjunctive | haya, hayas, haya, hayamos, hayáis, hayan |
| Imperfect Subjunctive | (-ra) hubiera, hubieras, hubiera, hubiéramos, hubierais, hubieran |
| | (-se) hubiese, hubieses, hubiese, hubiésemos, hubieseis, hubiesen |

### hacer  to do, make

| Present Indicative | hago, haces, hace, hacemos, hacéis, hacen |
| Preterite | hice, hiciste, hizo, hicimos, hicisteis, hicieron |
| Future | haré, harás, hará, haremos, haréis, harán |
| Conditional | haría, harías, haría, haríamos, haríais, harían |
| Present Subjunctive | haga, hagas, haga, hagamos, hagáis, hagan |
| Imperfect Subjunctive | (-ra) hiciera, hicieras, hiciera, hiciéramos, hicierais, hicieran |
| | (-se) hiciese, hicieses, hiciese, hiciésemos, hicieseis, hiciesen |
| Past Participle | hecho |
| Imperative | haz, haced |

### huir  to flee (similarly, all verbs ending in -uir, except those ending in -guir and -quir)

| Present Indicative | huyo, huyes, huye, huimos, huís, huyen |
| Preterite | huí, huiste, huyó, huimos, huisteis, huyeron |
| Present Subjunctive | huya, huyas, huya, huyamos, huyáis, huyan |
| Imperfect Subjunctive | (-ra) huyera, huyeras, huyera, huyéramos, huyerais, huyeran |
| | (-se) huyese, huyeses, huyese, huyésemos, huyeseis, huyesen |
| Present Participle | huyendo |
| Imperative | huye, huid |

### ir  to go

| Present Indicative | voy, vas, va, vamos, vais, van |
| Imperfect Indicative | iba, ibas, iba, íbamos, ibais, iban |
| Preterite | fui, fuiste, fue, fuimos, fuisteis, fueron |
| Present Subjunctive | vaya, vayas, vaya, vayamos, vayáis, vayan |
| Imperfect Subjunctive | (-ra) fuera, fueras, fuera, fuéramos, fuerais, fueran |
| | (-se) fuese, fueses, fuese, fuésemos, fueseis, fuesen |
| Present Participle | yendo |
| Imperative | ve, id |

**oír**   to hear

| | |
|---|---|
| Present Indicative | **oigo, oyes, oye, oímos, oís, oyen** |
| Preterite | **oí, oíste, oyó, oímos, oísteis, oyeron** |
| Present Subjunctive | **oiga, oigas, oiga, oigamos, oigáis, oigan** |
| Imperfect Subjunctive | **(-ra) oyera, oyeras, oyera, oyéramos, oyerais, oyeran** |
| | **(-se) oyese, oyeses, oyese, oyésemos, oyeseis, oyesen** |
| Present Participle | **oyendo** |
| Past Participle | **oído** |
| Imperative | **oye, oíd** |

**oler**   to smell

| | |
|---|---|
| Present Indicative | **huelo, hueles, huele, olemos, oléis, huelen** |
| Present Subjunctive | **huela, huelas, huela, olamos, oláis, huelan** |
| Imperative | **huele, oled** |

**poder**   to be able

| | |
|---|---|
| Present Indicative | **puedo, puedes, puede, podemos, podéis, pueden** |
| Preterite | **pude, pudiste, pudo, pudimos, pudisteis, pudieron** |
| Future | **podré, podrás, podrá, podremos, podréis, podrán** |
| Conditional | **podría, podrías, podría, podríamos, podríais, podrían** |
| Present Subjunctive | **pueda, puedas, pueda, podamos, podáis, puedan** |
| Imperfect Subjunctive | **(-ra) pudiera, pudieras, pudiera, pudiéramos, pudierais, pudieran** |
| | **(-se) pudiese, pudieses, pudiese, pudiésemos, pudieseis, pudiesen** |
| Present Participle | **pudiendo** |

**poner**   to put, place

| | |
|---|---|
| Present Indicative | **pongo, pones, pone, ponemos, ponéis, ponen** |
| Preterite | **puse, pusiste, puso, pusimos, pusisteis, pusieron** |
| Future | **pondré, pondrás, pondrá, pondremos, pondréis, pondrán** |
| Conditional | **pondría, pondrías, pondría, pondríamos, pondríais, pondrían** |
| Imperfect Subjunctive | **(-ra) pusiera, pusieras, pusiera, pusiéramos, pusierais, pusieran** |
| | **(-se) pusiese, pusieses, pusiese, pusiésemos, pusieseis, pusiesen** |

| Past Participle | **puesto** |
|---|---|
| Imperative | **pon, poned** |

### querer   to wish

| Present Indicative | **quiero, quieres, quiere, queremos, queréis, quieren** |
|---|---|
| Preterite | **quise, quisiste, quiso, quisimos, quisisteis, quisieron** |
| Future | **querré, querrás, querrá, querremos, querréis, querrán** |
| Conditional | **querría, querrías, querría, querríamos, querríais, querrían** |
| Present Subjunctive | **quiera, quieras, quiera, queramos, queráis, quieran** |
| Imperfect Subjunctive | **(-ra) quisiera, quisieras, quisiera, quisiéramos, quisierais, quisieran** |
| | **(-se) quisiese, quisieses, quisiese, quisiésemos, quisieseis, quisiesen** |

(**reír**  *see* p. 323)

### saber   to know

| Present Indicative | **sé, sabes, sabe, sabemos, sabéis, saben** |
|---|---|
| Preterite | **supe, supiste, supo, supimos, supisteis, supieron** |
| Future | **sabré, sabrás, sabrá, sabremos, sabréis, sabrán** |
| Conditional | **sabría, sabrías, sabría, sabríamos, sabríais, sabrían** |
| Present Subjunctive | **sepa, sepas, sepa, sepamos, sepáis, sepan** |
| Imperfect Subjunctive | **(-ra) supiera, supieras, supiera, supiéramos, supierais, supieran** |
| | **(-se) supiese, supieses, supiese, supiésemos, supieseis, supiesen** |

### salir   to go out, leave

| Present Indicative | **salgo, sales, sale, salimos, salís, salen** |
|---|---|
| Future | **saldré, saldrás, saldrá, saldremos, saldréis, saldrán** |
| Conditional | **saldría, saldrías, saldría, saldríamos, saldríais, saldrían** |
| Present Subjunctive | **salga, salgas, salga, salgamos, salgáis, salgan** |
| Imperative | **sal, salid** |

### ser   to be

| Present Indicative | **soy, eres, es, somos, sois, son** |
|---|---|
| Imperfect Indicative | **era, eras, era, éramos, erais, eran** |

| Preterite | fui, fuiste, fue, fuimos, fuisteis, fueron |
| Present Subjunctive | sea, seas, sea, seamos, seáis, sean |
| Imperfect Subjunctive | (-ra) fuera, fueras, fuera, fuéramos, fuerais, fueran |
| | (-se) fuese, fueses, fuese, fuésemos, fueseis, fuesen |
| Imperative | sé, sed |

## tener    to have

| Present Indicative | tengo, tienes, tiene, tenemos, tenéis, tienen |
| Preterite | tuve, tuviste, tuvo, tuvimos, tuvisteis, tuvieron |
| Future | tendré, tendrás, tendrá, tendremos, tendréis, tendrán |
| Conditional | tendría, tendrías, tendría, tendríamos, tendríais, tendrían |
| Present Subjunctive | tenga, tengas, tenga, tengamos, tengáis, tengan |
| Imperfect Subjunctive | (-ra) tuviera, tuvieras, tuviera, tuviéramos, tuvierais, tuvieran |
| | (-se) tuviese, tuvieses, tuviese, tuviésemos, tuvieseis, tuviesen |
| Imperative | ten, tened |

## traer    to bring

| Present Indicative | traigo, traes, trae, traemos, traéis, traen |
| Preterite | traje, trajiste, trajo, trajimos, trajisteis, trajeron |
| Present Subjunctive | traiga, traigas, traiga, traigamos, traigáis, traigan |
| Imperfect Subjunctive | (-ra) trajera, trajeras, trajera, trajéramos, trajerais, trajeran |
| | (-se) trajese, trajeses, trajese, trajésemos, trajeseis, trajesen |
| Present Participle | trayendo |
| Past Participle | traído |

## valer    to be worth

| Present Indicative | valgo, vales, vale, valemos, valéis, valen |
| Future | valdré, valdrás, valdrá, valdremos, valdréis, valdrán |
| Conditional | valdría, valdrías, valdría, valdríamos, valdríais, valdrían |
| Present Subjunctive | valga, valgas, valga, valgamos, valgáis, valgan |
| Imperative | val(e), valed |

venir   to come

| | |
|---|---|
| Present Indicative | **vengo, vienes, viene, venimos, venís, vienen** |
| Preterite | **vine, viniste, vino, vinimos, vinisteis, vinieron** |
| Future | **vendré, vendrás, vendrá, vendremos, vendréis, vendrán** |
| Conditional | **vendría, vendrías, vendría, vendríamos, vendríais, vendrían** |
| Present Subjunctive | **venga, vengas, venga, vengamos, vengáis, vengan** |
| Imperfect Subjunctive | (**-ra**) **viniera, vinieras, viniera, viniéramos, vinierais, vinieran** |
| | (**-se**) **viniese, vinieses, viniese, viniésemos, vinieseis, viniesen** |
| Present Participle | **viniendo** |
| Imperative | **ven, venid** |

ver   to see

| | |
|---|---|
| Present Indicative | **veo, ves, ve, vemos, veis, ven** |
| Imperfect Indicative | **veía, veías, veía, veíamos, veíais, veían** |
| Present Subjunctive | **vea, veas, vea, veamos, veáis, vean** |
| Past Participle | **visto** |

# GLOSSARY OF GRAMMATICAL TERMS

**Active voice:** A construction in which the subject does the action of the verb. *John buys the book.*

**Adjective:** A word that is used to describe a noun: *high* mountain, *interesting* book.

**Adverb:** A word that modifies a verb, an adjective, or another adverb. It answers the questions "Where?" "How?" "When?": He will be *there*. They do it *well*. I will see you *soon*.

**Agree (agreement):** A term generally applied to adjectives. An adjective is said to agree or show agreement with the noun it modifies, when its ending changes in accordance with the gender and number of the noun. In Spanish, a feminine, singular noun, for instance, will require a feminine, singular ending in the adjective that describes it: **camisa blanca;** and a masculine, plural noun will require a masculine, plural ending in the adjective: **zapatos rojos.**

**Apposition:** When a noun or a pronoun is placed after another noun or pronoun in order to explain it, it is said to be in apposition to that noun or pronoun: John Smith, *president* of the company.

**Article:** See *Definite article* and *Indefinite article.*

**Auxiliary verb:** A verb which *helps* in the conjugation of another verb: I *have* spoken. We *will* play. They *were* called.

**Clause:** A group of words that includes at least a subject and a verb and forms part or the whole of a sentence. The following sentence consists of two clauses: We saw the boy *who set fire to the house.*

**Comparison:** The change in the endings of adjectives and adverbs to denote degree. There are three levels of comparison: the *positive* (warm), the *comparative* (warmer), and the *superlative* (warmest).

**Compound tense:** A tense formed by the auxiliary verb *have* and the past participle: *We will have eaten.*

**Conjugation:** The process by which the forms of the verb are given in their different moods and tenses: *I am, you are, he is,* etc.

332

**Conjunction:** A word which serves as a link between words, phrases, clauses, or sentences: *and, but, that, because,* etc.

**Definite article:** A word standing before a noun and indicating a definite person and thing: *The* house.

**Demonstrative:** A word *pointing* to a definite person or object: *this, that, these,* etc.

**Dependent (or subordinate) clause:** A clause which by itself has no complete meaning, but depends on an independent, or principal, clause: I did not know *that he was ill.*

**Dependent infinitive:** An infinitive that follows a verb or, in Spanish, a preposition: He wants *to rest.*

**Diphthong:** A combination of two vowels forming one syllable. In Spanish, a diphthong is composed of one *strong* vowel (**a, e, o**) and one *weak* vowel (**u, i**) or two weak vowels: **ai, oi, ui.** Remember: *U* and *I* are weak, and everyone else is strong.

**Exclamation:** A word used to express emotion: *How* beautiful! *What* grace!

**Finite verb form:** Any form of the verb except the infinitive and the present and past participles.

**Gender:** A distinction of nouns, pronouns, or adjectives, based on sex denoted. In Spanish, there are only two types of nouns, *masculine* and *feminine,* but there are neuter pronouns.

**Gerund:** In English, a noun which is formed from a verb and shows the ending *-ing: Drinking* is bad for the health. In Spanish, the infinitive takes the place of the gerund in this sense. The present participle in Spanish is also called the gerund.

**Indefinite adjective and pronoun:** Words which refer to an indefinite person or thing. Important indefinite adjectives are *any* and *some,* and important indefinite pronouns are *somebody, someone, nobody,* and *no one.*

**Indefinite article:** A word standing before a noun and indicating an indefinite person or object: *A* man, *an* article.

**Independent (or principal) clause:** A clause which has complete meaning by itself: *I shall tell it to him* when he comes.

**Infinitive:** The form of the verb generally preceded in English by the word *to* and showing no subject or number: *to speak, to sleep.*

**Interrogative:** A word used in asking a question: *Who? What? Which?*

**Intransitive verb:** A verb which cannot have a direct object: The man *goes* away.

**Modify:** To describe a noun, adjective, or adverb, or the action expressed by the verb: A *good* man (adj.), he drives *poorly* (adv.).

**Mood:** A change in the form of the verb, showing the manner in which its action is expressed. There are three moods: *indicative, subjunctive,* and *imperative.*

**Nonrestrictive clause:** A clause which is not essential to the meaning of a sentence and is generally set off from the rest of the sentence by commas: My friend Joe, *who has just returned from Europe,* will come to see me tomorrow.

**Noun:** A word that names a person, place, thing, etc.: *Henry, Paris, table,* etc.

**Number:** Number refers to *singular* and *plural.*

**Object:** Generally a noun or a pronoun that is the receiver of the verb's action. A direct object answers the question "What?" or "Whom?": I see *him.* Do *it.* An indirect object answers the question "To whom?" or "To what?": Give *Mary* the ball. Nouns and pronouns can also be objects of prepositions: This book is *for Mary.* He was speaking *of you.*

**Passive voice:** A construction in which the subject receives the action of the verb: *The window was broken by Charles.*

**Past participle:** That form of the verb having in English the endings *-ed, -t, -en,* etc. (*raised, wept, eaten,* etc.), and in Spanish, usually the ending **-do (hablado).**

**Person:** The form of the pronoun and of the verb that shows the person referred to. There are three persons: *I, we, me, us, mine, our,* etc. (first person); *you, thou, your,* etc. (second person); *he, she, it, they, him, her, their,* etc. (third person). In Spanish, the polite forms **Ud.** and **Uds.** (*you*) are in the third person.

**Phrase:** A group of two or more words used together to form a part of speech, but not containing a subject and verb. Most phrases are introduced by prepositions: They stayed *in the hotel.*

**Possessive:** A word that denotes ownership or possession: *My* hat is bigger than *hers.*

**Predicate:** That part of a sentence which contains the verb and states something about the subject: The students of this class *have been studying very hard.*

**Predicate adjective:** An adjective which is used after many verbs of being (*to be, to seem, to become,* etc.) and which describes the subject: My friend is *poor.*

**Predicate noun:** A noun which is used after a number of intransitive verbs (*to be, to seem, to become,* etc.) and which is the equivalent of the subject: That man is an engineer.

**Preposition:** A word that introduces a noun, pronoun, adverb, infinitive, or present participle, and which indicates their function in the sentence. The group of words so introduced is known as a prepositional phrase: I plunged *into the water.*

**Present participle:** In English, an invariable verb form ending in *-ing;* They were *singing.* It may also be used as an adjective or a noun: The *singing* birds. *Singing* is fun. In Spanish, the present participle may be used only as a verb.

**Pronoun:** A word that is used to replace a noun: *he, us, them,* etc. A subject pronoun refers to the person or thing that is spoken of: *He* eats. *It* is beautiful. An *object pronoun* receives the action of the verb: He sees *us* (direct object pronoun). He spoke to *them* (indirect object pronoun).

A pronoun can also be the object of a preposition: They went with *me*.

**Reflexive pronoun:**  A pronoun that refers back to the subject: *myself*, *yourself*, *himself*, etc. A reflexive pronoun is the object of a verb (he punished *himself*) or of a preposition (I prepared it for *myself*).

**Relative pronoun:**  A pronoun that introduces a dependent clause and refers back to a previously mentioned noun: I saw the man *who* did it. In this sentence the antecedent is the word *man*.

**Restrictive clause:**  A clause that is essential to the meaning of the whole sentence and cannot be dispensed with. I asked for the room *which I had occupied two years before*.

**Simple tense:**  A tense which is not formed with the auxiliary verb *to have*: I *go*, we *saw*, etc.

**Subject:**  The person, place, or thing that is spoken of: *John* sleeps, The *tree* is old.

**Subordinate clause:**  See *Dependent clause*.

**Superlative:**  See *Comparison*.

**Tense:**  The group of forms in a verb which serves to show the time in which the action of the verb takes place.

**Transitive verb:**  A verb that may have a direct object: Henry *eats* the apple.

**Verb:**  A word that expresses an action or a state: He *works*. The rose *is* red. In Spanish, *regular* verbs follow a set pattern in which the stem (the infinitive minus the ending) remains unchanged (except for a *patterned* change in the case of radical changing verbs) and only the endings show a change determined by the person and the tense. *Irregular* verbs show deviations from the set pattern in the stem as well as in the endings. In *radical changing* verbs the stem vowel changes when *stressed* or in certain other situations, but a systematic pattern is always followed. The endings are regular.

# NUMBERS, NAMES, AND GENDER

## CARDINAL NUMBERS

| | | | |
|---|---|---|---|
| 0 | cero | 18 | dieciocho (diez y ocho) |
| 1 | uno (*m.*), una (*f.*) | 19 | diecinueve (diez y nueve) |
| 2 | dos | 20 | veinte |
| 3 | tres | 21 | veintiuno, -a (veinte y uno, -a) |
| 4 | cuatro | 22 | veintidós (veinte y dos) |
| 5 | cinco | 23 | veintitrés (veinte y tres) |
| 6 | seis | 24 | veinticuatro (veinte y cuatro) |
| 7 | siete | 25 | veinticinco (veinte y cinco) |
| 8 | ocho | 26 | veintiséis (veinte y seis) |
| 9 | nueve | 27 | veintisiete (veinte y siete) |
| 10 | diez | 28 | veintiocho (veinte y ocho) |
| 11 | once | 29 | veintinueve (veinte y nueve) |
| 12 | doce | 30 | treinta |
| 13 | trece | 31 | treinta y uno, -a[1] |
| 14 | catorce | 40 | cuarenta |
| 15 | quince | 50 | cincuenta |
| 16 | dieciséis (diez y seis) | 60 | sesenta |
| 17 | diecisiete (diez y siete) | 70 | setenta |

[1] Above 29, the one-word forms are not used.

| | |
|---|---|
| 80 **ochenta** | 1100 **mil ciento** |
| 90 **noventa** | 1200 **mil doscientos, -as** |
| 100 **ciento (cien)** | 2000 **dos mil** |
| 101 **ciento uno, -a** | 100,000 **cien mil** |
| 110 **ciento diez** | 200,000 **doscientos, (-as) mil** |
| 200 **doscientos, -as** | 1,000,000 **un millón** |
| 300 **trescientos, -as** | 2,000,000 **dos millones** |
| 400 **cuatrocientos, -as** | 5,637,215 **cinco millones** |
| 500 **quinientos, -as** | **seiscientos (-as)** |
| 600 **seiscientos, -as** | **treinta y siete mil** |
| 700 **setecientos, -as** | **doscientos (-as)** |
| 800 **ochocientos, -as** | **quince** |
| 900 **novecientos, -as** | |
| 1000 **mil** | |

Note that **uno** becomes **un** before a masculine noun; that **ciento**, which in the plural shows agreement in gender, becomes **cien** before a noun and before **mil** and **millones**; that **millón** is a masculine noun preceded in the singular by the indefinite article and followed by the preposition **de** before a following noun.

> **treinta y un libros**   thrity-one books
> **ciento dos[2] mesas**   one hundred and two tables
> **cien mujeres**   one hundred women
> **cien mil hombres**   one hundred thousand men
> **trescientas treinta copias**   three hundred and thirty copies
> **un millón de habitantes**   one million inhabitants

Beyond nine hundred the form **mil** must be used:

| | |
|---|---|
| **mil novecientos cincuenta y siete** | Nineteen (hundred) fifty-seven |
| **Gana tres mil seiscientos dólares al año.** | He earns thirty-six hundred dollars per year. |

## ORDINAL NUMBERS

| | | | |
|---|---|---|---|
| 1st | **primer(o), -a** | 6th | **sexto, -a** |
| 2nd | **segundo, -a** | 7th | **séptimo, -a** |
| 3rd | **tercer(o), -a** | 8th | **octavo, -a** |
| 4th | **cuarto, -a** | 9th | **noveno, -a** |
| 5th | **quinto, -a** | 10th | **décimo, -a** |

Note that **primero** and **tercero** drop the **o** before a masculine singular noun, that with dates of the month only **primero** may be used, and that beyond **décimo** cardinal numbers are generally used.

[2] Note the omission of **y**.

**el primer soldado**   the first solider
**el tercer presidente**   the third president
**el primero de abril**   April first
**el dos de marzo**   March second
**la Quinta Avenida**   Fifth Avenue
**la Calle Ochenta y Seis**   Eighty-Sixth Street
**Carlos Tercero**[3]   Charles the Third
**Alfonso Doce**   Alfonso the Twelfth

When the ordinal number has a descriptive function, it precedes the noun. When its purpose is to distinguish one thing from another, it follows the noun.

# FRACTIONS

Through *tenth*, ordinal numbers are used, except in the case of *half* and *third*, where **medio** and **tercio** are used respectively. **Medio,** used with a noun, is an adjective[4] and therefore shows agreement. No article appears before it, nor before the accompanying noun. Above *tenth*, **-avo** is usually added to the cardinal number, though there are some irregular forms. The feminine noun **mitad,** which is preceded by the article **la** and followed by the preposition **de** before a noun, is used to indicate half of a definite amount.

**un medio**   one-half
**dos tercios**   two-thirds
**tres cuartos**   three-fourths
**un octavo**   one-eighth
**un décimo**   one-tenth
**siete quinzavos**   seven-fifteenths

**un décimosexto**   one-sixteenth
**un décimonono**   one-nineteenth
**un veintavo**   one-twentieth
**media taza**   half a cup
**hora y media**   an hour and a half
**la mitad de sus discos**   half of his records

**La tercera parte, la quinta parte, la décima parte**, etc. may be used when the upper numeral of the fraction is *one*: one-third, one-fifth, one-tenth, etc.

# TIME OF DAY

Time of day is expressed by the cardinal numbers preceded by the article **la (las).** The verb *to be* is translated by **ser.**

**¿Qué hora es?**   What time is it?
**¿Qué hora era?**   What time was it?
**Es la una.**   It is one o'clock.
**Son las dos.**   It is two o'clock.
**Era la una.**   It was one o'clock.

---

[3] Note the omission of the definite article with titles of royalty, rulers, etc.
[4] **Medio** can also be used as an adverb: **No estaba más que medio despierto.** *He was only half-awake.*

| | |
|---|---|
| **Eran las cinco.** | It was five o'clock. |
| **Es la una y cuarto.** | It is a quarter past one. |
| **Son las tres y media.** | It is half-past three. |
| **Eran las nueve menos cuarto.** | It was a quarter to nine. |
| **Eran las ocho y veinte.** | It was twenty past eight. |
| **Son las diez menos diez.** | It is ten to ten. |
| **A las siete en punto** | At seven o'clock sharp |
| **A las diez de la mañana** | At ten o'clock in the morning |
| **A las cuatro de la tarde** | At four o'clock in the afternoon |
| **A las once de la noche** | At eleven o'clock at night |
| **A mediodía** | At noon |
| **A medianoche** | At midnight |

## DAYS OF THE WEEK

**lunes**  Monday  
**martes**  Tuesday  
**miércoles**  Wednesday  
**jueves**  Thursday  

**viernes**  Friday  
**sábado**  Saturday  
**domingo**  Sunday  

**el lunes**  on Monday  
**los jueves**  on Thursdays

## MONTHS OF THE YEAR

**enero**  January  
**febrero**  February  
**marzo**  March  
**abril**  April  
**mayo**  May  
**junio**  June  

**julio**  July  
**agosto**  August  
**se(p)tiembre**  September  
**octubre**  October  
**noviembre**  November  
**diciembre**  December  

**el primero de febrero**  February 1st  
**el dos de marzo**  March 2nd  
**el diecisiete de junio**  June 17th

## SEASONS

**la primavera**  spring  
**el verano**  summer  
**el otoño**  fall  
**el invierno**  winter

# GENDER

All nouns in Spanish are either masculine or feminine. There are no neuter nouns.

A. Masculine nouns

The following types of nouns are generally masculine.

1. Nouns that refer to a masculine person

| | |
|---|---|
| **el hijo**   the son | **el padre**   the father |
| **el dentista**   the dentist | **el policía**   the policeman |

2. Nouns ending in **o**

**el fonógrafo**   the phonograph  **el suelo**   the floor

The most common exception is

**la mano**   the hand

3. Certain nouns (of Greek origin) ending in **-ma, -ta, -pa**

| | |
|---|---|
| **el mapa**   the map | **el poeta**   the poet |
| **el clima**   the climate | **el sistema**   the system |
| **el programa**   the program | **el déspota**   the despot |

4. Infinitives used as nouns

| | |
|---|---|
| **El vivir aquí cuesta mucho.** | Living here costs a great deal. |
| **El comer demasiado es peligroso.** | Eating too much is dangerous. |

B. Feminine Nouns

The following categories are generally feminine.

1. Nouns that refer to a female being

| | |
|---|---|
| **la mujer**   the woman | **la escritora**   the writer |
| **la emperatriz**   the empress | **la artista**   the artist |

2. Nouns ending in **-a,** except if they refer to a male being

| | |
|---|---|
| **la barba**   the beard | **la ropa**   the dress |
| **la mejilla**   the cheek | **la periodista**   the newspaper-woman |

The most important exceptions to this rule are the Greek nouns ending in **-ma, -pa, -ta,** referred to above and **el día**   the day.

Note also that **la persona** and **la víctima** are always feminine, even when referring to male beings. Nouns ending in **-ista** are either masculine or feminine, according to the person to whom they refer.

**el turista, la turista**   the tourist

**el artista, la artista**   the artist

3. All nouns ending in **-ción, -tad, -dad, -tud,** and **-umbre,** and most nouns that end in **-ie** and **-ión**

The endings **-ción** and **-ión** correspond regularly to the English *-tion* and *-ion,* **-dad** and **-tad** to the English *-ty* and **-tud** to the English *-tude.*

| | | |
|---|---|---|
| **la nación**  the nation | **la libertad**  liberty |
| **la unión**  the union | **la multitud**  the multitude |
| **la ciudad**  the city | **la costumbre**  the custom |
| **la serie**  the series | |

## PLURAL OF NOUNS

Nouns are made plural by adding **-s** to a final vowel, **-es** to a final consonant or to a stressed final **-í** or **-ú.** Nouns that end in **-z** change the **-z** to **-c** before **-es.**

| | |
|---|---|
| **casa, casas** | **rubí, rubíes** |
| **mujer, mujeres** | **lápiz, lápices** |
| **lección, lecciones** | **bambú, bambúes** |

Notice that the addition of another syllable often makes the accent mark on the singular form unnecessary.

# PUNCTUATION, CAPITALIZATION, AND SYLLABICATION

## PUNCTUATION AND CAPITALIZATION

**1.** An inverted question mark is placed at the beginning of the interrogative part of the sentence and an inverted exclamation point is placed at the beginning of the exclamatory part of the sentence:

| | |
|---|---|
| **¿Cómo está Ud.?** | How are you? |
| **Es buen estudiante, ¿verdad?** | He is a good student, isn't he? |
| **¡Por Dios!** | For Heaven's sake! |
| **Está vivo, ¡gracias a Dios!** | He is alive, thank God! |

**2.** Instead of quotation marks, a dash is generally used in Spanish to indicate a change of speaker in a dialogue:

| | |
|---|---|
| **—¿Cuánto valen estos zapatos, señor García?** | "How much are these shoes, Mr. García?" |
| **—Se los dejo en diez pesos.** | "I'll let you have them for ten pesos." |

**3.** In Spanish, the names of languages, nationalities, days of the week, and months are not capitalized. The names of countries *are.*

| | |
|---|---|
| **Hablamos francés.** | We speak French. |
| **Es un escritor alemán.** | He is a German writer. |
| **La reunión tendrá lugar (el) viernes, el dieciséis de marzo.** | The meeting will take place on Friday, March 16th. |

*But:*

| | |
|---|---|
| **La reina de Inglaterra...** | The Queen of England ... |

**4.** **Usted(es)**, **señor(es)**, and **don** are capitalized only when abbreviated.

| | |
|---|---|
| **Siéntese Ud. (usted).** | Sit down. |
| **Muy señores míos:** | Dear Sirs: |
| **Buenos días, Sr. Blanco.** | Good morning, Mr. Blanco. |
| **Acabo de hablar con D. Fernando Plaza.** | I have just spoken with Don Fernando Plaza. |
| **¿Has visto ya a don Enrique?** | Have you seen Don Enrique yet? |

**5.** Accent marks need not appear on capital letters. The *tilde*, however, because it signals a separate letter, cannot be deleted from capitals.

MEJICO, ESPAÑA                    Mexico, Spain

## SYLLABICATION

**1.** A single consonant, including the combinations **ch, ll, rr,** must go with the following vowel: **pa-lo-ma, ca-ba-llo, mu-cha-cho.**

**2.** Consonant groups between vowels are usually separated: **cas-ta, sal-do, mar-ca.**

**3.** If the second consonant is **l** or **r,** the combination cannot usually be separated: **Pa-blo, po-tro, o-tra.**

**4.** In groups of more than two consonants, only the last consonant (or inseparable combination of consonant followed by **l** or **r**) goes with the next vowel: **cons-tan-te, des-pren-der, den-tro.**

# VOCABULARIES

Spanish–English
English–Spanish

The gender of all nouns, except masculine nouns ending in -o and feminine nouns ending in -a, or nouns that refer to a masculine or feminine person, is indicated by *m*. or *f*. Parts of speech are abbreviated as follows: *n*. noun; *v*. verb; *adj*. adjective; *adv*. adverb; *conj*. conjunction; *prep*. preposition; *pron*. pronoun; *refl*. reflexive; *part*. participle; *rel*. relative; *dem*. demonstrative. Radical changing verbs are followed by the change that the verb undergoes placed in parentheses. Thus: **perder (ie), pedir (i), contar (ue).** Irregular verbs that appear in full in the verb reference guide are marked with an asterisk. Verbs derived from these are also marked with an asterisk. Thus: **\*componer, \*detener.** The conjugation of verbs ending in **-ducir** may be found under **conducir.** Thus: **\*producir, \*traducir.** Verbs of the types of **huir** and **conocer,** and those that have a change in accentuation are followed by the ending of the first person singular of the present indicative placed in parentheses. Thus: **destruir (uyo), merecer (zco), enviar (ío).** Spelling-changing verbs show the affected consonant in italics: **co*g*er, sa*c*ar.** The Spanish-English vocabulary includes all verbs and idioms that appear in the reading passages and exercises, except for exact or close cognates. The English-Spanish vocabulary includes all words and idioms that are used in the exercises.

# SPANISH–ENGLISH VOCABULARY

## A

**a** to; at
**abandonar** to leave; abandon, give up
**abierto** open, opened
**abismo** abyss
**abogado** lawyer
**abrigo** (over)coat
**abuelo** grandfather
**acabar** to finish; **— de** (+ *infin.*) to have just (*present and imperfect only*)
**acaramelados** engrossed in each other
**acaso** perhaps
**acceso** access, approach
**acción** *f.* action; effect; share (of stock)
**acechar** to waylay, ambush
**aceptar** accept
**acercar(se)** to approach
**acero** steel
**acompañar** to accompany
**aconsejar** to advise
**acostar(se) (ue)** to lie down, go to bed
**acreditar** to accredit; enhance
**actitud** *f.* attitude
**actual** present, current
**actuación** *f.* conduct, action
**actuar (úo)** to act
**acudir** to hasten
**acuerdo** agreement; ***estar de —** to agree
**adentro** inside, within; **tierra —** inland
**adhesión** *f.* adherence
**adivino** fortuneteller
**adquisición** *f.* acquisition
**advenimiento** advent
**aéreo** aerial
**afectivo** emotional
**afecto** affection
**afectuoso** affectionate
**afeitar(se)** to shave
**afirmar** to state, affirm
**afueras** *f. pl.* suburbs, outskirts
**agitado** upset; rough (sea)
**agradable** pleasant
**agua** water
**aguja** needle
**ahí** there (near you)
**ahora** now
**al** + *infin.* upon or in (doing something)
**ala** wing

**alamares** *m. pl.* bullfighter's adornments
**alargar(se)** to stretch out, extend
**alcoba** bedroom
**alegar** to allege
**alcaldesa** mayor's wife
**alcanzar** to reach; attain
**alegrarse (de)** to be happy
**alegría** joy
**alejarse** to go away, move off
**alemán** German
**alfombra** rug
**algo** something; **en —** in some way, to some extent; **— de** a little bit of
**algodón** *m.* cotton
**algún (alguno, a, os, as)** some
**aligerar** to hold up (*colloq.*)
**alimenticio** *adj.* (referring to) food
**alma** soul
**almacén** *m.* store; warehouse
**almorzar** to have lunch
**alto** tall; high; loud; **en voz alta** aloud
**altura** height
**aluminio** aluminum
**alumno** student
**alunizar** to land on the moon
**allí** there
**amable** nice (a person)
**amarillo** yellow
**ambicionar** to hope to
**amado** beloved
**amargamente** bitterly
**amargo** bitter
**Amazonas** *m. sing.* Amazon
**ambiente** *m.* atmosphere
**ambulante** *n.* ambulance attendant
**amenaza** threat
**amenazar** to threaten
**amigo** friend
**amistad** *f.* friendship
**amor** *m.* love
**ampliar(ío)** to amplify, enlarge; extend
**amplio** ample; full
**analfabeto** illiterate
**andaluz** Andalusian
***andar** to walk (about); go
**anciano** aged
**angustia** anguish
**animar** to animate
**aniquilamiento** annihilation

347

**anoche**  last night
**ante**  before; faced with
**anteriormente**  previously
**antes** *adv.*  before(hand); — **de** *prep.*
  before; — **de que** *conj.* before
  (+ *clause*)
**antiguo**  old; ancient; former
**anunciar**  to announce
**anuncio**  announcement; — **comercial**
  or **publicitario**  advertisement
**añadir**  to add
**año**  year
**apagar**  to turn off or out; extinguish
**aparato**  apparatus, machine; vehicle;
  plane
**aparecer (zco)**  to appear
**apasionado**  passionate, ardent
**apasionar**  to excite, impassion
**apenas**  hardly
**aplazar**  to postpone
**aplicar**  to apply
**apoderado**  (bullfighter's) manager
**apoyo**  support
**aprender (a)**  to learn (to)
**aprendizaje** *m.*  apprenticeship
**aprobar (ue)**  to approve
**apropiado** *adj.*  appropriate
**aprovechado**  outstanding
**aprovechar**  to take advantage of
**apto**  apt; pertinent
**aquel (aquella, os, as)**  that; those
  (yonder)
**aquello**  that (neuter)
**aquí**  here; **por —**  around here
**aeródromo**  airport
**árbol** *m.*  tree
**arqueólogo**  archeologist
**arreglar**  to arrange; fix
**arrepentirse (ie)**  to repent
**arriba**  above; upstairs
**arroz** *m.*  rice
**artículo**  article
**asaltar**  to assault, attack
**asalto**  assault
**ascender (ie)**  to rise up to, reach
**asegurador**  insuring; **compañía —a**
  insurance company
**asegurar**  to assure; say for certain
**asemejarse**  to resemble
**asequible**  within the grasp (of)
**asesinato**  murder; assassination
**así**  thus; so; this way; — **que**  as soon
  as; so (+ *clause*)
**asignatura**  course, subject
**asistir a**  to attend
**astro**  star; male movie star

**astrólogo**  astrologist
**asunto**  matter
**asustar**  to frighten
**atormentar**  to torment
**atracador**  holdup man, robber
**atraco**  holdup
**atractivo** *n.*  charm
**atrás**  behind
**aumentar**  to increase
**aun**  even
**aún**  still
**aunque**  although; even though
**ausente** *adj.*  absent; *n.*  absentee, absent person
**autobús** *m.*  bus
**autodeterminación**  self-determination
**automovilista**  driver
**aventurar(se a)**  to risk
**avanzar**  to advance
**averiguar (güe)**  to ascertain
**avión** *m.*  airplane; **en** *or* **por —**  by
  plane
**avioneta**  small plane
**avisar**  to advise; warn
**ayer**  yesterday
**ayuda** *n.*  help
**ayudar**  to help
**azotar**  to last
**azúcar** *m.*  sugar
**azul**  blue

## B

**bachillerato**  Bachelor's degree
**bailar**  to dance
**bajar**  to lower; go down
**bajo** *adj.*  low; short (in height); *prep.*
  under
**bandido**  bandit
**banquero**  banker
**baño**  bath
**baratija**  trinket
**barato**  cheap(ly)
**barba**  beard
**barco**  ship
**barrer**  to sweep
**barrio**  district, neighborhood
**basar**  to base
**base** *f.*  base; basis
**bastante**  enough, quite, rather
**beber**  drink
**bebida** *n.*  drink
**beca**  scholarship
**béisbol** *m.*  baseball
**bello**  beautiful (*poetic*); **bellas artes**
  fine arts

\*ben*decir*  to bless
**bien**  well; **Está —.**  All right.
**bolsa**  purse
**bolsillo**  pocket
**bolso**  purse
**bombilla**  light bulb
**bordo: a —**  on board
**bosque** *m.*  forest
**botar**  to launch
**botella**  bottle
**botín** *m.*  booty, loot
**botijo**  jug, pitcher
**brasileño**  Brazilian
**brecha**  gap; **abrir una —**  make an
  inroad
**brillante** *adj.*  brilliant; shining; *m.*
  diamond
**brillo**  glow, shine
**broche** *m.*  broach
**broma**  joke
**bronceado**  bronzed, suntanned
**buen(o)**  good
**bufanda**  scarf
**burlar**  to trick, fool; **—se de**  to make
  fun of
**busca**  search
**bus**car  to look for

## C

**caballo**  horse
\***caber**  to fit; **No cabe duda (de)...**
  There is no doubt . . .
**cabeza**  head
**cacería**  hunt
**cada**  each, every; **— vez más**  more
  and more
\***caer**  to fall; **—se**  to fall down
**café** *m.*  coffee; cafe
**caja**  box, crate
**cajón** *m.*  drawer
**calcetín** *m.*  sock
**calidad** *f.*  quality
**caliente**  hot
**calificar (de)**  to classify, consider (as)
**calificativo**  term, name
**calor** *m.*  heat, warmth; **hacer —**  to
  be warm (out); **tener —**  to be (feel)
  warm
**caluroso**  heated (*fig.*)
**callar(se)**  to hush; stop talking
**calle** *f.*  street
**cama**  bed
**cambiar**  to change; exchange
**cambio**  change; **en —**  on the other
  hand

**camino**  road; **— de**  on the way to
**camión** *m.*  truck
**camisa**  shirt
**campo**  field; country (*opp. of* city);
  **casa de —**  summer house
**canción** *f.*  song
**cansado**  tired
**cansador**  tiring
**cansar(se)**  to tire (oneself); get tired
**cantar**  to sing
**cantidad** *f.*  amount
**capaz**  capable
**capítulo**  chapter
**capuchino**  Capuchin monk
**cara**  face; **tener mala —**  to look bad
**carne** *f.*  meat
**carrera**  career; profession; race
**carretera**  highway; road
**carroza**  carriage
**carta**  letter
**cartel** *m.*  sign; poster
**cartelito: — del precio**  price tag
**cartera**  wallet
**casa**  house; **a —**  (to) home; **en —**
  at home
**casamiento**  marriage; wedding
**casar(se con)**  to marry
**casi**  almost
**caso**  case; **en — de que**  in case
**castellano**  Castilian
**castigar**  to punish
**caucho**  rubber
**causa**  cause; (law) case; demand
**cautela**  caution
**cautiverio**  captivity
**cazador**  hunter
**cazar**  to hunt
**celebrar**  to take place; celebrate
**cenicero**  ashtray
**censura**  censure, reprimand
**centavo**  cent
**centro**  center; middle; city
**cepillar**  to brush
**cerca** *adv.*  near(by); **— de** *prep.*  near;
  nearly
**cercanías** *f. pl.*  outskirts
**cerco**  siege; enclosing circle
**cerrar (ie)**  to close
**cerro**  hill
**certero**  sure, accurate
**cerveza**  beer
**ciego**  blind
**cien(to)**  one hundred; **por —**  percent
  **al seis por —**  at six percent
**ciencia**  science
**cincuenta**  fifty

**científico** scientific
**cierto** certain; a certain
**cigarrillo** cigarette
**cine** *m.* movies; movie theater
**circo** circus
**círculo** circle
**cirugía** surgery; — **estética** plastic surgery
**cirujano** surgeon
**citar** to cite; quote
**ciudad** *f.* city
**claridad** *f.* clarity
**claro** clear; fair (light); ¡**Claro está!** Of course!
**clase** *f.* class; classroom; class, kind, type
**clínica** doctor's office; clinic
**cobrar** to charge
**cobre** *m.* copper
**coche** *m.* car
**cocinar** to cook
**coger** to catch
**coleta** (hair) queue; **cortarse la —** to leave the bullfighting profession
**colina** hill
**colocar** to place
**collar** *m.* necklace
**comer** to eat; — **se** eat up
**cometer** to commit; — **una falta** to do wrong
**como** as; like
¿**Cómo?** How? What did you say?
**comparación** *f.* comparison
**comparar** to compare
**compensar** to compensate
**complacencia** complacency
**complementario** additional
**comportarse** to behave
**compra** purchase
**comprador** purchaser
**comprar** to buy
**comprobar** (ue) to prove
**compromiso** engagement
**compuesto** compound
**común** common
**comunicado** communiqué
**con** with
**concluir** (uyo) to conclude
**concurrir a** to attend
**condenar** to sentence; condemn
**condición** *f.* condition (*often pl.*); quality, trait
\***conducir** to lead
**confiar** (ío) to confide; trust
**confirmar** to confirm
**conformación** *f.* conformation, shape

**conocer** (zco) to know (a person); to be familiar or acquainted with; (*preterite*) met
**conocimiento** knowledge (*often pl.*); consciousness
**conque** so (+ *clause*)
**conquistar** to conquer
**consagrar** to uphold; consecrate
**conseguir** (i) to obtain, get
**consejo(s)** advice
**conservador** conservative
**consigo** with him(self)
**consistir** (en) to consist (of)
**consolar** (ue) to console
**construir** (uyo) to construct
**consumidor** consumer
**contar** (ue) to count; tell, relate; — **con** to count on; have
**contemplar** to contemplate
**contemporáneo** contemporary
\***contener** to contain
**contertulio** person present at a social gathering
**contestar** to answer
**continuar** (úo) to continue
**continuamente** continually
**contra** against
\***contraer** to contract; — **matrimonio** marry
**contrariedad** *f.* reverse
**contratiempo** reverse, upset; disappointment
**contrato** contract
**contribuir** (uyo) to contribute
**convencer** (a) to convince
\***convenir** to be suitable, wise, fitting
**convertir** (ie) to convert; —**se en** to become
**convento** convent; monastery
**copa** goblet, glass; (a) drink
**corbata** tie
**corona** crown
**corrector(a)** corrective
**correo** mail
**Correos** the Post Office
**corrida** bullfight
**cortar** to cut; cut off
**corte** *f.* court
**corto** short (in length)
**cosa** thing
**cosecha** crop
**coser** to sew
**costar** (ue) to cost; — **trabajo** to be difficult
**costilla** rib
**costumbre** *f.* custom

**crear** to create
**crecer (zco)** to grow
**creciente** increasing; growing
***creer** to believe
**criada** maid, servant
**criadero** animal farm; kennel
**criado** servant
**cristalizarse** to come to a head
**criticar** to criticize
**crueldad** *f.* cruelty
**cuaderno** notebook
**cuadro** picture; painting
**¿Cuál?** Which?
**cualquier(a)** any; anyone (at all)
**cuanto** all that; **en —** as soon as
**¿Cuánto (a, os, as)?** How much?
How many? **¿Cuántos años tiene
Ud.?** How old are you?
**cuarenta** forty
**cuarto** fourth; quarter; room
**cubierto (de)** covered (with)
**cubrir** (*past part.* **cubierto**) to cover
**cuello** neck; collar
**cuando** when; **de vez en —** from
time to time
**¿Cuándo?** When?
**cuantioso** large; numerous
**cuenta** bill; account; **darse — de** to
realize; **por su —** on his (your) own
**cuerna** horns
**cuerpo** body
**cuidado** care; carefulness; **con —**
carefully
**cuidar (de)** to take care (of); care (for);
**—se** to be careful
**culpa** guilt
**cumplir** to complete; fulfill
**cuneta** roadside ditch

## CH

**chaqueta** jacket
**charla** speech, talk
**chico** *n.* boy; *adj.* small
**chiquitín** *adj.* very small
**chisme(s)** *m.* (*pl.*) gossip, stories
**chocar** to shock; collide
**choza** hut
**chuleta(s)** cribbing, cheating (*colloq.*)

## D

**dado que** granted that
**dañar** to injure
**daño** damage; **hacer —** to hurt;
**daños y perjuicios** damages (law)

***dar** to give; to hit (the mark); **— a
conocer** to reveal; **— media vuelta**
turn half around; **miedo** frighten; **—
muerte** kill; **— un paso** take a
step; **— una vuelta** take a ride,
walk, turn, etc.; **—se cuenta de** realize
**de** of; from; since; as; **— muchacho,
— niño** as a boy; **— repente**
suddenly
**deber** to be obliged to; should, ought
to; *m.* duty
**decepción** *f.* deception; disappointment
**decidir(se a)** to decide (to)
***decir** to say; tell; **oír — a alguien**
to hear (someone) say; **querer —** to
mean, imply
**declarado** open, overt
**declarar** to declare
**declinarse** to be declined (a word)
**dedicar** to dedicate
**definido** definite
**dejar** to let, allow; leave (behind); **— de**
to stop (doing something); to fail to
**delgado** thin; slim
**demás: lo —** the rest (what is left);
**los, las —** the rest, the others
**demasiado** *adv.* too much; *adj.* too
much; *pl.* too many
**demorar** to delay; **—se** take a long
time
**demostrar (ue)** to show, demonstrate
**dentro** *adv.* inside, within; **— de** *prep.*
inside, within
**denunciar** to inform of
**depender (de)** to depend (on)
**deportivo** sporting, athletic
**derecho** *adj.* right; *n.* right, privilege;
law profession
**derribar** to knock down; overthrow
**derrota** defeat
**desangrar(se)** to bleed
**desaparecer (zco)** to disappear
**desparramado** scattered
**desarrollar(se)** to develop
**desarrollo** development
**desayunar(se)** to eat breakfast
**descubrimiento** discovery
**descubrir** (*past part.* **descubierto**) to
discover
**desde** *prep.* from; since; **— que** *conj.*
since (time)
**desear** to desire; wish
**desempeñar** to fill (a job, etc.); **— un
papel** to play a role

**desgracia** misfortune
**desgraciado** unfortunate
**desheredar** to disinherit
**despacho** office
**despegar** to take off (a plane)
**despellejar** to skin alive (*fig.*)
**después** *adv.* after(wards), later; **— de** *prep.* after; **— de que** *conj.* after (+ *clause*)
**despertar(se) (ie)** to awaken
**desprestigiar** to take down (a reputation)
**destacado** outstanding
**destinar** to destine
**destino** destiny, fate; **punto de —** fate, outcome
**destruir (uyo)** to destroy
**desván** *m.* attic
**detalle** *m.* detail
***detener** to stop; arrest; **—se** stop
**determinado** a certain; determined
**determinar** to determine
**devolver (ue)** (*past part.* **devuelto**) to return (something), give back
**día** *m.* day; **hoy (en) —** nowadays
**diario** *adj.* daily; **a —** each day; *n.* newspaper
**dibujante** artist, sketcher
**dibujar** to draw
**dibujo** sketch
**dicho** aforesaid
**diecinueve** nineteen
**diente** *m.* tooth
**diez** ten
**diferenciar(se)** to differ
**difícil** difficult; unlikely
**diluvio** flood, deluge
**dinero** money
**diputado** delegate
**dirección** *f.* address; direction
**director** principal; director
**dirigir** to direct; **—se (a)** address; go toward
**disco** (phonograph) record
**discurso** speech
**discutir** to discuss; argue
**disgusto** unpleasantness
**disparo** shot; **hacer un —** fire a shot
**dispuesto** ready; willing
**distar** to be distant
**distinguir** to distinguish
***distraerse** to amuse oneself
**divertirse (ie)** to enjoy oneself; have a good time
**dolor** *m.* pain

**dolorido** sorrowful
**domingo** Sunday
**dominar** to dominate
**donde** where
**¿Dónde?** Where?
**dorado** golden; gilded
**dormir (ue)** to sleep; **—se** to fall asleep
**droga** drug
**duda** doubt
**dudar** to doubt
**dudoso** doubtful
**dueño (a)** owner
**durante** during, for (a period of time)
**durar** to last

### E

**e** and (*before words beginning with* **i** *or* **hi**)
**edad** *f.* age
**edificar** to construct
**edificio** building
**editar** to publish
**efectivamente** in fact
**eficaz** effective
**egoísta** selfish
**ejemplo** example
**ejercicio** exercise; **realizar —s** answer exam questions
**elegir (i)** to elect; choose
**elogiar** to praise
**embargo: sin —** nevertheless, however
**emisor** *m.* sending apparatus, transmitter
**emitir** to issue; emit
**emocionar** to excite
**emperador** emperor
**empleado** employee
**emplear** to employ; use; **—se** to be used
**emprender** to undertake
**empresa** company; undertaking, job
**en** in; at (a certain place)
**enamorado** *n.* lover; *adj.* **— (de)** in love (with)
**enamorarse de** to fall in love with
**encontrar (ue)** to find; meet; **—se con** to happen upon
**encuesta** poll
**enemigo** enemy
**enérgico** energetic
**enfadar** to anger; **—se** get angry
**enfermedad** *f.* disease

**enfermera** nurse
**enfermo** sick
**enfocar** to focus; **—se hacia** to be directed toward
**ensayo** attempt; essay
**enseñanza** teaching; education
**enseñar** to teach
**ensuciar** to dirty
**entablar** to establish, initiate
**entender (ie)** to understand
**enterarse (de)** to find out
**entonces** then
**entrada** entrance; ticket
**entrar (en)**, **— (a)** (*Span. Amer.*) to enter
**entre** between; among; **—tanto** in the meantime
**entrenar** to train
**entresemana** midweek; **días de —** weekdays
**entrevista** interview
**entrevistar** to interview
**entusiasta** fan
**enviar (ío)** to send
**envoltorio** package
**envolver (ue)** (*past part.* **envuelto**) to wrap
**epíteto** epithet
**época** epoch, period
**equipo** team
**equivocarse** to be mistaken
**errar (yerro)** to err
**escalerilla** stepladder
**escena** scene
**escoger** to choose
**escolta** escort
**esconder(se)** to hide
**escribir** (*past part.* **escrito**) to write
**escritor** writer
**escuchar** to listen (to)
**escuela** school; **— superior** high school
**ese** (**a, os, as**) *adj.* that; those (near you); **ése, etc.** *pron.* that one, those, etc.
**esforzarse por (ue)** to strive to
**esfuerzo** effort
**eso** that (*neuter*); **por —** therefore
**espacial** (referring to) space
**espacio** space
**espalda** shoulder; back
**espectáculo** spectacle
**esperanza** hope
**esperar** to hope; wait for, expect
**espía** spy
**esplendor** *m.* splendor

**esposa** wife
**estabilidad** *f.* stability
**establecer (zco)** to establish
**estación** *f.* station; season
**estacionar** to park (a car)
**estadio** stadium
**estadística** statistic
**estado** state
**estadounidense** American (USA)
**estafado** cheated
***estar** to be (located or in a certain position, condition, or state); **— de acuerdo** to agree
**estético** aesthetic; **cirugía —** plastic surgery
**enlace** *m.* union, joining
**estimular** to stimulate
**estímulo** stimulus
**esto** this (*neuter*)
**estratagema** stratagem
**estratégico** strategic
**estrecho** *adj.* narrow; close; tight
**estrella** star
**estreno** debut
**estudiante (a)** student
**estudiantil** scholastic; student (*adj.*)
**estudiar** to study
**estudio** study
**etiqueta** tag; label
**europeo** European
**evitar** to avoid
**evocar** to evoke, bring back
**evolucionar** to evolve, change
**examen** *m.* exam(ination)
**exento** exempt
**exigente** demanding
**exigir** to demand
**éxito** success; **tener —** to succeed
**expectativo** expectant
**explicar** to explain
**explicación** *f.* explanation
**explorar** to explore
***exponer** to expose
**extendido** widespread; extensive
**extenso** extensive
**exterior** *adj.* external, outside; foreign; *m.* the outside
**extranjero** *adj.* foreign; *n.* foreigner; **en el —** abroad
**extremo** *n.* end; *adj.* far

### F

**fábrica** factory
**fabricante** manufacturer
**fácil** easy; likely

**fácilmente** easily
**falta** fault; mistake
**faltar** to be lacking, missing; — **a** to miss (a class, etc.); to fail in (an obligation)
**familiar** *adj.* (of the) family; *pl.* relatives, kin
**fecha** date
**feliz** happy
**feria** *n.* fair
**feriado: día —** holiday
**feroz** fierce
**fervientemente** ardently
**fiarse de (ío)** to trust; rely on
**fiebre** *f.* fever
**fiel** faithful
**fiesta** party
**fijar** to fix; set, affix; —**se** en notice
**fin** *m.* end; purpose; **para fines de** by the end of
**finca** farm land
**firmar** to sign
**fisonomía** physiognomy, features
**flor** *f.* flower
**florero** vase
**folleto** pamphlet
**forma** form
**fortalecer** (**zco**) to fortify; strengthen
**fósforo** match
**fracasar** to fail
**fraile** monk
**francés** French
**franco** *adj.* frank; open; evident *n.* franc
**frase** *f.* sentence; phrase
**fray** Friar
**frazada** blanket
**frente** *m.* front; — **a** in front of; faced with; **en — de** in front of
**fresco** cool; fresh; **hacer —** to be cool out
**frío** *n.* cold(ness); **hacer —** to be cold (out); **tener —** to be (feel) cold; *adj.* cold
**fructerífero** fruitful
**fuego** fire
**fuera** *adv.* outside; — **de** *prep.* outside of
**fuerte** strong
**fuga** flight, escape
**fulano** fellow, guy
**fumar** to smoke
**funcionar** to work (a mechanism)
**funcionario** public official
**fútbol** *m.* soccer; football

## G

**gallo** cock
**gana** desire
**ganar** to win; earn; —(**se**) **la vida** earn a living
**ganga** bargain
**gastado** worn out
**gastar** to spend (money)
**gasto** expense
**género** species
**genio** genius
**gente** *f. sing.* people
**ginecólogo** gynecologist
**gitano** gypsy
**gobernar** (**ie**) to govern
**gobierno** government
**gozar** (**de**) to enjoy
**graduarse** (**úo**) to graduate
**gran(de)** big, large; great
**granero** granary
**grave** serious
**gris** grey
**gritar** to shout
**grueso** thick
**guante** *m.* glove
**guapo** handsome; beautiful
**guardar** to keep; —**se de** to keep from, refrain from
**guardia** guard
**guerra** war
**guía** *m.* guide
**guisar** to cook
**gustarle** (**algo a alguien**) to like (something)
**gusto** pleasure; taste; **tener — en** to be pleased to

## H

**\*haber** to have (*auxiliary verb to form compound tenses*); — **de** to be supposed or expected to; must (*probability or mild necessity*)
**habitación** *f.* room
**habitante** inhabitant
**hábito(s)** vestments
**hablador** talkative
**hablar** to speak, talk
**habrá** there will be; there probably is or are
**hace** (+ *verb in past*) ago
**\*hacer** to make; to do; — **frío, calor** to be cold, warm (out); — **un disparo** shoot (at); — **una maleta** pack a suitcase; — **una pregunta** ask a question; — **un viaje** take a

trip; — **una visita** pay a visit; **—se** to become

**hacia** toward

**hacienda** estate; finance

**hallar** to find; **—se** to be, find oneself

**hambre** *f.* hunger; **tener mucha —** to be very hungry

**harto** sated, tired (of)

**hasta** *prep.* until; even; **— que** *conj.* until (+ *clause*)

**hay** there is, there are;**— que** one must, it is necessary

**hazaña** feat, deed

**He aquí** Here is, Behold

**hecho** (*past part. of* **hacer**) done; made; *n.* fact; **el — de que** the fact that; **de —** in fact

**hemorragia** hemorrhage

**herida** wound

**herido** *n. and adj.* wounded (man)

**hermano** brother; *pl.* brothers and sisters

**hermoso** beautiful

**hervir (ie)** to boil

**hierba** grass

**hierro** iron

**hijo** son; *pl.* children, son(s) and daughter(s)

**hilo** wire; thread

**historia** history; story

**historieta** comic strip

**hogar** *m.* home (*fig.*); hearth

**holandés** Dutch(man)

**holgazán** lazy

**hombre** man; **el —** man(kind)

**hondo** deep

**hongo** mushroom

**hora** hour; **a buena —** early; **¿Qué — es?** What time is it?

**horario** schedule

**horóscopo** horoscope

**hoy** today

**huelga** strike (labor)

**huérfano** orphan

**huerta** vegetable patch, garden

**huésped** guest

**húmedo** wet, humid

**huracán** *m.* hurricane

## I

**idilio** idyll, love story

**idioma** *m.* language

**igual** equal; same, similar, (a)like; **al — que** just as

**igualdad** *f.* equality

**igualmente** likewise; equally

**ilimitado** unlimited

**ilustrado** educated

**impedir (i)** to prevent

**imperar** to rule

**implicar** to imply

***imp*oner** to impose

**importar** to matter, be important; import

**impresionante** impressive

**impresionar** to impress

**incluso** including

**increíble** incredible

**indefinido** indefinite

**indicar** to indicate

**indio** Indian

***indisp*oner** to indispose; set against

**individuo** *n.* individual

**industrial** *adj.* industrial; *n.* industrialist

**inesperado** unexpected

**infierno** Hell

**influir (uyo) en** to influence

**ingeniero** engineer

**ingeniosísimo** very ingenious

**ingente** enormous

**Inglaterra** England

**iniciar** to begin, initiate

**injertar** to graft

**injerto** graft

**injustamente** unjustly

**injustificable** unjustifiable

**inmediato** immediate

**inmenso** immense

**insistir en** to insist on

**inspeccionar** to inspect

**instalar** to install; **—se por su cuenta** to go into business on one's own

**integrar** to compose, make up

**intensificar** to intensify

**intentar** to attempt to

**intento** attempt

**intercambiar** to exchange, interchange

**interés** *m.* interest

**interesante** interesting

**interesar** to interest

**interrogar** to question

**intervención** *f.* intervention; **no —** nonintervention

***interv*enir** to intervene

**íntimo** close, intimate

***ir*** to go; **—se** go away

**irónicamente** sarcastically

**izquierdo** left

# J

**jaula** cage
**jardín** *m.* garden
**jefe** chief, leader; boss
**joven** young; young person
**jovencita** little young thing (*f.*)
**joya** jewel
**juego** game; gambling
**jueves** Thursday
**juez** judge
**jugar (ue) a** to play (a game, sport)
**juguete** *m.* toy
**juncal** *m.* area filled with rushes
**junto (a)** *adv.* next, to, near; **— con** along with; *adj. pl.* together
**justificar** to justify

# K

**kilómetro** kilometer (approx. ⅝ of a mile)

# L

**laberinto** labyrinth, maze
**lacónicamente** succinctly
**lado** side; **la casa de al —** the house next door
**ladrón** thief
**lago** lake
**La Haya** The Hague
**lamentar** to regret
**lámpara** lamp
**lanzar** to hurl; throw; launch
**lápiz** *m.* pencil
**largo** long (length); **tener... metros de —** to be . . . meters long
**lástima** pity; **Es —** It's a pity
**lastimar** to hurt
**lavar(se)** to wash
**\*leer** to read
**lejos** *adv.* far; **— de** *prep.* far from; **a lo —** in the distance
**lengua** language; tongue
**lento** slow
**letrero** sign
**levantar** to raise, lift; **—se** get up, rise
**ley** *f.* law
**libertad** *f.* liberty
**libreta** pad; notebook
**libro** book
**lid** *f.* fight
**ligero** light (*adj.*)
**limosna** alms; **pedir —** to beg alms
**limpiar** to clean
**línea** line

**listo** smart; ready
**litro** liter (slightly more than a quart)
**local** *m.* site
**localidad** *f.* locality
**localizar** to locate
**lógico** logical
**Londres** London
**luchar** to fight; struggle
**luego** then; later; **desde —** of course
**lugar** *m.* place
**luna** moon
**lunes** Monday
**luz** *f.* light
**llama** flame
**llamada** call; calling
**llamar** to call; **— a la puerta** knock on the door; **— por teléfono** to telephone; **—se** to be named
**llamarada** flame, fire
**llegada** arrival
**llegar** to arrive; **— a** reach (a destination); **— a** (+ *infin.*) to succeed in, manage to; **—a ser** to become
**llenar** to fill
**lleno de** filled with, full of
**llevar** to carry; bring; take (a person); wear; **— vendada una oreja** to have a bandaged ear
**llorar** to cry
**llover (ie)** to rain

# M

**madera** wood
**madre** mother
**madrugada** dawn; **hasta de la —** early morning
**maduro** mature
**magistrado** magistrate
**mal** *m.* evil; **de — en peor** from bad to worse; *adv.* badly; wrongly
**mal(o)** bad; wrong
**maleta** suitcase; **hacer una —** to pack a suitcase
**mandar** to send; order; **— traer** to have (something) brought
**mandato, mando** command
**manera** manner; **de — que** so (that); **de todas —s** in any case
**mano** *f.* hand
**\*mantener** to maintain; support (a family); **—se** stay
**manifestar (ie)** to manifest
**manzana** apple
**mañana** tomorrow; morning; **por la —** in the morning

**máquina** machine; — **de escribir** typewriter

**mar** *m.* sea

**marcharse** to go away

**marinero** sailor

**marzo** March

**matar** to kill

**martes** Tuesday

**más** more; most; — **de** more than (+ *a number*); **no** — **que** only; — **que nunca** more than ever; **cada vez** — more and more

**materia** subject

**matrimonio** marriage; married couple

**mayor** greater; older; major; greatest; oldest

**mayoría** majority

**media** stocking

**mediados: a** — **de** around the middle of

**médico** doctor

**medida** measure

**medio** *adj.* half; *n.* middle; means; **por** — **de** by means of

**medir (i)** to measure

**mejor** better; best

**mengano** another fellow, or guy; **fulano y** — one guy and another

**menor** younger; smaller; lesser; minor; youngest; smallest; least

**mentir (ie)** to (tell a) lie

**mentira** lie; **Parece** — It's incredible

**menudo: a** — often

**mercancía** merchandise

**merecer (zco)** to deserve

**merendar (ie)** to have a snack (about 6 P.M.)

**meridional** southern

**mes** *m.* month

**método** method

**meta** aim, goal

**meter** to put

**metro** meter (approx. 39 inches)

**miedo** fear; **tener** — to be afraid

**miembro** member; limb

**mientras (que)** while; — **tanto** meanwhile

**miércoles** Wednesday

**mil** thousand

**milagro** miracle

**militar** *adj.* military; *n.* soldier

**millares** thousands

**mínimo** minimum

**ministerio** Ministry; — **de Hacienda** Ministry of Finance

**ministro** (cabinet) minister

**minúsculo** tiny

**miopía** nearsightedness

**mirar** to look at

**misionero** missionary

**mismo** itself; same; very

**misterio** mystery

**moda** fashion

**modo** way, manner; **de** — **que** so (that); **de algún** — in some way

**molestar** to bother, annoy; —**se** to take the trouble

**molestia** annoyance; bother

**monarca** monarch

**monje** monk

**monologar** to talk to oneself

**montaña** mountain

**montar** to set up

**morder (ue)** to bite

**morir (ue)** (*past part.* **muerto**) to die

**mortificante** embarrassing

**mostrar (ue)** to show; —**se** appear, seem

**mover(se) (ue)** to move

**movilizar** to mobilize

**muchacho, a** boy; girl

**mucho** much; **hacer** — **calor** to be very hot out; **tener** — **frío, mucha hambre** to be (feel) very cold, hungry

**muebles** *m. pl.* furniture

**muerte** *f.* death

**mujer** woman

**mundial** *adj.* (of the) world

**mundo** world; **todo el** — everybody

**municipio** town

**murmuración** *f.* gossip(ing)

**murmurador** gossip(er)

**murmurar** to gossip

**museo** museum

**muslo** thigh

**muy** very

### N

**nacer (zco)** to be born

**nada** nothing, (not) anything; **¡Nada de eso!** What do you mean! Go on!

**nadar** to swim

**nadie** nobody, no one, (not) anybody

**naturaleza** nature

**navegar** to sail; navigate

**necesitar** to need

**negar (ie)** to deny; —**se a** to refuse to

**negocio** (a) business; business matter; *pl.* business

**negro** black
**neoyorquino** New Yorker
**nervio** nerve (*anat.*)
**nevar (ie)** to snow
**nevera** refrigerator
**ni** not (even); — **siquiera** not even;
  **ni... ni** neither ... nor
**nieto, a** grandson; granddaughter; *pl.*
  grandchildren
**ningún (ninguno, a, os, as)** no, none
**niñez** *f.* childhood
**niño, a** boy; girl
**nivel** *m.* level; standard; — **de vida**
  standard of living
**nobleza** nobility; nobleness
**nocturno** *adj.* night; nocturnal
**noche** *f.* night; **esta —** tonight; **de
  la — a la mañana** overnight,
  suddenly
**nordeste** Northeast
**noroeste** Northwest
**nota** grade
**noticia** news(item); *pl.* news
**novia** sweetheart, fiancee
**noviazgo** engagement
**nuevo** new; **de —** again
**número** number; **hacer —s** to cal-
  culate
**nunca** never
**nutrir** to nourish

## O

**o** or
**objeto** *n.* object
**obligar** to force, oblige
**obra** work (of art, etc.); creation
**obrero** worker
**obstante: no —** nevertheless
*****obtener** to get, obtain
**ocasionar** to cause
**ocultar** to hide
**ocupado** busy
**ocupar(se de)** to occupy (oneself with);
  talk about
**ocurrir** to occur
**ochenta** eighty
**odiar** to hate
**OEA (Organización de los Estados
  Americanos)** OAS (Organization of
  American States)
**oeste** West
**oficial** *n.* officer; *adj.* official
**oficio** occupation
**ofrecer (zco)** to offer
**oído** inner ear; sense of hearing

*****oír** to hear; — **decir a** to hear
  (someone) say
**ojal** *m.* buttonhole
**¡Ojalá!** If only! How I wish!
**ojo** eye; **¡Ojo!** Watch out!
**olvidar(se de)** to forget (about)
**operar** to operate (on someone)
**opinar** to have the opinion
*****oponerse a** to oppose
**opuesto** opposite
**oración** *f.* sentence; prayer
**orden** *f.* order, command; *m.* order-
  (liness); succession
**oreja** (outer) ear
**oro** gold
**ortográfico** *adj.* spelling
**otro** other; another

## P

**paciente** patient
**padecer (zco)** to suffer
**padre** father; *pl.* parents
**pagar** to pay (for)
**página** page
**pago** payment
**paisaje** *m.* countryside; landscape
**pájaro** bird
**país** *m.* country (nation)
**paisano** civilian
**paja** straw
**palabra** word
**pan** *m.* bread
**pantalla** screen
**pantalón** (*generally pl.*) trousers
**pañoleta** neckerchief
**papel** *m.* paper
**paquete** *m.* package
**par** *m.* pair
**para** for; in order to; by or for (a
  certain date or time); considering,
  with respect to; — **que** in order that,
  so that
**pardo** brown
**parecer (zco)** to seem, look, appear;
  **—se a** to resemble (each other); **al —**
  apparently
**parecido** similar
**pared** *f.* wall
**pareja** couple; pair
**parienta, pariente** relative
**parisiense** Parisian
**parte** *f.* part; **la menor —** the
  minority; **la mayor —** most, the
  majority
**pasado** past

**pasaje** *m.* passage
**pasajero** passenger
**pasar** to pass; happen; spend (time);
— **a** go into; — **de** exceed; — **de
los treinta años** be more than 30
years old; —**se de listo** outsmart
oneself
**pasatiempo** pastime
**patria** homeland, country
**patrón, patrona** boss
**paz** *f.* peace
**pecado** sin
**pedir** (**i**) to ask for, request; —
**prestado** borrow
**peine** *m.* comb
**película** film
**peligro** danger
**peligroso** dangerous
**pelota** ball
**pensar** (**ie**) to think; — (+ *infin.*) to
intend, plan to; — **de** to think of,
have an opinion of; — **en** to think
about
**pensativo** pensive(ly), wrapped in
thought
**peña** bull session
**peor** worse; worst
**pequeño** small, little (in size)
**perder** (**ie**) to lose; waste (time, etc.);
— **una asignatura** fail a course;
—**se** get lost
**perfeccionar** to perfect
**periodista** journalist
**perjuicio** harm, ill effect; **daños y —s**
damages (law)
**perla** pearl
**permanecer** (**zco**) to remain
**perro** dog
**perseguir** (**i**) to pursue
**persona** person; *pl.* people
**personal** *m.* personnel; — **de escolta**
police escort; *adj.* personal
**perspectiva** prospect; perspective
**pertenecer** (**zco**) to belong
**peruano** Peruvian
**pesar** *m.* grief; **a** — **de** in spite of
**peso** unit of currency in Mexico and
several other Spanish American countries
**pico** beak
**pictórico** *adj.* (of) art
**pie** *m.* foot; **a** — on foot; **en** —
standing; **ponerse de** — to stand up
**piel** *f.* fur; **abrigo de pieles** fur coat
**pierna** leg
**pilotear** to pilot

**pintar** to paint
**pintura** painting
**piso** apartment; floor
**pista** trail; clue; lead
**plata** silver; money (*colloq.*)
**platino** platinum
**plato** plate; dish (of food)
**playa** beach
**plaza** (a) place, space; village square,
plaza
**plazo** period (of time)
**plebeyo** *n.* commoner
**plenamente** fully
**pluma** pen
**población** *f.* population; town
**pobre** poor; poor man
**pobreza** poverty
**poco** *adj. and adv.* little, not much;
**un** — (before and *adj.*); *pl.* few;
**unos** — a few, several; *n.* **un** — **de**
a little (bit) of; **hace** — recently
*****poder** to be able; can; **no** — **más**
not to be able to stand any more;
*m.* power
**policía** *f.* police force; *m.* policeman
**policíaco** *adj.* police
**ponderar** to weigh, assess
*****poner** to put; place; —**se** put on
(clothes); —**se de pie** stand up
**por** by; for; per; during; in; through;
along; for the sake of; on behalf of;
on account of; in quest of; instead of;
because of; in exchange for
**porque** because
**¿Por qué?** Why?
**portátil** portable
**porvenir** *m.* future
*****poseer** to possess
**posibilidad** *f.* possibility
**potencia** power (nation)
**potente** powerful
**potro** stallion
**precario** precarious
**precio** price
**predilecto** favorite
**preferir** (**ie**) to prefer
**pregunta** question
**preguntar** to ask (a question), inquire
**preguntón** inquisitive
**premio** prize
**prender** to light (a cigarette, etc.)
**prensa** press (newspapers)
**preocupar**(**se de**) to worry (about)
**presa** dam

**presentar** to present; introduce (a person); **—se** appear
**presentir (ie)** to have a presentiment; **todo hace —** everything forebodes
**preso de** filled with, choked with
**prestar** to lend; **— atención** pay attention
**previsión** *f.* estimate; preplanning
**primer(o)** first
**primo** cousin
**príncipe** prince
**principio** beginning; principle; **para** or **a —s de** by or toward the beginning of
**probar (ue)** to try; taste; test; **—se** try on
**procedimiento** process; procedure
**\*producir** to produce
**profundidad** *f.* depth
**profundo** profound
**prohibir** to prohibit, forbid
**prolongarse** to last, be prolonged
**prometer** to promise
**prometida** fiancee
**promover (ue)** to promote
**pronombre** *m.* pronoun
**pronunciar** to pronounce; give (a speech)
**propaganda** advertising; propaganda
**propietario** owner
**propio** even; himself
**propósito** purpose; **a —** by the way; **de —** on purpose
**protegido** pet
**\*proveer** (*cf.* **ver**) to provide
**providencia** provision
**provisto de** supplied, provided with
**provocar** to provoke, produce
**próximo** next; close, near
**proyectar** to plan
**proyectil** *m.* missile
**proyecto** *n.* project
**psicólogo** psychologist
**psicosis** *f.* nervous tension
**público** *n. and adj.* public
**pueblo** (a) people; town
**puente** *m.* bridge
**puerta** door
**pues** *adv.* well (then) . . ., so
**puesto** job, post
**pulsera** bracelet; **reloj de —** wrist watch
**punta** (shirt) stud
**punto** point; **a — de** about to; **en —** sharp

## Q

**que** *rel. pron.* that, who, which; *prep.* **—** (+ *infin.*) to (do, etc.); **algo — hacer** something to do
**¿Qué?** What? Which?
**¡Qué!** What a . . .!
**quedar** to be remaining or left over; to remain (in a certain condition); **—se** stay
**quejarse de** to complain about
**quemar** to burn
**\*querer** to want; like, love (a person); **— decir** to mean, imply
**quien(es)** who, whom; he who; **No hay —...** There is no one who (can . . .)
**¿Quién(es)?** Who?
**quince** fifteen
**quirófano** operating room (*med.*)
**quirúrgico** surgical
**¡Quita!** Go on! Come now!
**quitar** to take away; remove; **—se** to take off (one's clothing, etc.)

## R

**radioyente** listener (to the radio)
**rama** branch
**raptar** to abduct; elope with
**Raúl** Ralph
**razón** *f.* reason; **tener —** to be right; **— de ser** reason for being
**reaccionar** to react
**real** *adj.* real; royal; *n.* real (a small unit of the old Spanish currency)
**realidad** *f.* reality; **en —** actually
**realizar** to put into effect, realize, accomplish; **—se** to take place
**reanudar** to renew
**rebajar** to reduce
**receptor** *m.* receiver
**recibir** to receive
**recibo** receipt
**recién, reciente** recent
**reclamar** to claim
**reclamo: en —** on special, on sale
**recoger** to pick up
**recomendar (ie)** to recommend
**recompensa** reward
**recordar (ue)** to remember; remind (of)
**recorrer** to run (over a course)
**recorrido** run (of a ship, etc.)
**recuerdo** memory; souvenir; *pl.* regards
**recurso** resort, recourse; resource

**red** *f.*   network; net
**redoblar**   to redouble
***reducir**   to reduce
**referente a**   referring to
**referir(se a)** **(ie)**   to refer to
**reflejo**   reflex; reflection
**reforzar (ue)**   to reenforce
**refrescar**   to refresh; cool
**refugiado**   refugee
**regalar**   to give as a gift
**regalo**   gift
**régimen** *m.*   regime
**registrar**   to search; register; **—se**   to take place
**registro**   register
**regla**   rule
**regresar**   to return
**regular**   regular; fair, mediocre
**reintegrarse a**   to rejoin
***reír (ío)**   to laugh; **—se de**   laugh at
**reiterar**   to repeat
**relativamente**   relatively
**reloj** *m.*   clock; watch; **— de pulsera**   wristwatch
**remediar**   to remedy
**remedio**   alternative, choice; remedy
**rencor** *m.*   anger
**rendirse (i)**   to surrender
**renovar (ue)**   to renew
**reparador** *adj.*   reparative
**repasar**   to review
**repente: de —**   suddenly
**repetir (i)**   to repeat
***reponer**   to replace; retort, reply
**representante** *n.*   representative
**requisito**   requirement
**resentido**   resentful
**resolver (ue)** (*past part.* **resuelto**)   to resolve; solve
**respecto** *n.*   respect, aspect, regard; **— a**   concerning, with respect to
**respuesta**   answer
**restablecer (zco)**   to restore
**resuelto**   resolved, solved
**resultado**   result; **dar —**   succeed, work out
**resultar**   to turn out
**reto**   challenge
**retrato**   portrait
**reunión** *f.*   meeting
**reunir (úno)**   to gather together; **—se**   meet
**revelar**   to reveal; develop (film)
**revista**   magazine
**revuelto** *adj.*   upset
**rey**   king

**rico**   rich
**riesgo**   risk
**ritmo**   rhythm; pace
**robar**   to rob; steal
**robo**   robbery
**rogar (ue)**   to beg; pray
**rojizo**   reddish
**rojo**   red; **pintado de —**   painted red
**romper** (*past part.* **roto**)   to break
**ropa** (*generally pl.*)   clothing
**roto**   broken
**ruido**   noise
**ruin**   lowly, mean, terrible
**ruso**   Russian

## S

**sábado**   Saturday
***saber**   to know (a fact); know how; (*preterite*)   found out, learned
**sacar**   to take out; get, receive
**saco**   sack, pack
**sacudir**   to shake; dust (furniture)
**seco**   dry
**sala**   room; living room
***salir**   to leave, go out; come out; **— para**   to leave for
**salón**   hall, large room
**salto**   jump
**salud** *f.*   health
**salvar**   to save (a life, etc.)
**salvo: a —**   safe
**San**   Saint; **— Francisco de Asís**   St. Francis of Assisi
**sanatorio**   private hospital
**sangre** *f.*   blood
**sano**   healthy
**santo**   saint
***satisfacer** (*cf.* **hacer**)   to satisfy
**satisfecho (de)**   satisfied (with)
**sayal** *m.*   monk's robe
**seccionar**   to cut off
**sed** *f.*   thirst; **tener —**   to be thirsty
**seda**   silk
**seguida: en —**   at once, immediately
**seguir (i)**   to follow; continue, keep on (+ *present part.*)
**según**   according to
**segundo**   second; secondary
**seguridad** *f.*   security; safety
**seguro**   sure; secure; safe
**selva**   jungle
**semanal**   weekly, per week
**semejante** *adj.*   similar; *n.*   fellow man
**sencillamente**   simply

**sentarse (ie)** to sit down
**sentir (ie)** to feel; feel sorry; regret; **—se** (+ *adj.*) to feel (tired, sad, etc.)
**semana** week
**sentimiento** sentiment; feeling
***ser** to be; *n.* being
**sereno** calm
**servicio** service; **en —** at work
**serie** *f.* series
**servir (i)** to serve; be useful
**setenta** seventy
**si** if, whether
**sí** *refl. pron.* himself, herself, yourself, itself, themselves, yourselves
**sideral** of the stars; starry
**siempre** always; **— que** whenever; **para —** forever
**siglo** century
**siguiente** following; next; **al día —** on the following day
**significación** *f.* significance
**simpático** nice
**simular** to simulate
**sin** *prep.* without; **— que** *conj.* without (+ *clause*)
**sino** but (on the contrary) (*after a negative*); except
**sitio** place
**sobre** about; over, above; on
**sobresaliente** excellent
**sobrina** niece
**sobrino** nephew
**socorrer** to rescue
**soler (ue)** to be accustomed to; to be usually
**solo** alone; mere
**sólo** only
**soltería** bachelorhood
**soltero** single, unmarried
**solucionar** to solve
**sombrero** hat
**sonar (ue)** to sound; ring
**soneto** sonnet
**sonreír (ío)** to smile
**soplón** *m.* squealer (*colloq.*)
**sorprender** to surprise; **—se** be surprised
**sorpresa** surprise
**sospechar** to suspect
**sospechoso** suspicious
***sostener** to sustain; support
**su(s)** his, her, your (**Ud., Uds.**), their
**subdesarrollado** underdeveloped
**subir** to go up; rise; raise up; get into (a car, etc.)
**subrayar** to underline

**substituir (uyo)** to substitute
**suceder** to happen; succeed (in order)
**¿Qué le sucede?** What's the matter?
**sucio** dirty
**sueño** sleep; dream; **tener —** to be sleepy
**suerte** *f.* luck
**sugerir (ie)** to suggest
**sugestionable** easily suggestible
**suicidarse** to commit suicide
**Suiza** Switzerland
**suizo** Swiss
**sujeto** subject
**suma** sum; **en —** in short
**sumamente** extremely
**sumergible** *m.* underwater craft
**sumergir(se)** to submerge
**superfluo** superfluous
**supermercado** supermarket
**supuesto: por —** of course
**surgir** to arise, surge up
**suspender** to suspend; expel
**superar** to improve; overcome; surpass
**suspicaz** suspicious-minded
**sustantivo** noun
**suturar** to sew up (*med.*)
**suyo (a, os, as)** his, hers, yours, theirs

## T

**tal** such (a); **— vez** perhaps
**también** also, too
**tampoco** neither (*opp. of* also)
**tanto** *adv.* as much, so much; **— yo como...** I as well as ... en **— que** while; *adj.* **tanto (a, os, as)... como** as much, many ... as; *n.* **un —** a bit, somewhat; **entre —** in the meantime, meanwhile
**tardar en** to take (a certain length of time) to; to be delayed in
**tarde** *f.* afternoon; early evening; **por la —** in the afternoon; *adv.* late **más —** later, afterwards
**tarea** task, job
**tarjeta** card
**taza** cup
**té** *m.* tea
**técnica** technique
**técnico** *n.* technician, mechanic; *adj.* technical
**tela** cloth
**tema** *m.* theme; subject
**temer** to fear
**temeroso** fearful
**temprano** early

**tender (ie) a**   to tend to
**tendido**   stretched out
**telefonear**   to telephone
*****tener**   to have; **—... años de edad**   to be ... years old; **— calor**   to be (feel) hot; **—... años de existencia**   to have been in existence for ... years; **—... de alto, largo, ancho**   to be ... high, long, wide; **— frío**   to be cold; **— ganas de**   to feel like (doing something); **— hambre**   to be hungry; **— miedo**   to be afraid; **— que** (+ *infin.*)   to have to; **— que ver con**   to have to do with; **— por**   to consider, take (someone) for; **— razón**   to be right; **— sueño**   to be sleepy
**tercer(o)**   third; **un —**   a third person
**terminar**   to end, finish
**terreno**   area; field
**tertulia**   social gathering
**tesis** *f.*   thesis
**tesoro**   treasure
**tiempo**   (period of) time; weather; tense (*gram.*); **a —**   in time; on time; **con —**   beforehand; **hacer buen —**   to be good weather
**tienda**   shop, store
**tierra**   land; **— adentro**   inland
**tigre** *m.*   tiger; jaguar
**tío**   uncle
**tiro**   (gun) shot; **escenas de —s**   shooting scenes
**titubeo**   hesitation
**tiza**   chalk
**tocar**   to play (an instrument); **— le a uno**   to be someone's turn
**todavía**   still, yet
**todo** *adj.*   all; every; whole; **— el día**   the whole day; **todos los días**   every day; *n.*   all; everything
**tomar**   to take, seize; eat; drink
**torear**   to fight bulls
**torero**   bullfighter
**toro**   bull
**torpeza**   stupidity
**torre** *f.*   tower
**tórtolo**   turtledove (male)
**toser**   to cough
**trabajador** *adj.*   hardworking
**trabajar**   to work
**trabajo**   work; job
*****traducir**   to translate
*****traer**   to bring; **— consigo**   bring about; bring with one
**traje** *m.*   suit; **— de luces**   bullfighter's costume

**trampa**   trap
**tranquilidad** *f.*   tranquillity
**tranquilo**   calm; tranquil
**transmisor** *m.*   transmitter
**transmitir**   to transmit
**transportar**   to transport
**transporte** *m.*   transportation
**trasladar(se)**   to move; transfer
**traslado**   transfer
**trastorno** *n.*   upset
**tratar**   to treat; **— de**   try to; deal with; **—se de**   be a matter or question of
**través: a — de**   across; through
**trece**   thirteen
**treinta**   thirty
**tren** *m.*   train; **— correo, — estafeta**   mail train
**treta**   trick
**triste**   sad
**tristeza**   sadness
**triunfar**   to triumph
**triunfo**   triumph
**tronco**   (tree) trunk
**trono**   throne
**tropas** *f. pl.*   troops
**trozo**   piece; chunk; fragment
**tulipán** *m.*   tulip
**turbación** *f.*   confusion
**turístico** *adj.*   tourist

## U

**u**   or (*before words beginning with* **o** *or* **ho**)
**ubicado**   located
**últimamente**   lately
**un, una**   a, an; *pl.*   some; about, approximately
**único**   only, sole; unique
**unánime**   unanimous
**unidad** *f.*   unit; unity
**unir(se)**   to join
**universidad** *f.*   university
**universitario** *adj.*   university, college
**urgir**   to be urgent
**útil**   useful

## V

**vacaciones** (*generally f. pl.*)   vacation; **irse de —**   to go on vacation
**vago**   lazy
**vagón** *m.*   (train) car, coach
*****valer**   to be worth; **— la pena**   be worthwhile; **—se de**   make use of
**valioso**   valuable

**valor** *m.* courage; value
**valoración** *f.* evaluation
**valorar** to assess; evaluate
**valla** enclosure, stockade
**vaquero** cowboy
**vaso** (drinking) glass
**vecindad** *f.* vicinity; neighborhood
**vecino** neighbor
**vegetal** *m.* vegetable
**vehículo** vehicle
**veinte** twenty
**velada** social evening
**vencer** to conquer
**venda** bandage
**vendar** to bandage; **llevar vendada una oreja** to have a bandaged ear
**vendedor** seller
**vender** to sell
**venidero** (forth)coming
**\*venir** to come; **que viene** next
**venta** sale
**ventaja** advantage
**ventana** window
**\*ver** to see; **tener que — con** to have to do with
**verano** summer
**verdad** *f.* truth
**verdadero** real, true
**verde** green; **poner —** to rip the hide off (someone) (*colloq.*)
**versar** to deal with, treat of
**Versalles** Versailles
**vestir (i)** to dress; **—se** get dressed; **el —** dressing
**vez** *f.* (a) time, (an) instance; **a su —** in their turn; **a veces** at times; **alguna —** ever, at some time; **cada — más** more and more; **por primera —** for the first time; **tal —** perhaps; **toda — que** whenever

**viajar** to travel
**viaje** *m.* trip; **hacer un —** take a trip
**víbora** snake
**vida** life
**vidrio** glass (substance)
**vigilar** to watch over
**vino** wine
**visado** visa
**vista** view
**visto** seen; **por lo —** apparently
**viuda** widow
**vivienda** dwelling
**vivir** to live
**vivo** alive
**vocación** *f.* vocation, calling
**volar (ue)** to fly
**voluntad** *f.* will
**volver (ue)** (*past part.* **vuelto**) to return, go back; **— a** (+ *infin.*) to (do something) again
**voz** *f.* voice; **en — baja** in a low voice, quietly; **en — alta** aloud
**vuelo** flight
**vuelta** turn, return; short trip; **dar media —** turn half around; **dar una —** take a walk, ride, etc.

## Y

**y** and
**ya** already; **— que** since, because; **— no** no longer, not any more
**\*yacer** to lie (at rest, near death, etc.)
**yegua** mare
**yerra** (*see* **errar** to err)

## Z

**zapatilla** house slipper
**zapato** shoe

# ENGLISH–SPANISH VOCABULARY

## A

**abandoned** abandonado
**abduct** raptar
**about** sobre, de, acerca de (**concerning**): a eso de (**time**): alrededor de (**time and location**); más o menos; cerca de
**abroad** el extranjero
**absolute** absoluto
**absorbed** absorto; — **in each other** acaramelados
**abuse** *v.* abusar
**accede** acceder (a)
**accept** aceptar
**accident** accidente *m.*
**accompany** acompañar
**according to** según
**accuse** acusar
**achieve** lograr, alcanzar
**act** actuar (úo), comportarse
**activity** actividad *f.*
**actor** actor
**adapt** adaptar
**add** añadir
**address** *n.* dirección *f.*, señas *f. pl.*; *v.* dirigirse a; dirigir la palabra a
**adherence** adhesión *f.*
**administrative** administrativo
**admit** admitir
**adopt** adoptar
**advantage** ventaja; **to take** — aprovecharse
**advent** advenimiento
**adventure** aventura
**advertising** propaganda comercial
**advice** consejo(s)
**advise** aconsejar, recomendar (ie)
**affection** cariño
**afraid: to be** — *tener miedo, temer
**after** *prep.* después de; tras; *adv.* después
**afternoon** tarde *f.*
**again** otra vez; de nuevo; **to do something** — volver a hacer algo
**against** contra
**age** edad *f.*; **to be . . . years of** — tener... años de edad
**agenda** orden del día *m.*
**agent** agente
**aggression** agresión *f.*

**ago** hace (+ *period of time*)
**agree** *estar de acuerdo; estar conforme(s); **to** — **to** *convenir en
**airplane** avión *m.*
**airport** aeropuerto
**alive** vivo
**along** por; a lo largo de
**all** todo; **at** — nada; **not at** — de nada
**allow** permitir, dejar
**almost** casi
**already** ya
**although** aunque
**aluminum** aluminio
**always** siempre
**American** norteamericano
**Amazon** Amazonas *m. sing.*
**among** entre
**ammunition** municiones *f. pl.*
**analysis** análisis *m.*
**and** y, e
**Andrew** Andrés
**anecdote** anécdota
**angry** enojado, enfadado; **to get** — enojarse, enfadarse
**animal** animal *m.*
**animator** animador
**Ann** Anita
**announce** anunciar
**annoy** molestar
**another** otro
**answer** *v.* contestar, responder; *n.* contestación *f.*, respuesta
**any** algún, alguno, etc.; cualquier(a); ningún (*neg.*), ninguno, etc.
**anybody** cualquiera; cualquier persona; nadie (*neg.*)
**anything** cualquier cosa; nada (*neg.*)
**apartment** apartam(i)ento, piso
**apparatus** aparato
**apparent** aparente, evidente
**appeal** apelar
**appear** parecer (zco); aparecer (zco); mostrarse (ue)
**apply** aplicar; **to** — **for** solicitar, pedir (i)
**appoint** nombrar
**apprenticeship** aprendizaje *m.*
**approach** *v.* acercarse a; **—ing** proximo, venidero, que se acerca

**appropriate** *v.* apropiar
**approve** aprobar (ue)
**architect** arquitecto
**Argentinian** argentino
**arid** árido
**arm** *n.* brazo; arma (**weapon**); *v.* armar(se)
**armchair** sillón, *m.*, butaca
**army** ejército
**around** alrededor de; a eso de (**number or hour**)
**arrange** arreglar
**arrest** *v.* prender, *de*tener
**arrive** llegar
**artery** arteria
**article** artículo
**artist** artista
**as** *conj.* como; *adv.* tan; — ... — tan... como; — **much** tanto; — **long** mientras
**ashamed** avergonzado; **to be** — *te*ner vergüenza de
**ask** preguntar (**question**); pedir (i) (**request**)
**asleep** dormido; **to fall** — dormirse (ue)
**assault** asalto
**astrology** astrología
**astronaut** astronauta
**astronomical** astronómico
**at** en; a; — **home** en casa; — **night** por la noche, de noche; — **nightfall** al anochecer, al atardecer
**athlete** atleta
**attack** *v.* atacar, asaltar; *n.* ataque, asalto
**attend** asistir (a); **to** — **to** atender a
**attention** atención *f.*; **to pay** — prestar atención; *hacer caso de or a; **to attract** — llamar (la) atención
**attract** *atraer
**austere** austero
**author** autor, autora
**avenue** avenida
**await** esperar
**awaken** despertar(se) (ie)
**away: to be** (**a certain distance**) — distar

**B**

**baby** nene *m.*, nena *f.*
**bachelorhood** soltería
**back** fondo; — **door** puerta de atrás
**bad** mal(o)
**badly** mal

**ball** pelota
**bandage** *n.* venda; *v.* vendar
**bankrupt** insolvente, quebrado; **to be** — *estar quebrado
**bargain** ganga
**baseball** béisbol *m.*
**bathe** bañar(se)
**bathing: — suit** traje de baño *m.*
**battlements** almenaje *m.*; murallas almenadas
**be** *ser; *estar; **to** — **supposed to** *haber de; **to** — ... **years old** *tener... años
**beach** playa
**beam** viga (**structural**)
**bear** llevar; soportar (**endure**)
**beard** barba
**beautiful** hermoso; bello
**beauty** belleza, hermosura
**because** porque; — **of** a causa de; por (+ *infin.*)
**become** *hacerse; llegar a ser; *ponerse; convertirse (ie) en; **to** — **of** *ser de, *hacerse de
**bed** cama; **to go to** — acostarse (ue)
**bee** abeja
**before** *prep.* antes de; delante de, ante; *adv.* antes; primero
**beg** rogar (ue)
**begin** empezar (ie); comenzar (ie)
**beginning** principio; **at the** — al principio; **at the** — **of** a principios de
**behave** *conducirse, comportarse
**behavior** conducta
**behind** detrás de
**being** ser *m.*
**believe** *creer
**bell** campana; — **tower** campanario
**belong** pertenecer (zco), *ser de
**bench** banca
**besides** además
**best** mejor; **to do one's** — esforzarse (ue); *hacer lo que sea de su poder
**betray** traicionar
**better** mejor
**between** entre
**beyond** más allá (de)
**big** grande
**bill** cuenta
**bird** pájaro, ave *f.*
**bite** *v.* morder (ue)
**black** negro
**blond** rubio
**blood** sangre *f.*

**blue** azul
**board** tabla
**boat** barco; buque *m.*; bote *m.*; lancha
**bold** atrevido, audaz
**book** libro; — **dealer** librero
**booklet** folleto
**bookstore** librería
**boring** aburrido
**born** nacido; **to be —** nacer (zco)
**borrow** pedir (i) prestado, tomar prestado
**both** ambos, los dos
**bother** molestar(se)
**bottle** *n.* botella
**bow** *n.* arco
**box** *n.* caja
**boy** muchacho, chico, niño; hijo
**bracelet** pulsera
**branch** rama
**break** romper (*past part.* roto); **to — down** derribar, derrumbar, echar abajo
**breakfast** *n.* desayuno; *v.* desayunar(se)
**brick** *n.* ladrillo; *adj.* de ladrillos
**bridge** puente *m.*
**brilliant** brillante
**bring** *traer
**broken** roto
**bronzed** bronceado
**brother** hermano; —-**in-law** cuñado; **little —** hermanito
**brush** cepillo
**build** *construir (uyo)
**building** edificio
**bullfighter** torero
**burn** quemar(se)
**business** negocios
**businessman** hombre de negocios
**busy** ocupado
**but** pero; sino; mas
**butter** mantequilla
**buy** comprar
**by** por; de; para (**a certain time**); — **the way** a propósito

### C

**cad** sinvergüenza *m.*
**cafe** café *m.*
**call** *v.* llamar; **to — on the telephone** llamar por teléfono; **to be —ed** llamarse; *n.* llamada
**campaign** campaña
**can** (**to be able**) *poder; *saber
**canteen** cantina

**capable** capaz; **to be — of** *ser capaz de; *poder
**capital** capital *f.* (**city**); capital *m.* (**money**)
**capture** capturar
**car** coche *m.* auto; vagón, *m.* coche (**train**)
**card** tarjeta; carta (**at cards**)
**care** cuidado; **to take — of** cuidar de
**career** carrera
**careful: to be —** *tener cuidado; cuidarse de
**carefully** con cuidado
**carry** llevar; **to — out** realizar, llevar a cabo
**cartoonist** caricaturista
**case** caso; **in —** en caso de que
**Castilian** castellano, de Castilla
**castle** castillo
**Catalonia** Cataluña
**catastrophe** catástrofe *f.*; desastre *m.*
**catch** coger; prender; **to — up with** alcanzar; coger
**cause** causa
**ceiling** techo, cielo raso
**center** centro
**century** siglo
**certain** cierto; **a —** cierto
**certainly** seguramente; sí que
**certainty** certidumbre *f.*
**chain** cadena
**chair** silla; **big —** sillón *m.*
**championship** campeonato
**chance** oportunidad *f.*
**change** *n.* cambio; *v.* cambiar
**character** carácter *m.*
**characteristic** *n.* característica
**charge** *v.* cargar, lanzarse contra; cobrar (**money**)
**Charlie** Carlitos
**charming** encantador
**chat** charlar
**cheap(ly)** barato
**cheat** engañar, estafar
**chest** cofre *m.*, baúl *m.*
**chief** jefe
**childhood** niñez *f.*
**children** niños
**Chilean** chileno
**choke** ahogar, estrangular
**choose** escoger
**church** iglesia
**cigarette** cigarrillo
**circle** círculo
**circumstantial** circunstancial

**circus** circo
**city** ciudad *f.*
**civilization** civilización *f.*
**class** clase *f.*
**clean** limpio
**clear** claro
**client** cliente
**climate** clima *m.*
**clothes** ropa(s)
**clothing** ropa(s)
**club** club *m.*
**cluster** *v.* agruparse, apiñarse
**coast** costa, litoral *m.*
**coffee** café *m.*; — **pot** cafetera
**cold** frío; **to be** — *tener frío; **to be very** — **out** *hacer mucho frío
**collaborator** colaborador
**collapse** *n.* colapso; *v.* derrumbarse
**collective** colectivo
**collector** coleccionista
**color** color *m.*
**colossal** colosal
**column** columna; **relief** — columna de relevo
**come** *venir; **to** — **back** volver (ue); **to** — **in** entrar (en *or* a); — **what may** venga lo que venga
**comfortable** cómodo
**command** *v.* mandar
**commit** cometer; — **suicide** suicidarse
**commoner** plebeyo
**company** compañía; empresa
**complain** quejarse (de)
**complement** complementar
**complete** *adj.* completo
**completely** del todo, completamente
**complicated** complicado
**conclude** concluir (uyo)
**concrete** concreto
**condemned** condenado; — **man** reo (de muerte)
**condition** condición *f.* (often *pl.*)
**conduct** conducta
**confess** confesar
**conquer** conquistar; ven*c*er
**consciousness** conciencia
**consent** consentir (ie) (en)
**consider** considerar
**consist** consistir (en)
**constantly** constantemente
**construction** construcción *f.*
**consume** consumir
**contact** *n.* contacto
**continually** continuamente
**continue** se*gu*ir (i), continuar (úo)

**contract** contrato
**contribute** contribuir (uyo)
**control** *n.* dominio; control *m.*; *v.* dominar
**conversation** conversación *f.*
**convict** *v.* condenar
**convince** conven*c*er
**cook** *v.* cocinar, guisar
**cool** fresco; **to be** — *hacer fresco
**cost** costar (ue)
**cottage** casita
**cotton** algodón *m.*
**count** contar (ue); **to** — **on** contar con
**country** *n.* país; patria; campo (*opp. of* city); *adj.* del campo; campestre
**couple** pareja, matrimonio
**courage** valor *m.*
**course** curso; **of** — desde luego, claro (está), por supuesto
**court** tribunal *m.*
**cousin** primo
**couturier** costurero
**cover** *v.* cubrir; —**ed with** cubierto de
**cow** vaca
**craft** barco; embarcación *f.*
**crazy** loco
**create** crear
**crime** crimen *m.*
**crisis** crisis *f.*
**cross** *v.* atravesar (ie); — **each other** cruzarse
**crowd** multitud *f.*; muchedumbre *f.*
**crush** aplastar
**cry** llorar
**crying** llanto
**cultivate** cultivar
**cultural** cultural
**culture** cultura
**cup** taza
**cure** curar
**curious** curioso
**cut** *v.* cortar; — **off** cortar; — **in two** partir en dos
**cypress** ciprés *m.*

## D

**daily** diario, cotidiano
**damage** avería; daños; —**s** daños y perjuicios (*law*); **to suffer** —, **be damaged** sufrir avería
**dance** bailar
**dancer** bailarina
**danger** peligro
**dare** atreverse (a)

**daring** atrevido
**dark** a oscuras; oscuro
**darling** amorcito, mi corazón, cielito
**daughter** hija
**dawn** amanecer *m.*; **at —** al amanecer
**day** día *m.*
**dazzling** brillante, deslumbrante
**dead** muerto
**dean** decano
**dear** querido
**death** muerte *f.*
**deceive** engañar
**decide** decidir(se a)
**decision** decisión *f.*
**declare** declarar
**deep** profundo, hondo
**defend** defender (ie)
**defense** defensa
**delicious** delicioso
**delighted** encantado; **to be —** complacerse (zco) en; alegrarse de
**deliver** entregar
**demand** *n.* demanda; *v.* exigir
**democratic** democrático
**dense** denso
**deny** negar (ie)
**depend** depender
**depth** profundidad *f.*
**desert** desierto
**deserve** merecer (zco)
**design** diseñar
**despair** desesperación *f.*
**desperate** desesperado; **to make —** desesperar
**desperately** desesperadamente
**destroy** destruir (uyo); destrozar
**destruction** destrucción *f.*
**detail** detalle *m.*
**develop** desarrollar(se)
**device** aparato
**devote** dedicar
**diamond** diamante *m.*, brillante *m.*
**Dick** Riqui
**die** morir(se) (ue)
**diet** régimen *m.*, dieta
**different** diferente, distinto; diverso
**difficult** difícil
**difficulty** dificultad *f.*
**dimension** dimensión *f.* (*often pl.*)
**dinner** cena, comida
**direct** directo
**dirty** sucio
**discover** descubrir (*past part.* descubierto)

**discuss** comentar; discutir
**discussion** discusión *f.*
**distance** distancia; **in the —** a lo lejos, en la distancia; **long distance** (phone) a larga distancia
**district** barrio, distrito
**disturb** molestar
**ditch** cuneta
**do** *hacer; **to have to — with** *tener que ver con; **to — with** hacer de
**doctor** médico; doctor (*title*)
**document** documento
**dog** perro
**dollar** dólar *m.*
**Dominick** Domingo
**door** puerta; **next —** la casa contigua or de al lado
**doubt** *v.* dudar; *n.* duda; **There is no —** No cabe duda (de)
**down** abajo; **— the street** calle abajo; **to go —** bajar; **to sit —** sentarse (ie)
**downstairs: to go —** *ir abajo, bajar
**downtown** en el centro; **to go —** *ir al centro
**drama** drama *m.*
**dramatic** dramático
**draw** dibujar (**art**)
**dream** *v.* soñar (ue) con
**dress** *n.* vestido, ropa; *v.* vestir(se) (i); **to get —ed** vestirse
**drink** beber
**drive** *ir (en coche); manejar
**drop** dejar caer; *caerse
**dry** seco
**due to** por; debido a, a causa de
**during** durante; por
**dust** *n.* polvo; *v.* despolvorear, limpiar

## E

**each** cada; **— other** (*use reflexive pronouns*) + uno a otro, etc.
**ear** oreja; oído; **in one's —** al oído
**earlier** antes; más temprano
**early** temprano; a principios de; joven (**age**)
**earn** ganar
**earth** tierra
**East** *n.* este *m.*; *adj.* oriental
**easy** fácil
**easily** fácilmente
**eat** comer
**economic** económico

**edge** borde *m.*, orilla, margen *f.*

**educate** educar

**education** education *f.*, enseñanza; estudios (*pl.*)

**effect** *n.* efecto; *v.* realizar, efectuar (úo)

**effective** efectivo, eficaz

**effort** esfuerzo; **to make an —** to esforzarse por

**eight** ocho; **at — o'clock** a las ocho; **— hundred** ochocientos

**eighteen** diez y ocho, dieciocho

**either** o

**electric** eléctrico

**elegant** elegante

**eleven(th)** once; onceno

**emperor** emperador

**employ** emplear

**employee** empleado

**empty** vacío

**enchant** encantar

**end** *v.* terminar, acabar; *n.* fin *m.*; extremo, extremidad *f.*; **at the — of** a fines de; **from now to the —** de aquí hasta fines

**ending** terminación *f.*, conclusión *f.*

**enemy** enemigo

**energetic** enérgico

**engagement** compromiso, noviazgo

**engineer** ingeniero

**English** inglés

**enjoy** gozar de; gustarle mucho (a alguien); **— oneself** divertirse (ie)

**enormous** enorme

**enough** bastante

**enter** entrar en *or* a

**enthrall** encantar, cautivar

**enthusiasm** entusiasmo

**entire** entero

**entirely** completamente, enteramente

**enunciate** pronunciar, articular

**epoch** época

**equality** igualdad *f.*

**equally** igualmente

**escape** *n.* fuga, escape *m.*; *v.* escaparse

**especially** sobre todo, especialmente; **— well** sumamente bien

**essential** esencial

**establish** establecer (zco)

**Europe** Europa

**European** europeo

**even** hasta, aun; **not —** ni siquiera; **— though** aunque

**evening** noche *f.*; tarde, *f.* (**early**)

**event** suceso, acontecimiento

**ever** alguna vez; nunca (*negative implication; also after comparative or superlative*)

**every** cada; todos los, todas las

**everybody** todo el mundo, todos

**everyone** todo el mundo

**everything** todo

**everywhere** en todas partes

**evidence** evidencia

**evil** mal *m.*

**evoke** evocar

**exactly** exactamente

**exaggerate** exagerar

**exam(ination)** examen *m.*

**examine** examinar

**example** ejemplo; **for —** por ejemplo

**execution** ejecución *f.*

**excellent** excelente

**exchange** *v.* cambiar

**exclaim** exclamar

**exhausted** agotado, rendido

**expect** esperar, confiar (ío) (en)

**expel** expulsar; suspender

**expensive** caro, costoso

**experience** experiencia

**expert** perito

**explain** explicar

**exploration** exploración *f.*

**explore** explorar

**explorer** explorador

**express** *v.* expresar

**expression** expresión *f.*

**extend** extender(se) (ie)

**extremely** sumamente; **—ísimo** (*ending on adj. or adv.*)

**eye** ojo

**eyeglasses** gafas *f. pl.*

# F

**face** *n.* cara, rostro; *v.* *dar a (location); encararse con (a situation)

**fact** hecho; **in —** de hecho, en efecto, en realidad; **the — that** el hecho de que; **the — is** ello es que

**factor** factor *m.*

**fail** fracasar

**fair** *adj.* justo

**faith** fe *f.*

**fall** *v.* *caer(se); **to — asleep** dormirse (ue); **to — down** *caerse; **to — in love** enamorarse (de)

**family** familia

**famous** famous

**fare thee well** adiós; hasta luego; vaya con Dios

farm granja. cortijo
fashion moda; — house casa de modas, modistería; to be in — *estar de moda
fast rápido; rápidamente; as — as possible lo más rápidamente posible
father padre
fatigue fatiga
favor favor *m.*
favorite favorito, predilecto
fear *n.* miedo; temor *m.*; *v.* temer, *tener miedo (de *or* a)
feature característica; facción *f.* (of face)
federal federal
feel sentir(se) (ie); to — like *tener ganas de
feeling sentimiento
fellow hombre; fulano, tío
feminine femenino
fence cerca
fertile fertil, fecundo
few pocos; a — unos pocos, unos cuantos
field campo
fierce feroz; encarnizado
fifteen quince
fifty cincuenta
fight *n.* lucha, pelea; *v.* luchar, pelear
fighting lucha, combate *m.*
figure figura; cifra (number)
fill llenar(se); desempeñar (a position)
filled (with) lleno (de)
final final, definitivo
finally por fin; al fin
finance hacienda
find hallar, encontrar (ue); descubrir
fine fino
finger dedo
finish acabar, terminar, concluir (uyo)
fire *n.* fuego, incendio; — escape escalera de salvamento; *v.* disparar (a gun)
firm *adj.* firme
first primer(o); at — al principio; the — thing lo primero
flag bandera
flat llano
flee *huir (uyo)
flight piso (of a building); vuelo (air)
floor suelo, piso; upper — piso de arriba
flower flor *f.*

fly *v.* volar (ue); *ir en avión.
follow seguir (i)
food alimento (*generally pl.*), comestibles *m. pl.*
fool tonto, necio
foot pie *m.*; on — a pie
footstep paso, pisada
for *prep.* por; para; *conj.* porque, pues
force *n.* fuerza; *v.* obligar; forzar (ue); *hacer
foreign extranjero
forest bosque *m.*, selva
forget olvidar(se de)
forgive perdonar
form formar
former *adj.* antiguo; the — *pron.* aquél, aquélla, etc.
formidable formidable
forty cuarenta
forward (hacia) adelante
fountain fuente *f.*
fourth cuarto
franc franco
France Francia
fraternity fraternidad *f.*
free *adj.* libre; *v.* librar, libertar
freedom libertad *f.*
frequently con frecuencia
friar fraile; F— Fray
friend amigo
friendship amistad *f.*
from de; desde
front frente *m.*; in — of en frente de, delante de; ante
fulfill cumplir (con); realizar, llevar a cabo
full lleno
furniture muebles *m. pl.*
furrow surcar
further más
fury furia
future futuro

### G

game juego; deporte *m.*; partida
garden jardín *m.*
gather reunir(se) (úno)
gay alegre
gaze (at) contemplar, admirar
generally generalmente
Geneva Ginebra
genius genio
gentleman señor, caballero
geographical geográfico

**get** *obtener, conseguir (i); coger; **to —
angry** enfadarse; **to — sick** *ponerse enfermo; **to — up** levantarse;
**to — to** llegar a, *ir a
**ghost** fantasma *m.*, espectro, aparecido
**girl** muchacha
**give** *dar; **to — out** agotarse; **to —
up** renunciar; rendirse (i) (**surrender**)
**glass** vidrio; vaso, copa (**drinking**)
**gloomy** sombrío
**glorious** glorioso
**glove** guante *m.*
**go** *ir; **to — aboard** subir; **to —
away** *irse; **to — down** bajar;
**to — for a walk** ir de paseo, *dar
un paseo; **to — home** ir a casa;
**to — in** entrar (en *or* a); **to — into**
penetrar; **to — out** *salir; **to — out
on one's own** instalarse por su
cuenta; **to — to bed** acostarse (ue);
**to — to sleep** dormirse (ue); **to —
up** subir
**God** Dios
**gold** oro
**good** buen(o)
**Gothic** gótico
**government** gobierno
**grab** (**by**) coger (de)
**grade** nota (**school**); grado
**graduate** graduar(se de) (úo)
**grandfather** abuelo
**grass** hierba
**grafted** injertado
**grave** *adj.* sobrio; grave
**graze** pastar, pacer (zco)
**great** gran(de)
**greater** mayor, más grande
**greatness** grandeza
**green** verde
**greet** saludar
**group** grupo
**grow** crecer (zco); aumentar
**growing** *adj.* creciente
**guard** guarda, guardia
**guest** huésped, invitado
**guide** *n.* guía *m.*; *v.* guiar (ío); **to be
—d** guiarse
**guitar** guitarra
**gypsy** gitano

## H

**hair** pelo; cabellos *pl.* (*poetic*)
**half** *n.* mitad *f.*; *adj.* and *adv.* medio
**hall** salón *m.* (**room**); corredor *m.*

**hallway** pasadizo, corredor *m.*
**hand** mano *f.*
**handsome** guapo
**hang** colgar (ue); ahorcar (**a person**);
**to be —ing** *estar colgado
**happen** suceder, pasar, ocurrir
**happily** feliz; felizmente
**happiness** felicidad *f.*
**happy** feliz; contento; alegre; **to be —
that** alegrarse de que
**hard** duro; difícil; mucho; **to work —**
trabajar mucho **or** fuerte; **too —**
demasiado; demasiado difícil
**hardworking** trabajador
**harmony** armonía
**hat** sombrero
**hate** *v.* odiar
**have** *tener; **— a good time** divertirse (ie); **— left** (**over**) quedarle a
alguien; **— to** tener que
**head** *n.* cabeza; *v.* dirigirse a
**headquarters** cuartel *m.* (**military**)
**health** salud *f.*; sanidad *f.* (**hygiene**)
**hear** *oír; oír decir; oír hablar; escuchar
**heart** corazón *m.*; alma (*fig.*)
**heat** calor *m.*
**heaven** cielo; **for H—'s sake** ¡por
Dios!
**heavy** pesado; fuerte, mucho (*fig.*)
**help** ayudar; **not to be able to —** no
*poder menos de
**her** su(s)
**here** aquí; acá (**toward me**); **— is**
aquí tiene Ud.; he aquí; aquí está
**hero** héroe
**hesitation** titubeo, vacilación *f.*
**hidden** escondido
**hide** esconder(se); ocultar(se); **to be
hiding** *estar escondido
**high** alto; subido (**price**)
**higher** superior; más alto
**highway** carretera
**hill** cuesta
**his** su(s)
**historical** histórico
**history** historia
**hold** *tener; guardar
**holiday** día de fiesta, día feriado
**Holland** Holanda
**home** casa; **at —** en casa; **to feel
at —** sentirse (ie) como en casa;
**to go —** *ir a casa
**hope** *n.* esperanza; *v.* esperar
**horizon** horizonte *m.*
**horse** caballo

**hospital**  hóspital, *m.*, sanatorio
**hot**  caliente; **to be — out** *hacer mucho calor
**hotel**  hotel *m.*
**hour**  hora
**house**  casa
**how?**  ¿cómo?; ¿qué tal?; **— much?** ¿cuánto?; **— many?** ¿cuántos?
**how!**  ¡qué!; ¡cómo!; **— I wish ...!** ¡ojalá...!
**however**  sin embargo
**huddle**  acurrucarse; **to be —d** *estar acurrucado
**human**  humano
**humanity**  humanidad *f.*
**hundred**  cien(to); **five —** quinientos; **seven —** setecientos; **nine —** novecientos; **a — thousand** cien mil
**hunger**  hambre *f.*
**hungry**  hambriento; **to be very —** *tener mucha hambre
**hunt** *v.*  cazar; *n.* cacería, caza
**hunter**  cazador
**hurricane**  huracán *m.*
**hurry**  *darse prisa, apresurarse
**hurt**  herir (ie); dañar, *hacer daño; **— oneself** hacerse daño
**husband**  marido
**hut**  choza
**hydrant**  boca de riego (para incendios)

**I**

**ice**  hielo
**idea**  idea
**ideal**  ideal
**identical**  idéntico
**idiot**  idiota *m.* and *f.*
**if**  si
**ignore**  no *hacer caso de *or* a, desconocer (zco); pasar por alto
**ill**  enfermo, malo; **to take —** *ponerse enfermo, malo
**imagine**  imaginarse
**immediately**  en seguida, inmediatamente
**impassable**  insuperable, insalvable
**impolite**  descortés, grosero
**importance**  importancia
**important**  importante
**imposing**  imponente
**impossible**  imposible
**impression**  impresión *f.*
**impressive**  impresionante
**improve**  mejorar(se); superar
**in**  en; durante; por

**incident**  incidente *m.*
**include**  incluir (uyo)
**including**  incluso
**independence**  independencia
**indicate**  indicar
**indiscreet**  indiscreto
**indispensable**  indispensable
**industrialized**  industrializado
**industry**  industria
**inferior**  inferior
**infinite**  infinito
**influence** *n.*  influencia; *v.* influir (uyo) en, influenciar
**information**  información *f.*; datos *m. pl.*, informes *m. pl.*
**ingenuity**  ingeniosidad *f.*
**inhabitant**  habitante
**inland**  tierra adentro
**innocent**  inocente
**inquire (about)**  preguntar (por)
**inside**  dentro
**insist**  insistir (en); empeñarse (en)
**inspired**  inspirado
**inspiring**  inspirador
**install**  instalar
**instruction**  instrucción *f.*
**intellectual**  intelectual
**intelligence**  inteligencia
**intelligent**  inteligente
**intensify**  intensificar
**interest**  interés *m.*
**interesting**  interesante; **to make —** *darle interés (a algo)
**interior**  interior *m.*
**interpret**  interpretar
**interrupt**  interrumpir
**into**  en
**introduce**  presentar (**a person**); *introducir
**investigation**  investigación *f.* (often *pl.*)
**invitation**  invitación *f.*
**invite**  invitar
**involved**  envuelto
**iron** *n.*  hierro; *v.* planchar
**island**  isla
**its**  su(s)
**itself**  mismo (*intensifying*)

**J**

**jacket**  chaqueta
**jaguar**  jaguar, tigre *m.*
**Japanese**  japonés
**Jim**  Diego
**job**  empleo, puesto, trabajo

**John** Juan
**join** participar; unir(se) a or con; juntarse con
**journalist** periodista
**joy** alegría
**judge** juez
**Juliet** Julieta
**jump** saltar
**June** junio
**jungle** selva, jungla
**jury** jurado
**just** adj. justo; adv. sólo; **to have —** acabar de (+ infin.)

## K

**keep** guardar, conservar; *mantener; **to — away** mantenerse a distancia; **to — on** seguir (+ present part.)
**key** llave f.
**kill** matar; **to be —ed** *ser muerto; morir (ue)
**kind** n. tipo, clase f.; adj. bondadoso, simpático
**kindness** bondad f.
**kitchen** cocina
**knock** llamar (a la puerta); **— down** derribar
**know** conocer (zco) **(to be acquainted or familiar with)**; *saber **(to know a fact, know how)**
**known: well —** (muy) conocido

## L

**label** etiqueta
**laboratory** laboratorio
**lady** dama, señora
**lake** lago
**lamp** lámpara
**land** n. tierra; v. tomar tierra, aterrizar **(airplane)**
**landscape** paisaje m.
**language** lengua, idioma m.; lenguaje m. **(use of language)**
**large** grande
**larger** más grande; mayor
**last** adj. último; pasado, **— night** anoche; v. durar; tardar
**late** tarde
**lately** recientemente
**later** después; más tarde
**Latin America** Latinoamérica, Hispanoamérica
**latter: the —** éste, ésta, éstos, éstas
**laugh** v. reír(se) (i); **to — at** reírse de

**launch** lanzar, botar
**law** ley f.; derecho **(profession)**
**lawyer** abogado
**lazy** perezoso, holgazán
**lead** v. dirigir, *conducir
**lean** inclinarse; **to — out** asomarse
**learn** aprender; *saber (pret.)
**least** menos; menor **(slightest)**; **at —** al menos, a lo menos, por lo menos
**leather** cuero
**leave** *salir (de) **(go out)**; dejar **(leave behind)**
**left** izquierdo; **to the —** a la izquierda
**leg** pierna
**lend** prestar
**less** menos
**lesson** lección f.
**let** dejar, permitir
**letter** carta
**level** nivel m.
**liberty** libertad f.
**library** biblioteca
**lie** v. mentir (ie); **to — down** acostarse (ue), recostarse (ue)
**life** vida; el vivir
**light** v. prender, encender **(a cigarette, etc.)**; n. luz f.; adj. ligero
**like** v. *querer; gustarle a uno; prep. como; **— that** así
**limit** n. límite m.; v. limitar
**limitation** limitación f.
**line** línea
**lion** león
**list** lista
**listen** escuchar; oír
**literary** literario
**literature** literatura
**little** pequeño **(small)**; poco **(not much)**; **a —** un poco, algo
**live** v. vivir
**lock** v. cerradura; n. cerrar (ie) con llave
**lonely** solitario
**long** largo (length); **as — as** mientras; **— time** mucho tiempo; **to take — to** tardar (en); tardar mucho
**longer** adj. más largo; adv. más tiempo; **no — adv.** ya no
**look** n. mirada; v. parecer (zco); *estar; **to — at** mirar; **to — for** buscar; **to — like** parecerse a
**lose** perder (ie)
**loss** pérdida
**loud** alto
**love** n. amor m.; v. amar, *querer;

**to be (very much) in** — *estar (muy) enamorado; — **story** idilio
**lover** amante
**low** bajo
**luck** suerte *f.*
**lucky** afortunado; **to be** — *tener suerte, *ser afortunado
**lulling** arrullador, adormecedor

## M

**made** hecho; **to be** — **of** *ser de
**magazine** revista
**magnificent** magnífico
**mail** echar al correo; enviar (ío) por correo
**major** *adj.* mayor, principal
**majority** mayoría
**make** *hacer; ganar (**money**)
**man** hombre
**mankind** humanidad *f.*; el hombre
**manly** masculino, muy hombre
**manufacture** fabricar
**many** muchos
**March** marzo
**Marian** Mariana
**marriage** casamiento (**ceremony**); matrimonio
**married** casado; **to get** — casarse (con)
**marry** casarse con; — **off** casar
**marvelous** maravilloso
**masterpiece** obra maestra
**material** *adj.* material
**matter** *n.* asunto, cosa; cuestión *f.*; **What's the** —? ¿Qué tienes?; ¿Qué pasa?
**matter** *v.* importar; **What does it** —? ¿Qué importa? **no** — **how much** por mucho que
**may** *Use* poder *to mean can or is allowed to; use subjunctive of subordinate clause verb after a conjunction of uncertainty or indefiniteness*
**May** mayo
**mean** *v.* *querer decir, significar
**means** medio; **by no** — ni mucho menos
**measles** sarampión *m.*
**measure** *n.* medida
**medieval** medieval
**Mediterranean** *n.* Mediterráneo; *adj.* del Mediterráneo, mediterráneo
**meet** reunirse (reúno); encontrar (ue); conocer (zco)
**meeting** reunión *f.*

**megaphone** portavoz *m.*, bocina
**member** miembro
**mentality** mentalidad *f.*
**mention** mencionar
**merchandise** mercancía
**method** método
**midday** mediodía *m.*
**middle** *n.* centro; medio; **in the** — **of** en medio de; *adj.* medio; — **class** clase media; **M— Ages** la Edad Media
**midnight** medianoche; **at** — a medianoche
**midst** medio; **in the** — **of** en medio de
**mile** milla
**milk** leche *f.*
**million** millón *m.* (de)
**millionaire** millonario
**mind** mente *f.*; entendimiento; **to keep in** — llevar *or* *tener en cuenta
**mine** mío; **of** — mío
**minister** ministro (**government**)
**ministry** ministerio; — **of finance** el ministerio de hacienda
**minute** minuto
**miracle** milagro
**mirror** espejo
**miss** perder (ie), faltar a (**a function**); no acertar (ie), no *dar en (**a target**); echar de menos (**a person**); **to be —ing** faltar
**mistake** *n.* equivocación *f.*
**mistaken** equivocado; **to be** — *estar equivocado, equivocarse
**mix** mezclar
**mobilize** movilizar
**modern** moderno
**moment** momento
**Monday** lunes
**money** dinero; plata (*fam.*)
**monk** fraile
**month** mes *m.*
**moon** luna
**more** más; — **and** — cada vez más
**morning** mañana
**most** *adv.* más; *adj.* los más; *n.* los más, la mayor parte
**mother** madre
**mount** *v.* subir, montar; aumentar
**mountain** montaña
**mouth** boca
**move** *v.* mover (ue); moverse
**movement** movimiento
**movies** cine *m.* (**theater** *or* **art**); **movie star** estrella *or* astro de cine

**moving** *adj.* conmovedor
**much** mucho; **as — as** tanto... como;
  **so —** tanto
**mule** mulo, mula
**museum** museo
**my** mi(s)
**mysterious** misterioso
**murder** homicidio; asesinato

# N

**nail** uña (**finger**)
**name** nombre *m.*
**narrow** estrecho
**nation** nación *f.*
**nature** naturaleza
**navigate** navegar
**near** cerca de
**nearsightedness** miopía
**necessary** necesario; **it is —** hay que
  (+ *infin.*)
**need** necesitar; *hacerle falta a uno,
  faltar
**neighbor** vecino
**neither** ni
**network** red *f.*
**never** nunca, jamás
**new** nuevo
**newlyweds** recién casados
**news** nueva(s), noticia(s)
**newspaper** periódico
**newspaperman** periodista *m.*
**next** próximo, siguiente; que viene; **the
  — day** al día siguiente; **— week** la
  semana que viene
**nice** simpático
**niece** sobrina
**night** noche *f.*; **last —** anoche
**nightfall** anochecer *m.*; atardecer *m.*;
  **at —** al anochecer
**nine** nueve; **—-thirty** las nueve y
  media
**nobody** nadie
**noise** ruido
**nonintervention** no intervención *f.*
**nonsense** tontería(s), disparate(s) *m.
  pl.*; **N—!** ¡Qué va!
**nor** ni
**north** norte *m.*
**North African** norteafricano
**northwest** noroeste
**nose** nariz *f.*
**notebook** cuaderno
**nothing** nada
**notice** *v.* notar, fijarse en
**novel** novela

# O

**obligation** obligación *f.*
**obstacle** obstáculo
**obtain** *obtener, conseguir (i)
**obvious** evidente, obvio
**occasion** ocasión *f.*
**occupy** ocupar
**occur** ocurrir, suceder
**October** octubre
**offend** ofender
**office** oficina; oficio; **post —** casa de
  correos
**official** *n.* funcionario (**public**); *adj.*
  oficial
**often** a menudo, frecuentemente,
  muchas veces
**old** viejo, antiguo; **to be . . . years —**
  *tener... años de edad
**older** mayor; más viejo
**oldest** mayor; más viejo
**olive** aceituna; **— tree** olivo, aceituno
**on** en; sobre
**once** una vez; un día; **at —** en seguida
**one** uno; se (*impersonal*); **at — o'clock**
  a la una
**only** solamente, sólo
**open** *v.* abrir; *adj.* abierto
**operate** operar
**operating room** quirófano
**opinion** opinión *f.*
**operation** operación *f.*
**opportunity** oportunidad *f.*
**oppose** *oponerse (a)
**or** o
**orange** naranja
**order** *n.* orden *m.* (**orderliness, etc.**);
  orden *f.* (**command**); **in — to** *prep.*
  para; por; **in — that** para que *v.*
  mandar; pedir (i), encargar
**original** original
**other** otro
**our** nuestro (-a, -os, -as)
**ours** (el) nuestro, etc.
**outside** fuera, afuera; **—of** fuera de
**outsmart** (**oneself**) pasar(se) de listo

**now** ahora; **— that** ya que; **from —
  to the end** de aquí hasta fines
**nowadays** hoy (en) día
**number** número; **to call a —** pedir
  (i) un número
**numerous** numerosos (*genally pl.*)
**nurse** enfermera
**nylon** nilón *m.*

**outstanding** destacado; sobresaliente
**overcome** superar; ven*c*er
**own** *adj.* propio; **on his —** por su propia cuenta; *v.* \**pos*eer, \*tener
**owner** dueño, propietario

**P**

**pack** empaquetar; **to — a suitcase** \*hacer una maleta
**package** paquete *m.*
**page** página
**paint** pintar
**painter** pintor
**painting** cuadro; pintura
**pair** par *m.*
**palace** palacio
**pale** pálido
**panorama** panorama *m.*
**paper** papel *m.*
**pardon** perdonar
**parents** padres
**Paris** *n.* París; *adj.* parisiense, de París
**park** *n.* parque *m.*; **to — (a car)** estacionar
**part** *n.* parte *f.*; **to take —** tomar parte, participar
**party** fiesta, reunión *f.* tertulia; partido (**political**)
**pass** *v.* pasar; aprobar (ue); **to — a course** \*salir aprobado
**passage** paso; pasaje *m.*
**passenger** pasajero
**passerby** transeúnte, viandante
**past** pasado; **half— three** las tres y media
**patience** paciencia
**patient** *n.* paciente, enfermo
**pay** *v.* pa*g*ar; **to — attention** prestar atención; **to — for** pa*g*ar
**peaceful** tranquilo
**peak** pico
**peasant** campesino, labrador
**pen** pluma
**people** personas; gente(s) *f.*; pueblo
**perfect** perfecto
**perform** reali*z*ar; cumplir con
**perhaps** tal vez, quizá(s)
**period** periodo
**perish** perecer (zco), morir (ue)
**permit** *v.* permitir
**person** persona
**personal** íntimo; personal
**personality** personalidad *f.*
**perspective** perspectiva

**persuasive** persuasivo
**pet** protegido
**Pete(r)** Pedro
**phone** *v.* telefonear
**picturesque** pintoresco
**piece** pedazo (**bit**); pieza
**pitcher** botijo, jarrón *m.*
**pity** lástima; **It's a —** Es lástima
**place** *v.* colocar, \*poner; *n.* lugar *m.*, sitio, paraje *m.*, **in the first —** en primer lugar
**plain** *n.* llano, pampa
**plan** *n.* plan, proyecto; *v.* planear
**plane** avión *m.*; **by —** en o por avión
**plant** *n.* planta; *v.* plantar; sembrar (ie) (**seed**)
**plastic** plástico; **— surgery** cirugía estética
**plateau** meseta
**play** *n.* comedia, drama *m.*; *v.* ju*g*ar (ue); to*c*ar (**an instrument**); **to — a role** \*hacer un papel
**plea** ruego
**please** por favor, haga el favor de; *v.* gustar
**pocket** *n.* bolsillo; *adj.* de bolsillo
**poem** poema *m.*
**poet** poeta *m.*
**poetess** poetisa
**point** punto; **— of view** punto de vista; **on the — of** a punto de
**police** (**force**) policía *f.*
**policeman** policía, guardia
**politics** política
**poor** pobre
**popular** popular; **to be very —** \*estar de moda, \*ser popular
**populated** poblado
**population** población *f.*
**portable** portátil
**porthole** ventanilla
**position** posición *f.*; puesto, cargo (**job**)
**possessions** posesiones *f. pl.*, propiedad *f.*
**possessive** posesivo
**possibility** posibilidad *f.*
**possible** posible
**postpone** apla*z*ar
**pot** olla
**power** poder *m.*
**powerful** poderoso
**pray** re*z*ar, orar
**prearranged** predeterminado
**precarious** precario
**precaution** precaución *f.*

**precisely** precisamente
**prediction** predicción *f.*
**prefer** preferir (ie)
**preferable** preferible
**premeditated** premeditado
**preparation** preparativos *m. pl.*, preparación *f.*
**prepare** preparar(se)
**presence** presencia
**present** *adj.* actual; presente; *n.* regalo; *v.* presentar
**preservation** preservación *f.*
**president** presidente
**pretend** fingir
**pretty** bonito, hermoso
**prevent** impedir (i)
**price** precio
**pride** orgullo
**prince** príncipe
**princess** princesa
**principal** *n.* director; *adj.* principal
**principle** principio
**prisoner** prisionero
**private** privado, particular
**prize** premio
**problem** problema *m.*
**probably** probablemente (*or future of probability*)
**produce** *v.* \*producir
**product** producto
**professional** profesional
**professor** profesor
**profit** provecho; **to make — from** sacar ventaja de; aprovecharse de
**profound** profundo
**program** programa *m.*
**project** *n.* proyecto; *v.* proyectar
**promise** prometer
**proposition** propuesta, proposición *f.*
**prosaic** prosaico
**protect** proteger
**proud** orgulloso; **to be —** enorgullecerse (zco); \*estar orgulloso
**provided that** con tal que; si
**province** provincia
**provisions** provisiones, abastos
**prudently** con prudencia
**psychological** psicológico
**psychology** psicología
**public** público; oficial
**publish** publicar
**pupil** alumno
**pure** puro
**purify** purificar
**pursue** perseguir (i)
**put** \*poner, colocar; **— on** ponerse;

**— out** apagar (**a light, etc.**); extender (ie) (**one's hand, etc.**)

## Q

**quarrel** riña
**quarter** cuarto; **at a — to seven** a las siete menos cuarto; **a — after nine** las nueve y cuarto
**question** *n.* pregunta; cuestión *f.* (**issue**); **to be a — of** tratarse de; *v.* preguntar; dudar de
**quite** bastante

## R

**radio** radio *f.* (*Spain*); *m.* (*South America*)
**rain** llover (ue)
**rainy** lluvioso
**raise** levantar
**rapt** sumo (**attention**)
**rare** raro
**rather** bastante; algo; más bien; **— than** antes que
**reach** *n.* alcance *m.*; **out of —** fuera de alcance; *v.* alcanzar, llegar a
**read** \*leer
**ready** listo; preparado
**real** verdadero
**realize** \*darse cuenta de; realizar; efectuar (úo)
**really** de veras, verdaderamente; ¿verdad? ¿de veras?
**reason** razón *f.*
**recall** recordar (ue) (**remember**)
**receive** recibir
**receiver** receptor *m.*
**recent** reciente
**reception** recepción *f.*
**receptive** receptivo
**recognize** reconocer (zco)
**recommend** recomendar (ie)
**record** disco (**phonograph**)
**red** rojo
**reddish** rojizo
**reflect** reflejar
**refrigerator** nevera, refrigerador *m.*
**refuse** *v.* rehusar; rechazar; **— to** negarse (ie) a, no \*querer (*pret.*)
**region** región *f.*
**reiterate** reiterar
**rejoin** reintegrarse a
**relative** *n.* pariente, parienta; *adj.* relativo
**remain** quedar(se)

**remember** recordar (ue); acordarse de (ue)
**remind (of)** recordar (ue)
**rent** renta, alquiler *m.*
**repeat** repetir (*i*)
**reply** *v.* responder, contestar
**represent** representar
**representative** *n.* representante; *adj.* representativo
**repulse** rechazar
**reputation** fama
**require** requerir (ie), necesitar
**reserve** reservar
**resist** resistir
**resort** *n.* recurso (**recourse**)
**respect** *n.* respeto; *v.* respetar
**rest** *n.* resto; lo demás; los demás (**others**); *v.* descanso; *v.* descansar
**restaurant** restaurante *m.*, restorán *m.*
**result** resultado
**resume** reanudar
**retract** *desdecir*se, retractarse
**return** volver (ue); devolver
**reunion** reunión *f.*
**reveal** revelar
**reward** *n.* premio, galardón *m.*
**rhythm** ritmo
**rich** rico
**Richard** Ricardo
**ridiculous** ridículo
**right** derecho; razón *f.*; **to be —** *tener razón; *ser justo *or* correcto; **— there and then** en el acto; **to the —** a la derecha; **that's —** es verdad
**ring** *n.* anillo; *v.* sonar (ue)
**rise** subir; levantarse
**river** río
**road** camino
**robe** bata
**role** papel *m.*; **to play a —** *hacer un papel
**romantic** romántico
**roof** techo
**room** cuarto; **dining —** comedor *m.*; **living —** salón *m.*
**root** raíz *f.*
**roommate** compañero de cuarto
**rough** turbulento (**sea**); áspero (**land,** etc.)
**round** redondo
**royal** real
**rubber** caucho
**rule** *v.* gobernar (ie)
**run** *v.* correr; **— over** atropellar; **— out** *salir corriendo; *n.* recorrido

## S

**sad** triste
**safety** seguridad *f.*
**sail** *v.* navegar
**sailboat** bote de vela *m.*
**salient** saliente
**salvation** salvación *f.*
**same** mismo
**satisfied (with)** satisfecho, contento (de)
**save** salvar; ahorrar
**say** *decir
**school** escuela
**science** *n.* ciencia; *adj.* científico, de ciencia
**scientific** científico
**scientist** hombre de ciencia, científico
**scold** reñir (i), regañar
**scream** grito
**sea** mar *m.*
**searchlight** reflector *m.*
**seasick** mareado; **to get —** marearse
**seat** asiento
**second** segundo
**secret** secreto
**secretary** secretario, a
**section** sección *f.*; parte *f.*; región *f.*
**securities** valores *m. pl.*
**see** *ver
**seek** buscar
**seem** parecer (zco); **— like** parecerse a; parecer
**seize** coger
**selection** surtido; selección *f.*
**self-determination** autodeterminación *f.*
**selfish** egoísta
**sell** vender
**send** enviar (ío), mandar
**sensation** sensación *f.*
**sentence** *v.* sentenciar; condenar; *n.* frase *f.*, oración *f.*
**separate** *adj.* separado; distinto
**September** septiembre
**serious** serio
**servant** criado
**serve** servir (i)
**service** servicio
**set out** *salir para, encaminarse
**set up** montar
**settler** colono
**seven** siete
**seventy** setenta
**several** algunos, varios
**severity** severidad *f.*, rigor *m.*
**shake** *v.* sacudir, menear

**share** *v.* compartir, dividir
**sharp** agudo; cortante; en punto (**time**)
**shave** afeitar(se)
**shimmer** rielar
**shine** relucir (zco), brillar
**ship** *n.* barco, vapor *m.*; **by —** por mar, en barco
**shirt** camisa
**shoe** zapato; **— store** zapatería
**short** bajo, pequeño; corto, breve; poco; **a — time ago** hace poco tiempo, no hace mucho
**shot** tiro, disparo
**should** deber
**shout** gritar
**show** *v.* mostrar (ue), enseñar
**showcase** mostrador *m.*
**shrub** arbusto
**sick** enfermo, malo
**side** lado
**sight** vista; **at first —** a primera vista
**sign** *v.* firmar; *n.* letrero (**poster**); señal *f.*, signo
**silent** silencioso
**silk** seda
**silly** tonto, necio
**silver** *n.* plata; *adj.* de plata
**similar** semejante, parecido
**simply** sencillamente, simplemente
**since** *prep.* desde; *conj.* ya que, puesto que, pues (**because**); desde que (**time**)
**sing** cantar
**singer** cantante *m.*, cantatriz *f.*
**single** solo; **not a — word** ni una sola palabra
**siren** sirena
**sister** hermana; **—-in-law** cuñada
**sit (down)** sentarse (ie); **sitting, seated** sentado
**situated** situado
**situation** situación *f.*
**six** seis; **— year old** de seis años
**skirt** falda
**sky** cielo
**sleep** *v.* dormir (ue); **to go to —** dormirse; **—ing** *adj.* dormido, que duerme; *n.* sueño
**sleepy** soñoliento; **to be —** *tener sueño
**slight** ligero
**slightest** menor
**slim** delgado
**slope** cuesta, falda, ladera
**slowly** lentamente, poco a poco

**small** pequeño
**smart** inteligente, listo
**smile** *n.* sonrisa; *v.* sonreír (i)
**smoke** fumar
**smooth** liso, igual, llano; suave; tranquilo (**water**)
**snow** *n.* nieve *f.*; *v.* nevar (ie)
**so** *adv.* tan; así; *conj.* de modo que, de manera que; **— as not to** para no; **— that** para que, a fin de que, de modo que; **— much** *adv.* tanto; *adj.* tanto, -a; **— many** tantos, -as
**soak** empapar
**soccer** sóquer *m.*, fútbol *m.*
**social** social
**society** sociedad *f.*
**soil** *n.* suelo, terreno
**soiled** sucio, manchado
**soldier** soldado
**solitary** solitario
**so-long** hasta pronto, hasta luego
**solvent** solvente
**some** algún, alguno; *pl.* algunos, unos, unos cuantos
**somebody** alguien, alguna persona
**someone** alguien; **— else** otro; otra persona
**something** algo
**sometimes** a veces
**somewhat** algo
**somewhere** en algún lugar, en alguna parte
**son** hijo
**soon** pronto; **as — as** tan pronto como, así que, luego que, en cuanto; **as — as possible** cuanto antes, tan pronto como sea posible
**sorry: to be —** sentir (ie); arrepentirse (ie) de
**sound** *v.* sonar (ue)
**south** sur, sud
**space** *n.* espacio; plaza (**a place**); *adj.* espacial, del espacio
**Spanish** español; de español; **—speaking** de habla española
**spank** dar una paliza
**sparsely** apenas; aquí y allá, a grandes trechos
**speak** hablar
**speaker** orador, conferenciante
**special** especial
**specialist** especialista
**specialize** especializarse
**species** especie *f.*
**spectacle** espectáculo
**spend** gastar (**money**); pasar (**time**)

**spirit** espíritu *m.*
**spite: in — of** a pesar de; **in — of the fact that** no obstante que, a pesar de que
**splendor** esplendor *m.*
**sporting** deportivo
**spring** primavera (**season**)
**spy** espía *m.* and *f.*
**stability** estabilidad *f.*
**stagnation** estancamiento
**stain** *v.* manchar
**staircase** escalera
**stamp** sello
**stand** *estar de pie; levantarse; **to — out** destacarse; **to — up** *ponerse de pie, levantarse
**standard** nivel *m.*; criterio; **— of living** nivel de vida
**star** estrella; astro
**start** *v.* empezar (ie), comenzar (ie)
**state** *n.* estado; *v.* afirmar, *decir, manifestar (ie)
**station** estación *f.*
**statistics** estadísticas
**stay** quedar(se)
**steal** robar
**steamship** vapor *m.*; **— line** compañía de vapores
**steel** acero
**step** paso; peldaño (**of staircase**); **to take a —** *dar un paso
**Steven** Esteban
**still** *adv.* todavía; no obstante, sin embargo
**stimulate** estimular
**stocking** media
**stop** *de*tener*(se), parar(se); paralizar(se)
**store** tienda; **department —** bazar *m.*; almacén *m.*
**storm** tormenta
**story** cuento
**stout** gordo; vigoroso, recio; **—hearted** de recio corazón, intrépido
**strange** extraño; extranjero (**foreign**)
**straw** paja
**street** calle *f.*; **down the —** calle abajo, por la calle
**stretch** estirar(se); **to — out to** extenderse (ie) hasta
**strong** fuerte
**structure** estructura
**struggle** lucha
**student** estudiante, estudianta
**studious** estudioso
**study** *n.* estudio; *v.* estudiar

**subject** *n.* sujeto; materia
**submarine** submarino
**submission** sumisión *f.*
**submit** someter; entregar
**suburbs** afueras *f. pl.*
**subversive** subversivo
**succeed** lograr, *tener éxito
**success** éxito
**successful: to be —** *tener éxito
**such (a)** *adj.* tal, tales; *adv.* tan
**suddenly** de repente
**sue** levantar pleito contra demandar
**suffer** sufrir
**suicide** suicidio; **to commit —** suicidarse
**suit** traje *m.*
**suitcase** maleta
**sum** suma
**summer** verano
**sun** sol *m.*
**sunny: to be —** *hacer sol; *haber sol
**superior** superior
**supermarket** supermercado
**supper** cena; comida
**supposed** supuesto; **to be — to** *haber de
**sure** seguro (de)
**surely** seguramente
**surface** superficie *f.*
**surgeon** cirujano
**surgery** cirugía; **plastic —** cirugía estética
**surpass** superar
**surprise** *n.* sorpresa; *v.* sorpender; **to be —d** sorprenderse (de)
**surrender** rendirse (i)
**surround** rodear (de)
**suspend** suspender
**swear** jurar
**swim** nadar
**Swiss** suizo
**sword** espada
**system** sistema *m.*

# T

**table** mesa
**take** tomar; coger; llevar; **to — advantage of** aprovecharse de; **to — a trip** *hacer un viaje; **to — a walk** *dar un paseo; **to — away** quitar; llevarse; **to — long** tardar en; **to — off** quitarse (**clothing, etc.**); despegar (**an airplane**); **to — out** sacar; **to — sick** *ponerse enfermo; **to — (time) to** tardar ... en

**tale** cuento
**talk** v. hablar
**tall** alto
**task** tarea
**taste** n. gusto; sabor m.; v. probar (ue)
**tavern** taberna, venta
**tax** n. impuesto
**tea** té m.
**teach** enseñar (a)
**tear** n. lágrima
**technical** técnico
**technique** técnica
**teeming** pululante
**telephone** n. teléfono; v. telefonear, llamar por teléfono
**television** televisión f.
**tell** *decir; contar (ue), narrar
**ten** diez
**tension** tensión f.
**tenth** décimo
**term** semestre m. (**school**)
**territory** territorio
**than** que; de; del que, etc.
**thank** v. agradecer (zco); — **goodness** gracias a Dios; **to — for** agradecer
**that** dem. ese, esa; eso; aquel(la); aquello; conj. que; — **one** ése, etc.
**theater** teatro
**their** su(s)
**then** luego; entonces; después
**there** allí; ahí (**near you**); allá (**yonder**); — **is, are** hay
**therefore** por eso, por lo tanto
**these** adj. estos, estas; pron. éstos, éstas
**thief** ladrón
**thing** cosa; artículo
**think** pensar (ie); creer; **to — of, about** pensar en; **what do you — of that?** ¿qué le parece a Ud. eso?
**third** tercer(o)
**thirst** sed f.
**thirsty: to be —** *tener sed
**thirty** treinta
**this** este, esta; esto
**thorough** cuidadoso, completo, cabal
**those** adj. esos, esas, aquellos, aquellas; pron. ésos, ésas, aquéllos, aquéllas
**thousand** mil
**threat** amenaza
**throat** garganta
**through** por
**throughout** por (todo)
**ticket** billete m.; entrada, localidad f. (**theater, etc.**)

**tie** corbata
**time** tiempo; hora; vez f.; época; **on —** a tiempo; **at all —s** a todas horas; **at this — of day** a esta(s) hora(s) (del día); **to have a good — (good —s)** divertirse (ie)
**tiptoe: on —** de puntillas; **to walk on —** *andar de puntillas
**tired** cansado
**tiring** fatigoso, cansado
**to** a; para
**today** hoy
**together** junto(s)
**tomorrow** mañana
**tongue** lengua; idioma m.
**too** también; demasiado
**tooth** diente m.; — **brush** cepillo dental or para los dientes
**top** cima; **on —** (por) encima
**touch** v. tocar
**tour** recorrido, circuito
**toward** hacia
**tower** torre f.
**town** pueblo, población f.; **in —** en la ciudad, de la ciudad (after superlative)
**toy** juguete m.
**track** carril m.; viarieles m. (**railroad**) (generally pl.)
**trade** comercio
**train** tren m.; **mail —** tren estafeta
**transfer** trasladar
**transmitter** transmisor m.
**trap** trampa
**travel** viajar
**tree** árbol m.
**tremble** temblar (ie)
**trip** viaje m.; **to take a —** *hacer un viaje
**tropical** tropical
**trouble** pena, pesar m.; dificultad f.
**truck** camión m.
**true** verdadero; **it is not —** no es verdad
**truly** verdaderamente
**trunk** baúl m.
**truth** verdad f.
**try** tratar; ensayar, probar (ue); — **on** probarse; — **to** tratar de, esforzarse (ue) por; — **out** ensayar
**turn** volver(se) (ue); doblar (**a corner**); — **around** volverse; — **into** *hacerse, convertirse (ie) en; — **on the radio** *poner la radio; — **off the radio** apagar, la radio; — **out** (**to be**) resultar, *salir

**twenty** veinte
**type** tipo, clase *f.*
**typewriter** máquina de escribir

# U

**unable: to be —** no *poder
**unarmed** sin armas; desarmado
**uncle** tío
**under** bajo; debajo de
**undersea** submarino
**understand** comprender; entender (ie)
**undertaking** empresa
**undress** desnudar(se), desvestir(se) (i)
**unfortunately** desafortunadamente, por desgracia
**unhappy** infeliz; descontento
**unique** único, singular
**unit** unidad
**United Nations** Naciones Unidas
**United States** los Estados Unidos
**university** universidad *f.*
**unless** a menos que, si no
**unpleasant** desagradable
**unpleasantness** disgusto
**unrealistic** poco realista
**until** *prep.* hasta; *conj.* hasta que (+ *clause*)
**unusual** raro, extraordinario
**up** arriba; **— the street** calle arriba; **to eat —** comerse
**upon** en, sobre; **— hearing, seeing, etc.** al oír, ver, etc.
**use** *n.* uso; **to make — of** *valerse de; *hacer uso de, emplear; *v.* usar, emplear
**useless** inútil
**usual** acostumbrado, de siempre; **as —** como de costumbre

# V

**vacation** *n.* vacaciones *f. pl.*; **to be on — *v.*** *estar de vacaciones; **to go on —** *irse de vacaciones
**vain** vano; **in —** en vano
**Valencian** valenciano
**valley** valle *m.*
**valuable** valioso, precioso
**vehicle** vehículo
**velocity** velocidad *f.*
**verge: on the — of** a punto de
**very** muy; **— early in the morning** muy de mañana
**via** por
**victim** víctima (*always f.*)

**victory** victoria
**view** vista
**villa** quinta, casa de campo, villa
**village** pueblecito
**virtue** virtud *f.*
**visit** *v.* visitar
**voice** voz *f.*; **in a loud (soft) —** en voz alta (baja)
**vote** *n.* voto; sufragio; *v.* votar
**voyage** viaje *m.*

# W

**wait (for)** esperar
**walk** *andar, pasear(se), caminar
**want** *querer
**warm** caliente, caluroso; **to be very — out** *hacer mucho calor
**warn** amonestar, advertir (ie), avisar
**wash** *v.* lavar; lavarse
**waste** perder (ie); echar a perder; **to — time** perder tiempo
**watch** *n.* reloj (de pulsera); *v.* vigilar
**water** *n.* agua; *v.* regar (ie)
**way** modo, manera
**wealth** riqueza
**wealthy** rico, riquísimo
**weapon** arma
**wear** llevar
**weather** tiempo, clima *m.*
**wedding** boda
**week** semana
**well** *adv.* bien; **(both) as — as** (tanto) como; *exclam.* pues bien; **— -known** (muy) conocido
**well** *n.* pozo
**west** oeste *m.*
**Western** occidental
**what** *rel pron.* lo que
**what?** ¿qué ?, ¿cuál ?
**what!** ¡cómo!
**what for?** ¿ para qué ?
**whatever** cualquiera (que), cualquier cosa que; **any —** cualquiera
**wheat** trigo
**when** cuando
**when?** ¿cuándo ?
**where** donde; a donde
**where?** ¿dónde ?, ¿a dónde ?
**wherever** (a)dondequiera
**whether** si (*not followed by subjunctive*); que (*may be followed by subjunctive*)
**which** *rel. pron.* que, el cual
**which?** *pron.* ¿cuál ?; *adj.* ¿qué ?
**while** *conj.* mientras (que); *n.* rato; **a long —** mucho tiempo

**white** blanco
**who** *rel. pron.* quien, que, el que, el cual
**who?** ¿quién(es)?
**whole** entero
**whose** *rel. pron.* cuyo
**whose?** ¿de quién?
**why?** ¿por qué?
**wide** ancho; **to open —** abrirse de par en par
**wife** mujer, esposa
**will** *n.* voluntad *f.*; *v.* \*querer
**willing** dispuesto (a)
**win** ganar
**winding** tortuoso
**window** ventana
**wine** vino
**wing** ala
**winter** invierno
**wish** *n.* deseo; *v.* desear
**with** con
**within** dentro de; en
**without** *prep.* sin; *conj.* sin que
**wolf** lobo
**woman** mujer; señora; **a young —** una joven, una señorita
**wonder** preguntarse (*or use future of probability*)
**wonderful** maravilloso
**wood** madera
**wood(s)** bosque *m.*
**wool** lana
**word** palabra
**work** *n.* trabajo; obra (**of art, etc.**); *v.* trabajar; funcionar, marchar, \*andar
**worker** obrero, trabajador
**world** mundo; **all over the —** (de) todas partes del mundo

**worry** *v.* preocupar
**worse** peor
**worst** peor
**worth** *n.* valor *m.*; *adj.* **to be —** \*valer; *prep.* **to be — the trouble** valer la pena
**worthwhile: to be —** \*valer la pena
**wrinkle** *n.* arruga; *v.* arrugar; **full of —s** muy arrugado
**write** escribir
**written** escrito
**wrong** incorrecto, equivocado; injusto; **to be —** no \*tener razón, \*estar equivocado
**wrongly** mal

# X

**Xavier** Javier

# Y

**yard** yarda
**year** año
**yearning** ansia
**yesterday** ayer
**yet** todavía; ya; **not —** todavía no; **— to be** por
**young** joven
**your** tu(s), vuestro (-a, -os, -as), su(s)
**yours** (el) tuyo, vuestro, suyo, etc.
**youth** juventud *f.*
**Yugoslavia** Yugoeslavia

# Z

**zone** zona

# INDEX